AS IRMÃS

E O MAR

CB062640

AS IRMÃS E O MAR

LUCY CLARKE

Tradução de Marcia Frazão

Rocco

Título original
SWIMMING AT NIGHT

Copyright © 2013 *by* Lucy Clarke

Todos os direitos reservados. Nenhuma parte desta obra pode ser reproduzida ou transmitida por qualquer forma ou meio eletrônico ou mecânico, inclusive fotocópia, gravação ou sistema de armazenagem e recuperação de informação, sem a permissão escrita do editor.

Esta é uma obra de ficção.
Nomes, personagens, lugares e incidentes retratados aqui são produtos da imaginação da autora. Qualquer semelhança com acontecimentos reais, localidades ou pessoas, vivas ou não, é mera coincidência.

PROIBIDA A VENDA EM PORTUGAL

Direitos para a língua portuguesa reservados
com exclusividade para o Brasil à
EDITORA ROCCO LTDA.
Av. Presidente Wilson, 231 – 8º andar
20030-021 – Rio de Janeiro – RJ
Tel.: (21) 3525-2000 Fax: (21) 3525-2001
rocco@rocco.com.br
www.rocco.com.br

Printed in Brazil/Impresso no Brasil

CIP-Brasil. Catalogação na fonte.
Sindicato Nacional dos Editores de Livros, RJ.

C545i	Clarke, Lucy, 1951-
	As irmãs e o mar / Lucy Clarke; tradução de Marcia Frazão. – Rio de Janeiro: Rocco, 2014.
	Tradução de: Swimming at night
	ISBN 978-85-325-2882-7
	1. Romance inglês. I. Frazão, Marcia. II. Título.
13-06689	CDD-823
	CDU-821.111-3

Para James

Eu gostaria de agradecer às seguintes pessoas que tornaram possível este livro: minha agente literária, Judith Murray, pelos conselhos e sabedoria; meus amigos e primeiros leitores, cujo retorno e entusiasmo foram incrivelmente valiosos; meus pais, Jane e Tony, pelo encorajamento e apoio, e, finalmente, agradeço ao meu marido James, por nunca ter deixado de acreditar em mim.

1

Katie

(Londres, março)

Katie tinha sonhado com o mar. Era arrastada por águas turvas e revoltas e por correntes sinuosas enquanto se debatia para se manter de pé. O telefone tocou em algum lugar do apartamento. Ela piscou e esfregou os olhos. O relógio na mesa de cabeceira marcava 2:14 da madrugada.

Mia, pensou apressada, empertigando-se. A irmã devia ter se atrapalhado com o fuso horário.

Afastou as cobertas e escorregou para fora da cama, a camisola enrolada na cintura. O ar estava gelado e a madeira do piso parecia placas de gelo sob a sola dos pés. Tremendo de frio, atravessou o quarto com os braços esticados para frente, os dedos como se fossem sensores. Chegou à porta e agarrou a maçaneta. A porta rangeu ao abrir-se.

O toque do telefone soou mais alto enquanto percorria o corredor escuro. Um som perturbador em meio à quietude das horas adormecidas da noite. *Que hora seria na Austrália? Meio-dia, quem sabe?*

A lembrança da terrível briga da véspera fez o estômago de Katie revirar com desconforto. Palavras afiadas que machucaram enquanto o nome de sua mãe e de Mia soava na linha telefônica como uma granada. Após a briga, mortificada de culpa e incapaz de se concentrar, Katie saiu do trabalho uma hora mais cedo. Pelo menos, agora teria outra chance de se entender com a irmã e de lhe dizer o quanto lamentava o ocorrido.

Estava apenas a dois passos do telefone quando se deu conta de que ele já não tocava. Hesitou alguns segundos, a testa apoiada na mão. Será que Mia desligara? Será que tudo não passara de um sonho? De repente, novamente o som. Mas não era o telefone, e sim o insistente ruído do interfone do apartamento.

Suspirou ao pensar que poderia ser uma visita noturna para os comerciantes que moravam no andar de cima. Aproximou-se do interfone e pressionou o dedo no botão de viva voz.

– Alô?

– Aqui é a polícia.

Ficou paralisada e o sono se desfez como a névoa do mar em dias ensolarados.

– Queremos falar com a srta. Katie Greene.

O coração lhe subiu à garganta.

– Sou eu.

– Podemos subir?

Ela liberou a porta de entrada pensando *o quê? O que aconteceu?* Apertou o interruptor e a súbita luminosidade do saguão a fez pestanejar. Ao desviar os olhos da luz, se deu conta de que estava descalça, com as unhas pintadas de cor-de-rosa e a seda da camisola amarrotada e colada na brancura das coxas. Cogitou procurar um roupão para vestir, mas passos pesados já soavam à entrada do apartamento.

Abriu a porta e dois policiais uniformizados adentraram pelo saguão.

– Srta. Katie Greene? – perguntou uma oficial de cabelos louros levemente acinzentados e faces coradas. Ao lado dela, outro policial com idade para ser seu filho e que não desgrudava os olhos do chão.

– Sim.

– A senhorita está sozinha?

Ela anuiu com a cabeça.

– A senhorita é irmã de Mia Greene?

As mãos de Katie voaram até a boca.
— Sim...
— Lamentamos informar que segundo a polícia de Bali...
— *Oh, Deus*, ela disse para si mesma. *Oh, Deus*...
— ... Mia Greene foi encontrada morta. Foi encontrada no sopé de um penhasco em Umanuk. A polícia acredita que tenha caído...
— Não! NÃO! — Ela girou e afastou-se dos policiais com a bílis amargando a garganta. Aquilo não podia ser real. Não podia ser.
— Srta. Greene?

Ela continuou de costas. Olhou para o quadro de avisos na parede do corredor, onde alguns convites, um calendário e um cartão de visitas de um fornecedor estavam fixados com tachinhas. No topo do quadro, um mapa-múndi. Uma semana antes da partida, Katie pedira a Mia que marcasse a rota da viagem no mapa. Os lábios de Mia ondularam um sorriso diante da solicitação, mas ela saciou a necessidade da irmã com planilhas e itinerários que traçavam uma rota que começava na Costa Oeste dos Estados Unidos e seguia até a Austrália, Nova Zelândia, Fiji, Samoa, Vietnã e Camboja — um verão interminável que seguia o curso das linhas litorâneas. Katie acompanhava essa rota por meio dos escassos arroubos comunicativos da irmã, e agora a tachinha prateada estava enfiada na região ocidental da Austrália.

Ela olhou fixamente para o mapa e percebeu que alguma coisa estava errada. Girou o corpo para os policiais.

— Onde a encontraram?

— Em Umanuk — repetiu o oficial. — Fica na extremidade sul de Bali.

Bali. *Bali não estava na rota de Mia. Isso só podia ser um engano!* Ela sentiu vontade de rir — de deixar que o alívio explodisse no peito.

— Mia não está em Bali. Está na Austrália!

Ela notou a troca de olhares entre os oficiais. A mulher deu um passo à frente; tinha olhos azuis e não usava maquiagem.

– Lamento informar que o passaporte de Mia foi carimbado em Bali quatro semanas atrás. – A voz da oficial soou com gentileza, mas com uma certeza que gelou Katie. – Gostaria de sentar-se, srta. Greene?

Mia não podia estar morta. Só tinha 24 anos. Era a irmã caçula. Isso era inconcebível. Os pensamentos de Katie vagaram. Ela ouviu o zumbido da cisterna no térreo. E uma televisão ligada em algum lugar. Lá fora, na rua, um boêmio cantava. *Cantava!*

– E quanto ao Finn? – ela perguntou subitamente.

– Finn?

– Finn Tyler. Eles estavam viajando juntos.

A oficial abriu um bloco de notas e o examinou por um momento. Balançou a cabeça.

– Sinto muito, mas não tenho nenhuma informação a respeito. Mas certamente a polícia de Bali entrará em contato com ele.

– Não estou entendendo nada disso – sussurrou Katie. – A senhora pode... Eu... Eu preciso saber de tudo. Conte-me tudo em detalhes.

A policial descreveu a hora exata e o lugar onde Mia tinha sido encontrada. Garantiu que o socorro médico tinha chegado rapidamente ao local do acidente, mas Mia foi considerada oficialmente morta logo que chegou. Explicou que o cadáver estava em Bali, no necrotério de Sanghar. Confirmou que haveria mais investigações, mas que, a princípio, a polícia de Bali acreditava que tudo não passara de um trágico acidente.

Durante esse tempo Katie manteve-se completamente calada.

– A senhorita gostaria que entrássemos em contato com alguém em especial?

Ela pensou logo na mãe. Permitiu-se por um momento se imaginar no conforto dos braços maternais, sentindo a maciez do casaco de cashmere da mãe no rosto.

– Não – respondeu por fim para a policial. – Gostaria que saíssem agora. Por favor.

– Claro. Amanhã alguém do Serviço de Estrangeiros entrará em contato com um boletim atualizado da polícia de Bali. Eu também gostaria de lhe fazer outra visita. Já solicitei a um oficial do Departamento de Assistência Familiar que esteja aqui para responder qualquer pergunta que a senhorita tenha. – A mulher puxou um cartão do bolso e o deixou ao lado do telefone.

Os dois oficiais ofereceram condolências para Katie e se retiraram.

Katie perdeu a força nas pernas quando a porta se fechou e tombou no piso de madeira gelado. Não chorou. Abraçou os joelhos para conter os tremores do corpo. Por que Mia estava em Bali? Era um lugar desconhecido para Katie. Embora soubesse do caso da explosão de uma bomba numa boate alguns anos antes, o que mais sabia? Claro que havia penhascos, mas os únicos que lhe vinham à mente eram os penhascos gramados da Cornualha, circunscritos pelos cabelos escuros e esvoaçantes de Mia quando criança.

Katie se pôs a conjeturar como Mia teria caído. Será que estava de pé na beirada e a terra cedeu? Será que se desequilibrara com uma súbita lufada de vento? Será que se distraíra enquanto estava sentada na beirada? Parecia algo absurdamente descuidado despencar de um penhasco. Os fatos descritos eram tão escassos que não podiam ser arrumados de modo a fazer sentido. Era preciso chamar alguém. Ed. Conversaria com Ed.

Foram necessárias três tentativas para discar o número certo. Ela ouviu um ruído de edredom, um balbucio.

– Alô? – Fez-se silêncio, com ele à escuta. Em seguida ele se limitou a dizer em tom equilibrado: – Estou a caminho.

Não deve ter transcorrido mais de dez minutos enquanto ele saía do seu apartamento, em Fulham, e chegava ao dela, em Putney, mas se ela olhasse em retrospectiva não se lembraria do tempo exato. Continuava sentada no chão do corredor, a pele arrepiada como a de um ganso, quando o interfone tocou. Ergueu-se ainda trôpega. As marcas vermelhas das tábuas do piso atrás das coxas eram como sinais de identificação. Pressionou o botão para que ele pudesse subir.

Ouviu o retumbar dos passos que vinham pela escada de dois em dois degraus e logo Ed estava à porta. Kate a abriu, ele entrou e tomou-a nos braços.

– Querida! – disse. – Minha pobre querida!

Katie comprimiu o rosto na jaqueta de Ed e a espessura da lã arranhou-lhe a bochecha gelada. Ela sentiu um odor de desodorante. Será que ele o tinha colocado antes de sair de casa?

– Você está congelada. Vamos sair daqui. – Ele a conduziu até a sala e ela se empoleirou no canto do sofá de couro creme.

É como sentar em sorvete de baunilha, disse Mia na manhã em que o sofá chegou.

Ele tirou a jaqueta, colocou-a nos ombros de Katie e massageou as costas dela com movimentos delicados e circulares. Depois, se dirigiu à cozinha e ela o ouviu abrir o armário do aquecedor e ligar o aquecimento central, que ressoou de volta à vida. Seguiu-se o jorro da torneira enquanto ele enchia a chaleira e logo o abrir e fechar de gavetas e armários e da porta da geladeira.

Ele retornou com uma xícara de chá, mas ela não conseguiu mover as mãos para pegá-la.

– Katie. – Ele se agachou para que os olhos de ambos ficassem no mesmo nível. – Você está em estado de choque. Beba um pouco. Isso vai ajudar.

Obedientemente, Katie sorveu um gole da xícara de chá que lhe chegou aos lábios. Sentiu ânsias de vômito quando o doce sabor do leite chegou à língua e saiu correndo em direção ao banheiro com a mão na boca. A jaqueta desceu pelos ombros e caiu ao chão com um baque suave.

Já debruçada na pia, vomitou saliva na bacia de cerâmica branca.

Ed surgiu atrás dela.

– Desculpe...

Katie lavou as mãos e jogou água no rosto.

– Querida – ele disse, estendendo-lhe uma toalha azul. – O que aconteceu?

Ela enterrou o rosto na toalha e balançou a cabeça. Ele puxou a toalha com delicadeza, pegou um roupão dependurado atrás da porta e ajudou-a a enfiar os braços no suave tecido de algodão. Depois, segurou as mãos dela e esfregou-as.

– Conte pra mim.

Ela repetiu os detalhes que ouvira dos policiais, a voz tão embargada que a fez pensar que se olhasse para o espelho do banheiro se veria com a pele drenada de cor e os olhos vidrados.

Em seguida voltaram para a sala e ele fez uma pergunta para a qual ela também queria uma resposta:

– Por que sua irmã estava em Bali?

– Não faço a menor ideia.

– Já falou com Finn?

– Ainda não. Vou telefonar para ele.

Ela digitou o número do celular de Finn com as mãos trêmulas. Levou o fone ao ouvido e o ouviu tocar repetidas vezes.

– Ele não está respondendo.

– E a família dele? Sabe o número do telefone?

Kate procurou na agenda de telefones enquanto tentava atinar o código da Cornualha, embaralhado em meio à débil memória que até então não se deixava capturar.

Finn era o caçula de quatro irmãos. Sue era a mãe, uma mulher pequena que vivia de mau humor e que atendeu um tanto sonolenta.

– Quem é?

– Katie Greene.

– Quem?

– Katie Greene – ela pigarreou. – A irmã de Mia.

– Mia? – repetiu Sue, acrescentando de imediato: – Finn?

– Houve um acidente...

– Finn...
– Não, foi com Mia. – Katie fez uma pausa e olhou para Ed, que balançou a cabeça incentivando-a a prosseguir. – A polícia esteve aqui e disse que Mia estava em Bali... Em algum penhasco de lá. Eles disseram que ela está morta.
– Não...
Ao fundo, Katie ouviu o pai de Finn, um homem plácido de uns sessenta e poucos anos que trabalhava para a Forestry Commission. Depois de uma breve manifestação de exclamações abafadas por mãos ao fone, Sue retornou para a linha.
– Finn já sabe?
– Imagino que sim. Mas ele não está atendendo o celular.
– Ele o perdeu algumas semanas atrás. Ainda não conseguiu outro. Nós temos recorrido aos e-mails. Se você quiser, tenho o endereço dele...
– Por que eles estavam em Bali? – Katie a interrompeu.
– Bali? Finn não estava lá.
– Mas a polícia disse que Mia foi encontrada lá. Ela tem a entrada registrada no passaporte.
– Mia foi para Bali. Finn não foi.
– O quê? – disse Katie, apertando ainda mais o aparelho.
– Eles brigaram. Desculpe, pensei que você soubesse.
– Quando foi isso?
– Cerca de um mês atrás. Finn contou para o Jack. Fiquei sabendo que eles tiveram uma rusga... só Deus sabe por quê... E que Mia trocou a passagem dela.
A cabeça de Katie girou. A amizade entre Mia e Finn era inabalável. Eclodiu uma imagem de ambos quando crianças. Finn com uma peruca de algas brilhantes enfiada na cabeça e Mia dobrada de tanto rir. Era uma amizade tão rara, tão sólida, que ela não conseguia imaginar o que de tão terrível causara a separação deles.

***

Dez dias depois o sol de inverno inundou o quarto de Katie. Ela estava em absoluto silêncio, braços estirados ao lado do corpo e olhos fechados, a fim de se proteger de uma ameaça distante da qual fazia de tudo para se esquecer. Piscou os olhos e, antes que pudesse se lembrar por que as pestanas estavam endurecidas e salgadas, se viu tomada pela dor.

Mia.

Dobrou-se sobre si mesma, puxou os joelhos até o peito e pressionou os punhos à boca. Embora de olhos estreitamente cerrados, imagens perturbadoras jorraram na mente: Mia despencando silenciosamente no vazio como uma pedra, o ar apartando os cabelos negros do rosto, um grito lancinante, o estrondo do crânio ao chocar-se contra o granito.

Começou a tatear à procura de Ed, mas os dedos só encontraram a curva vazia deixada no lugar onde ele dormira. Aguçou os ouvidos para captar algum som em volta e respirou aliviada quando ouviu o suave ruído do teclado do computador que ecoava da sala: talvez ele estivesse digitando um e-mail para o escritório. Essa capacidade dele era invejável – levava a vida adiante enquanto ela paralisava.

Sabia que precisava entrar no chuveiro. Mas seria bem mais fácil continuar enrolada no edredom, como tinha feito no dia anterior, só se levantando depois do almoço, sonolenta e desorientada. Respirou profundamente e fez força para sair de baixo das cobertas.

No caminho para o banheiro passou pelo quarto de Mia e se deteve por um momento à frente da porta. Elas haviam comprado aquele apartamento com uma pequena herança recebida após a morte da mãe. A decisão deixou a todos surpresos, inclusive a própria Katie, que jurara que nunca mais moraria com a irmã depois dos anos turbulentos de adolescência. Mas a possibilidade de Mia torrar todo o dinheiro se não o aplicasse em investimentos sólidos a deixou preocupada. Fora Katie quem organizara as visitas aos imóveis, lidara com as administradoras e corretores e atravessara um aguaceiro com um guarda-chuva quebrado para chegar a tempo de assinar os papéis da hipoteca.

Ela tocou suavemente na maçaneta de bronze e girou-a. Um tênue rastro de odor de jasmim cortou o ar frio e petrificado. Mia colocara a cama perto da janela para poder acordar e enxergar o céu. Um casaco de pele de ovelha que pertencera à mãe jazia ao pé da cama. Era um modelo original com uma gola desengonçada dos anos setenta, e ela se lembrou de Mia embrulhada naquele casaco durante todo o inverno, como uma hippie perdida.

Ao lado da cama, uma escrivaninha de pinho entulhada de coisas: um velho aparelho de som desligado e empoeirado; três caixas de papelão entupidas de CDs; um par de botas de montanhismo sem cadarços; um monte de papéis e dois potes cheios de canetas. As paredes do quarto não tinham as fotos e quadros que adornavam os quartos anteriores. Mia não mostrara interesse algum em decorá-las; na verdade, era como se nunca tivesse tido intenção de se mudar para aquele lugar e de ficar ali para sempre.

Katie foi quem a persuadira a se mudar para Londres, recorrendo a palavras como "oportunidade" e "carreira", as quais nunca fizeram parte do repertório da irmã. Mia passava os dias perambulando pelos parques ou remando em barcos de aluguel no Battersea Park, como se sonhasse em estar em outro lugar. Já havia trocado cinco vezes de emprego em poucos meses, simplesmente porque de repente decidia sair da cidade para praticar montanhismo ou acampar, e assim partia deixando bilhetes por baixo da porta para Katie e mensagens para os empregadores na secretária eletrônica. Katie procurava oportunidades de trabalho usando seus contatos de recrutamento, mas a tentativa de fixar Mia em alguma coisa era como fincar uma fita ao sabor do vento.

Katie reparou no par de tênis sujos de lama e se lembrou da noite em que Mia anunciou a viagem. Enquanto preparava um risoto na cozinha, fatiando cebolas com movimentos hábeis e certeiros e transferindo-as para a panela, Mia zanzava de um lado para o outro com fones de ouvido que balançavam por cima da gola da camiseta enquanto enchia uma garrafa de água na torneira.

– Saindo para correr? – perguntara Katie, secando os olhos lacrimejantes na manga do cardigã.

– Sim.

– E como está a ressaca? – Katie entrara no banheiro para tomar banho depois do trabalho e encontrara Mia dormindo no chão, com um vestido da irmã que pegara emprestado sem pedir.

– Bem – respondeu Mia, ainda de costas para Katie. Em seguida fechou a torneira e secou as mãos na camiseta, deixando contas prateadas de umidade.

– O que aconteceu com seu tornozelo?

Mia olhou de relance para um corte feio e avermelhado um pouco acima da linha do cano da meia.

– Quebrei um copo no trabalho.

– Precisa de um Band-Aid? Tenho no meu quarto.

– Pode deixar, está tudo bem.

Katie balançou a cabeça e, enquanto mexia as cebolas com uma colher de pau, observava a brancura que aos poucos se amaciava e se fazia translúcida. Aumentou o fogo.

Mia continuou na pia por alguns instantes.

– Falei com Finn mais cedo – disse em seguida.

Katie ergueu os olhos; elas quase não citavam o nome dele.

– Nós decidimos viajar.

As cebolas iniciaram o processo de fritura, mas Katie parou de mexê-las.

– Vocês vão viajar?

– Sim.

– Por quanto tempo?

Mia encolheu-se.

– Por um tempo. Um ano. Talvez.

– Um ano!
– Já compramos as passagens.
– Você já fez as reservas?
Mia assentiu com a cabeça.
– Quando decidiram isso?
– Hoje.
– Hoje – repetiu Katie incrédula. – Você nem pensou direito!
Mia arqueou a sobrancelha.
– Não?
– Achei que você não tinha dinheiro.
– Darei um jeito.
O óleo começou a estalar e respingar.
– E Finn vai conseguir ficar sem trabalhar tanto tempo? Tenho certeza que o pessoal da estação vai levar um susto.
– Ele também já deu um jeito.
– Mas ele adorava aquele trabalho...
– Será? – disse Mia, olhando diretamente nos olhos da irmã.

O ar na cozinha pareceu se contrair.

Mia então pegou a garrafa de água, ajeitou os fones nos ouvidos e saiu da cozinha. A panela começou a queimar e Katie retirou-a do fogão. Foi tomada por uma onda ardente de raiva e cruzou a cozinha em três passos largos para continuar a discussão, mas quando ouviu os passos de Mia ao longo do corredor e depois o giro da fechadura e a batida da porta, se deu conta de que o que sentia era muito mais alívio do que raiva ou mesmo dor. Mia já não era mais responsabilidade dela: era responsabilidade de Finn.

No meio da tarde, o telefone tocou. Ed olhou de relance para o laptop; Katie balançou a cabeça. Já tinha decidido não falar com ninguém e ativado a secretária eletrônica para que registrasse as mensagens de condolências dos amigos, pontuadas por desculpas desajeitadas e pausas constrangidas.

A máquina registrou em viva voz.
– Alô. Aqui é o sr. Spire, do Departamento de Estrangeiros de Londres.
Um nervo da pálpebra de Katie estremeceu. Ed pegou o telefone ao final da mensagem.
– Aqui é o noivo de Katie. – Olhou para ela e disse: – Sim, ela está aqui comigo. – Fez um sinal para que ela pegasse o telefone.
Ela estendeu o braço e pegou o aparelho, como se fosse uma arma que a obrigavam a pôr na cabeça. O sr. Spire telefonara duas vezes após a morte de Mia, primeiro para pedir permissão para prosseguir a autópsia e depois para discutir a remoção do corpo de Mia para a Inglaterra. Passados alguns segundos, ela apertou os lábios e pigarreou. Levou o fone à boca e disse pausadamente:
– Aqui é Katie.
– Espero que seja uma boa hora para conversarmos.
– Sim, tudo bem. – O calor seco e bolorento do aquecimento central atingiu-lhe o fundo da garganta.
– O consulado britânico em Bali tem feito contato. Eles têm algumas novidades a respeito da morte de Mia.
Ela fechou os olhos.
– Continue.
– Os casos como o de Mia às vezes requerem um relatório toxicológico, como parte do procedimento da autópsia. Estou com uma cópia desse relatório à minha frente e gostaria de conversar com a senhorita a respeito.
– Tudo bem.
– Os resultados indicam que Mia estava intoxicada na hora da morte. O nível de álcool no sangue era de 0.13; isso significa que os reflexos e o tempo de reação talvez estivessem prejudicados. – Ele fez uma pausa. – E há outra coisa.
Katie caminhou até o umbral da porta da sala e se apoiou na moldura de madeira para se manter de pé.
– A polícia balinesa interrogou duas testemunhas que disseram ter visto Mia na noite da morte. – Spire hesitou, dando a

impressão de estar se debatendo com alguma coisa. – Lamento muito, Katie, mas nesse depoimento disseram que Mia pulou.

O chão se abriu e o estômago de Katie revirou. Ela se inclinou para frente. Ouviu passos cruzando a sala e sentiu a mão de Ed por trás. Tratou de afastá-lo e se empertigou.

– O senhor acha que minha irmã... – disse com uma voz esganiçada, como um elástico prestes a arrebentar. – O senhor acha que foi suicídio?

– Com base nos depoimentos das testemunhas e na autópsia, registraram a causa da morte como suicídio.

Katie levou a mão à testa.

– Sei que isso pode ser extremamente difícil...

– Quem são essas testemunhas?

– Eu tenho as cópias dos depoimentos. – Ela ouviu o estalo de uma cadeira e o imaginou debruçado sobre uma escrivaninha larga para pegá-los. – Pronto, estão aqui. As testemunhas são um rapaz e uma moça de 30 anos que estavam em lua de mel em Bali. Eles dizem que naquela noite saíram para um passeio ao longo do caminho inferior do penhasco em Umanuk e que fizeram uma pausa para olhar a paisagem... Isso aconteceu por volta da meia-noite. Uma jovem correspondendo à descrição de Mia passou correndo pelas imediações, aparentemente bastante nervosa. O rapaz perguntou se Mia precisava de ajuda e ela se limitou a dizer "não". Em seguida ela desapareceu numa trilha que levava ao caminho superior do penhasco que parece que fazia tempo que não era usada. Entre cinco e oito minutos mais tarde as testemunhas olharam para o alto e lá estava Mia de pé na beira do penhasco. Segundo o relatório, os dois ficaram preocupados com a segurança da moça, mas ela saltou antes que pudessem agir.

– Meu Deus! – Katie começou a tremer.

O sr. Spire esperou um pouco e prosseguiu:

– De acordo com a autópsia, as lesões sofridas indicam que Mia se jogou de frente pelo penhasco abaixo, o que coincide com os depoimentos das testemunhas. – Spire acrescentou outros detalhes, mas Katie já não estava ouvindo. Estava com a mente voltada para o topo do precipício.

Mia, ele está errado, não está? Você não pulou. Não acredito nisso. O que foi que eu disse quando você telefonou... oh, Deus, por favor, não permita que eu tenha dito...

– Katie – ele continuou. – Já estão tomando providências para que o corpo seja repatriado para a Inglaterra em uma semana, na quarta-feira. – Perguntou pelos detalhes do funeral e encerrou a chamada.

Ela sentiu pontadas de dor atrás dos olhos e friccionou os ossos abaixo das sobrancelhas com o dedo indicador e o polegar. Um bebê chorou no apartamento do andar de baixo.

Ed a fez girar lentamente e os dois se entreolharam.

– Eles estão dizendo que foi suicídio – ela disse baixinho, com a voz embargada. – Mas não foi.

Ele a segurou pelos ombros.

– Você vai superar isso, Katie.

Mas como ele podia saber? Ela não comentara sobre a briga terrível que tivera com Mia. Não tinha falado das coisas odiosas e vergonhosas que dissera à irmã. Não comentara sobre a raiva e as ofensas que se interpuseram entre elas durante meses. E não tinha falado nada para Ed porque as relações sombrias e intensas entre irmãs deviam ser assim, e porque era melhor que os outros nadassem na superfície e não patinassem no fundo.

Katie se virou de costas e se dirigiu ao quarto, onde se deitou na cama de olhos fechados e se concentrou nas coisas boas que partilhara com Mia. Os pensamentos a levaram de volta à última vez que vira a irmã. Elas haviam se despedido com um abraço no aeroporto. Lembrou-se do corpo esguio, dos braços musculosos e do colo bem marcado de Mia.

Nunca teria se soltado daquele abraço e teria guardado cada detalhe da irmã se soubesse que era a última vez que a abraçava.

2

Mia

(Londres, outono do ano anterior)

Mia sentiu o rosto suave de Katie contra o próprio rosto enquanto se abraçavam. Absorveu a curva do peito, a leveza dos ombros e o jeito com que a irmã se colocava na ponta dos pés para alcançá-la.

Raramente se abraçavam. Ficara para trás o tempo em que eram crianças e não sentiam vergonha de estar juntinhas – espremendo-se na mesma poltrona de quadris colados, fazendo tranças uma na outra e arrematando-as nas pontas com lindas contas brilhantes; treinando acrobacias de mãos dadas na areia aquecida pelo sol. Mia não sabia dizer em que momento essa intimidade de corpos se perdera. Katie continuava calorosamente tátil; saudava as pessoas com abraços e beijos e tinha uma maneira inclusiva de segurar o braço do outro para contar uma história.

A última vez que haviam se abraçado daquele jeito talvez tivesse sido na manhã do funeral da mãe, um ano antes. Estavam vestidas de preto e trocaram palavras sinceras no estreito patamar da casa de infância. Katie é quem tinha estendido os braços quando o gesto devia ter partido de Mia. De todo modo, elas se abraçaram, uma trégua firmada em meio a sussurros entrecortados de alívio. Mas não mantida.

Agora, enquanto se abraçavam na área de *check-in* do aeroporto, Mia estava com um aperto na garganta e os olhos marejados de lágrimas. Aprumou-se e soltou-se do abraço. Não quis olhar para Katie quando colocou a mochila nas costas e puxou os cabelos que se prenderam debaixo da carga.

– Então é isso – disse Katie.
– Suponho que sim.
– Tem certeza que não esqueceu nada?
– Sim.
– Passaporte? Passagens? Dinheiro?
– Não esqueci nada.
– Finn vai se juntar logo a você?
– Sim. – Mia arranjara um jeito de fazer com que ele e a irmã não se encontrassem. – Obrigada por ter me trazido – ela acrescentou comovida porque Katie havia perdido um dia de trabalho apenas para ajudá-la. – Não precisava se incomodar.
– Eu queria me despedir de maneira adequada. – Katie estava com um vestido cinza de corte impecável sob um casaco cor de caramelo. Enfiou as mãos nos bolsos largos do casaco. – Estou com a impressão de que vi você muito pouco ultimamente.

Abaixou os olhos porque inventara razões para se manter a distância.

– Mia – disse, dando um passo curto à frente. – Sei que pode parecer que não estou feliz por você... pela sua viagem. É que é difícil. Sua partida. É isso.
– Eu sei.

Katie chegou mais perto e puxou as mãos da irmã. Sentiu-se fria enquanto segurava as mãos de Mia, mesmo com os dedos secos e aquecidos pelos bolsos do casaco.

– Lamento que Londres não tenha sido interessante para você. Estou com a impressão de que a forcei a vir. – Girou o anel de prata do polegar de Mia e acrescentou: – Só achei que seria bom para nós ficarmos juntas depois da morte da mamãe. Sei que ultimamente tem passado por tempos difíceis... E lamento se de alguma maneira a impedi de chegar a mim.

Um fio de culpa lubrificado e pegajoso desceu pela garganta de Mia: *como eu poderia chegar a você?*

Ela rememorou o dia em que marcara a viagem. Acordara de cara grudada no piso de azulejos frio do banheiro que cheirava a alvejante. Estava com um vestido – cor de jade – de Katie enrolado à cintura e com os sapatos largados, um debaixo da pia e outro preso no pedal da lata de lixo.

Katie chegara à porta enrolada numa toalha felpuda azul.

– Oh, Mia...

A cabeça de Mia latejava e o fundo da garganta se banhava no azedume da bebida. Fez força para se levantar e foi bombardeada por uma pontada de dor nas têmporas. Cenas da noite anterior atravessaram sua cabeça: recinto sob uma luz vermelha, copos vazios de uísque, batida grunge de uma faixa de R&B, fedor almiscarado de suor no ar; outra rodada, um arroubo de vozes masculinas, um rosto familiar, um irresistível desejo de riscos. Lembrou-se de ter dependurado a bolsa no ombro, de ter entornado o resto de uísque garganta abaixo e de ter caminhado ao longo de um corredor escuro. A memória do que aconteceu depois continuou fresca e atada a muita vergonha. Isso a fez se dar conta de que devia partir. Sair de Londres. Abandonar a irmã.

Chamaram um passageiro pelo alto-falante do aeroporto, trazendo-a de volta ao presente.

– Eu me preocupo com você – disse Katie.

Mia puxou a mão e fingiu que ajustava as correias da mochila.

– Ficarei bem.

As duas giraram o corpo quando um casal de meia-idade passou apressado; o homem resmungava "Cristo!" e empurrava um carrinho de bagagem atrás da mulher que tinha unhas pintadas agarradas a um monte de documentos e lutava para correr de salto alto. Ele olhou de relance para Katie. Mesmo na correria para pegar um avião, mesmo com a esposa do lado, os homens não se privavam de olhá-la. Eram atraídos como abelhas para um pote de mel ou como moscas para a merda, como disse Mia certa vez num momento de raiva. Katie não se destacava apenas pela constituição *mignon* e os cabelos cor de mel, mas também pela confiança reconfortante que emanava de seus poros, como se dissesse *sei muito bem quem eu sou*.

Katie não percebeu o olhar de admiração porque estava sendo atraída por outra pessoa. Finn se dirigia saltitante em direção às duas irmãs, com o uniforme habitual composto de camiseta, jeans e tênis de cano alto. E também uma mochila verde militar caindo aos pedaços dependurada no ombro.

Katie deu um pequeno passo atrás e alinhou-se a Mia, com as mãos suando dentro dos bolsos.

O olhar de Finn se deslocou lentamente de uma para a outra. Depois, os cantos da boca se ergueram e os lábios abriram um sorriso largo.

– As irmãs Greene! – Se sentia algum desconforto, ele não demonstrou. – Você vem conosco, Katie?

– Farei a viagem daqui mesmo, graças aos e-mails de Mia.

Mia sorriu.

– Dica devidamente anotada.

Um veículo do aeroporto rebocando uma fileira de carrinhos de bagagem em direção aos três buzinou e os fez se espremerem juntos.

– E como vão as coisas? – perguntou Finn para Katie. – Já faz tanto tempo.

– Pois é, faz mesmo. Tudo bem, obrigada. Muito trabalho. Mas isso é bom. E você? Como vai?

– Estou me sentindo ótimo por poder passar um ano fora.

– Vocês dois precisavam. Primeiro a Califórnia?

– Sim, durante algumas semanas pela costa e depois iremos direto para a Austrália.

– Parece maravilhoso. Estou com inveja.

Será que está mesmo?, Mia pensou consigo. *Será que ela gostaria de carregar a vida nas costas, mudando de lugar em lugar sem plano algum?*

– Tudo bem – disse Katie, tirando as chaves do carro de dentro da bolsa. – Preciso ir. – Olhou para Finn, assumindo um ar sério. – Você vai tomar conta dela, não vai?

– Você sabe que isso é o mesmo que pedir a um peixinho de aquário para cuidar de uma piranha.

A expressão de Katie desanuviou um pouco.

– Apenas traga-a de volta em segurança.

– Prometo. – Ele se inclinou e beijou-a no rosto. – Cuide-se.

Ela fez um rápido meneio de cabeça e apertou os lábios.

– Você vai telefonar? – perguntou para Mia. – Está com o celular?

– Não vou levá-lo. – Mia viu a expressão da irmã e acrescentou. – É uma despesa enorme! – Mas o custo não era a verdadeira razão: não queria fazer contato com Katie.

– Eu estou com o meu, caso queira entrar em contato conosco – disse Finn. – Ainda tem o número?

– Sim. Sim, creio que sim.

Fez-se um breve silêncio entre os três. Mia se perguntou sobre o que Katie faria no resto do dia. Será que convidaria uma amiga para um café? Iria à academia de ginástica? Almoçaria fora com Ed? De repente se deu conta de que não fazia ideia de como a irmã passava o tempo.

– Será que vocês podem me avisar quando chegarem?

– Claro – respondeu Mia, com um imprevisto encolher de ombros. Na verdade, queria dizer para Katie que a amava ou que sentiria muitas saudades, mas alguma coisa a impediu de encontrar as palavras. Ela sempre agia assim. Então, em vez de dizer o que queria, balançou a mão no ar, se virou de costas e partiu com Finn.

Mia colou o nariz no vidro da janela e Londres sumiu de vista debaixo das asas brancas do avião. De repente entraram em uma camada de nuvem e a paisagem se dissipou. Ela se recostou na

poltrona e aos poucos as batidas cardíacas se aquietaram. Já estava indo embora.
Estava com o diário de viagem no colo. Fora comprado no Camden Market, numa barraca que vendia cata-ventos, mapas e relógios de bolso antigos. O tecido azul-marinho da capa e as grossas páginas cor de creme exalavam promessas e eram atraentes.
Abriu o diário, destravou a caneta contra a clavícula e escreveu as primeiras duas frases:

As viagens são feitas por duas razões: ou porque se está procurando algo ou porque se está fugindo de algo. Ambas se encaixam em mim.

Enfiou o diário no bolso do assento, junto com os panfletos de segurança, e fechou os olhos.

Enquanto o avião sobrevoava Sierra Nevada, Mia observava as nuvens à deriva lá embaixo. Pareciam suaves e convidativas e ela então se imaginou mergulhando e sendo sustentada pelo abraço macio das nuvens enquanto flutuava nas correntes de ar.
— Não são tão confortáveis como parecem — comentou Finn, como se lendo sua mente.
Finn Adam Tyler era o melhor amigo de Mia, e era assim desde que tinham se conhecido, aos 11 anos no ônibus escolar. Quatro semanas antes, ela telefonara para o trabalho dele para dizer que faria uma viagem. Fez isso sentada em cima da bancada da cozinha e com os pés balançando e tocando na porta da geladeira. Ele atendeu e ela se limitou a dizer:
— Eu tenho um plano.
— E do que preciso? — ele disse, voltando ao clima dos anos da adolescência quando um deles concebia um plano e o outro aderia.

Ela soltou uma risada.

– Do passaporte, uma carta de demissão, uma mochila e um cartão de vacinação contra o tifo.

Fez-se uma pausa. Seguiu-se uma pergunta:

– Mia, o que você fez?

– Reservei passagens de ida e volta para América, Austrália, Nova Zelândia, Fiji, Samoa, Vietnã e Camboja. O voo sai em quatro semanas. Você vem?

Fez-se silêncio. Manteve-se suspenso, e isso a fez pensar que errara em agir de impulso e que teria sido melhor se ele tivesse dito que não podia abandonar o trabalho.

– E essa vacina contra o tifo – ele perguntou em seguida –, é no braço ou na bunda?

Agora, ela o observava enquanto ele lia um jornal totalmente aberto, com os joelhos apoiados no encosto da poltrona da frente. Os cachos tratados com *mousse* do menino de escola que ela conhecera estavam cortados e uma barba áspera sombreava o queixo.

No final da fileira, uma mulher voluptuosa com brincos de ouro dependurados nas orelhas destravou o cinto de segurança e saiu pelo corredor afora. Caminhou em direção aos banheiros, amparando-se nos encostos das poltronas para não cair. Mia se voltou para Finn.

– Preciso falar com você.

– Se for a respeito da última refeição, juro que achei que você não queria ser acordada.

Ela sorriu.

– É algo importante.

Ele dobrou o jornal e olhou-a atentamente.

Algumas fileiras à frente, um choro baixinho de criança ecoou mais alto.

Mia pôs as mãos debaixo das coxas.

– Pode parecer estranho – iniciou vacilante –, mas depois que fiz nossas reservas, me dei conta de que havia outro lugar

que gostaria de visitar nesta viagem. — Talvez já tivesse dito isso antes para ele, embora não devesse ter sido clara porque temia não levar a ideia adiante. Às vezes não tomava consciência de alguma ideia ainda em gestação que de repente vinha à tona e a fazia entrar em ação. — Reservei uma parada extra.
— O quê?
— Depois de San Francisco pegaremos um voo até Maui.
— Maui? — Ele lançou um olhar vazio. — Por quê?
— Mick mora lá.
Ela esperou que ele registrasse o nome. Fazia tempo que não o ouvia.
— Seu pai?
Ela assentiu com a cabeça.
O choro da criança ecoou ainda mais alto e chamou a atenção dos passageiros. Logo soaram berros e alguma coisa foi lançada no corredor.
Finn olhou fixamente para Mia.
— Há anos que você não fala dele. Quer vê-lo?
— Acho que sim. Sim.
— Ele tem... feito contato?
Ela balançou a cabeça.
— Não. Não temos feito contato. — Mick partira quando ela e Katie eram muito novinhas, deixando a mãe sozinha para criar duas filhas.
— Não estou entendendo. Por que agora?
Era uma pergunta pertinente, mas ela ainda não sabia como respondê-la. Então, encolheu-se. À frente soou um murmúrio do pai da criança birrenta.
— Agora, chega.
Finn passou a junta do polegar por baixo do queixo, um gesto que sempre fazia quando alguma coisa o preocupava.
— E o que Katie acha disso?
— Não contei para ela.

Mia notou que ele estava surpreso e que queria dizer alguma coisa, mas desviou os olhos para a janela e deu fim à conversa.

Ela desejou que os pensamentos se dissipassem nas nuvens porque o que acabara de dizer era apenas uma das coisas que tinha escondido da irmã.

3

Katie

(Cornualha/Londres, março)

Katie sentou-se ereta e de pés juntos no banco da igreja. Lufadas de ar marinho entravam pelas rachaduras dos vitrais e por baixo da pesada porta de carvalho. Segurou um lenço úmido e Ed cobriu a mão dela com a própria mão. Dezoito meses antes ela se sentara naquele mesmo banco durante o funeral da mãe, só que naquela vez estava de mãos dadas com Mia.

Fixou os olhos no caixão. De repente, tudo naquele caixão – o reflexo do polimento do olmo, as braçadeiras de bronze que o mantinham fechado, os lírios brancos arranjados no topo – pareceu errado. Por que teria resolvido enterrar Mia ao lado da mãe se a irmã não havia visitado aquele túmulo uma única vez sequer? Será que não teria sido mais adequado cremá-la e espalhar as cinzas no mar? *Por que eu nunca soube o que você queria?*

Seria quase impossível conceber que Mia estava dentro daquele caixão se dois dias antes Katie não tivesse decidido que precisava ver o corpo. Ed se mostrara reservado em relação ao seu bem-estar.

– Você tem certeza? Afinal, não sabemos como está o corpo depois da queda. – Era assim que todos se referiam ao acontecimento: *a queda*, como se Mia simplesmente tivesse escorregado no banho ou caído do banco.

Ela não seria dissuadida. Era melhor entrar em agonia com a visão do corpo de Mia do que deixar uma pequena fração de dúvida por não ter feito isso – com o tempo, a dúvida se alimentaria e se tornaria esperança, e ela não queria correr o risco de se decepcionar. Quando Katie se viu atrás da pesada cortina roxa da sala mortuária chegou a jurar para si mesma que Mia estava apenas dormindo. Figura esguia, cabelos negros penteados, curva dos lábios. Era como se Mia estivesse viva. Mas a pele evidenciava a morte. Depois de alguns meses de viagem, Mia estaria bastante bronzeada, e a morte substituíra o bronzeado por uma palidez fantasmagórica que fazia a pele parecer uma insípida e estranha sombra, como leite derramado em piso escuro.

Katie se recusou a escolher a roupa com que o encarregado do funeral enterraria a irmã. Seria presunçoso vesti-la porque a moda era indefinível para Mia. Apaixonava-se pelas histórias que as roupas contavam e às vezes escolhia um vestido largo e azul-marinho apenas para se lembrar do mar, e outras vezes comprava um par de sapatos usados apenas para imaginar os lugares por onde tinham andado.

Na noite em que morreu, Mia vestia um shortinho de cós alto que não caía pelos quadris, como lhe era habitual. Estava de pés descalços e tinha um anel de prata em cada dedão, e as unhas não estavam pintadas. Uma bata cor de creme na parte superior do corpo se estendia por cima de um biquíni turquesa. Um delicado colar de conchas brancas com uma única pérola no centro estava amarrado ao pescoço. Parecia casual demais para a morte.

Katie se aproximou e pôs a mão no braço da irmã agora frio e inerte. E lentamente deslizou os dedos por dentro dos cotovelos, as veias azuis já não transportavam sangue pelo corpo. Passou a mão pelo bíceps e pelo ombro e ao longo da suave pele do pescoço. Acariciou uma cicatriz quase imperceptível em forma de lua crescente na testa e deteve a mão no rosto de Mia. Já sabia que havia uma fissura atrás do crânio causada pelo impacto, mas não encontrou outras marcas no corpo. Isso a desapontou porque estava em busca de uma pista, de algum detalhe despercebido aos olhos das autoridades que pudesse provar que a morte de Mia se devia a uma razão mais suportável que a do suicídio.

Katie ajeitou a bata com todo o zelo e arrumou o short de maneira a deixar o cós em cima dos ossos dos quadris. Depois, curvou-se até o ouvido e de Mia exalou um estranho odor de desinfetante e loção de embalsamamento.

– Lamento muito – sussurrou de olhos fechados.

– Katie? – Ed apertou a mão dela, trazendo-a de volta ao funeral. – É sua vez.

Levou a mão ao cotovelo dela e ajudou-a a se levantar. Ela saiu do banco com as pernas aparentemente incorpóreas e se dirigiu como um espectro até o púlpito. Enfiou o lenço no bolso do casaco e puxou um cartão onde anotara algumas poucas sentenças.

Olhou ao redor. A igreja estava cheia. Já havia gente em pé no fundo da igreja. Avistou velhos vizinhos, amigos de Mia dos tempos de escola e um grupo de suas próprias amigas que tinham feito uma longa viagem de Londres até lá. Também havia muita gente desconhecida. Uma garota de chapéu de lã preto soluçava baixinho com tremores nos ombros. Na segunda fileira de trás, um rapaz magro fungou num lenço amarelo e o enfiou debaixo do livro de serviços. Katie sabia que as circunstâncias da morte de Mia pairavam nos pensamentos de todos, mas não tinha respostas para as perguntas que eram feitas. Como poderia responder se ela própria não tinha no que acreditar?

Segurou-se com força no púlpito, limpou a garganta duas vezes e começou a falar:

– Embora as autoridades tenham acinzentado a morte de Mia, ela teve uma vida colorida como um arco-íris. Como irmã, era um estonteante índigo que sempre me desafiava a olhar o mundo de outra perspectiva e com diferentes tons. Também era um violeta intenso que se guiava nas ações pelo coração, o que a tornava apaixonada, espontânea e corajosa. Como amiga, era um vibrante laranja, espirituosa, destemida e aberta às aventuras. Como filha, acho que nossa mãe... – disse a última palavra com dificuldade. Fechou os olhos, concentrou-se e engoliu um nó crescente de emoção.

Abriu os olhos e Ed balançou a cabeça em sua direção, encorajando-a a prosseguir. Ela respirou e retomou a frase:

– Como filha, nossa mãe a chamaria de vermelho do amor porque não se cabia de felicidade, aconchego e risos com Mia. Ela também era o verde do mar, onde mergulhava e pegava ondas na infância. Sua contagiante, estonteante e frequente risada era um amarelo brilhante, um raio de sol cujo sorriso iluminava a todos que o recebiam. E agora que Mia se foi, só me restam os remanescentes vazios azulados no espaço onde antes dançava um arco-íris.

Katie deixou o cartão no púlpito sem saber como se viu conduzida pelas próprias pernas para a companhia de Ed.

O caixão já estava na cova e o grupo do cortejo fúnebre retornava para os carros quando Katie o viu.

Finn parecia diferente do homem de quem se despedira no aeroporto. A pele habitualmente pálida agora estava bronzeada e o cabelo tinha um tom castanho dourado de sol. Ele também parecia mais velho, sem a suave meninice nas feições. Só tinha recebido notícias da família três dias antes. Apanhou o primeiro voo para Londres e chegou no dia anterior. Ergueu os olhos, ladeado pelos dois irmãos, e olhou para Katie. Caminhou cautelosamente em direção a ela, com os olhos vermelhos e uma vermelhidão crua em volta do nariz.

– Katie... – Cortou a frase quando viu a expressão dela.

A voz dela soou fria e plana como o céu.

– Você a deixou para trás, Finn.

Ele engoliu em seco e fechou os olhos. As pestanas úmidas não passaram despercebidas para ela. Fechou-se a porta de um carro ao longe e soou o ronco de um motor.

Katie estava em pé e encostada num arco de pedra nos fundos da igreja. Enfiou as mãos nos bolsos do casaco.

– Vocês deviam estar viajando *juntos*. O que aconteceu?

A pergunta pareceu dolorosa e ele respondeu com os olhos desviados para o nada.

– Nós tivemos uma briga. Não devia ter acontecido. Mia não queria ficar na Austrália...

– E aí ela foi para Bali – completou Katie. – Por quê?

O sapato preto sem polimento no pé esquerdo de Finn se mexeu inquieto. Ela se lembrou do gesto; antes achava que fosse um sinal de impaciência, mas depois entendeu que era apenas uma indicação de nervosismo.

– Nós conhecemos um pessoal que estava indo pra lá.

– Simplesmente não estou entendendo nada. – As mãos de Katie tremeram dentro dos bolsos. Ela cerrou os punhos e ergueu o queixo. – Por que ela estava no topo daquele penhasco?

– Não sei. Não nos falamos mais depois da Austrália. Ela só me mandou um e-mail...

– Você não pensou em contar para alguém? – Ela assumiu um tom de voz mais alto e notou que os irmãos de Finn se entreolharam.

Ele ergueu a palma das mãos para o céu acinzentado, indefeso ante a avalanche de perguntas.

– Achei que Mia contaria...

– Você devia tê-la impedido! – Uma forte lufada de ar despenteou o cabelo e cobriu o rosto de Katie, que logo o puxou para o lado.

– Ela é cabeça-dura – ele disse. – Você sabe disso.

– *Era* cabeça-dura. *Era*. Ela está morta! – A última palavra explodiu como uma verdade fria, e isso a impeliu a continuar, a raiva emergindo da garganta como um veneno. – Você me prometeu que tomaria conta da minha irmã.

– Eu sei...

— Ela confiava em você, Finn. Eu também confiava em você!

— Katie deu um passo à frente, estendeu o braço e o esbofeteou na face esquerda.

Duas gaivotas gritaram lá no alto.

Ninguém se moveu. Chocado, ele apalpou o rosto enquanto ela sentia uma ardência na ponta dos dedos. Ele deu a impressão de que diria alguma coisa, mas apenas soltou um soluço na garganta. Ela nunca o vira assim. Chocou-se diante de suas feições transtornadas e dragadas pelas lágrimas.

Mas assistiu a isso inerte, até que sentiu a mão firme de Ed no ombro. Ele a puxou e a levou para uma área próxima ao túmulo de Mia, onde estavam os tributos. Ele não comentou o ocorrido. Abotoou o sobretudo negro e começou a recolher os tributos com todo o cuidado. Leu em voz alta cada mensagem ali deixada.

Katie não ouviu nada. Ainda pensava no vermelhão que deixara impresso no rosto de Finn, como se um ferro em brasa o tivesse marcado. Nunca havia batido em ninguém até aquele dia. Mais tarde Ed lhe disse que Finn também estava sofrendo e que não havia tido uma chance para se explicar — mas como se explicaria? Mia estava morta. E a Katie só restaria lidar consigo mesma se não colocasse a culpa em alguém.

— Isso não é comum — comentou Ed, segurando uma flor com um vermelho intenso no centro e três pétalas brancas como hélices. Entregou a flor para Katie, que passou o dedo suavemente sobre as pétalas aveludadas. Parecia algum tipo de orquídea, e ela aproximou-a do rosto para cheirá-la. O aroma evocou outras paragens, um lugar doce e aconchegante, impregnado de fragrância e luz.

Ela ergueu os olhos e ele segurava um pequeno cartão que acompanhava a flor.

— O que foi? — ela perguntou ao notar o ar intrigado de Ed.

Ele não disse nada e estendeu o cartão para ela.

Ela virou o cartão. Sem o nome do remetente. Apenas uma palavra escrita: *desculpe*.

Após o funeral seguiu-se uma rodada de drinques no *pub* da cidade, as pessoas espremidas perto da lareira e batendo os pés para reativar a circulação. Katie agradeceu a todos os que haviam feito viagens longas para o funeral durante mais ou menos uma hora e depois saiu de fininho.

Quando atravessava o estacionamento ao lado de Ed, alguém os chamou.

– Já estão de saída?

Ambos giraram o corpo. Era Jess, a melhor amiga de Katie que antes sempre a acompanhava para dançar numa boate da cidade universitária, mas que agora ocupava um alto posto na diretoria de vendas de uma indústria farmacêutica.

– Desculpe-me, sei que mal nos falamos, mas... eu...

– Katie – disse Jess, jogando a ponta do cigarro no chão. – Tudo bem.

– Muito obrigada por ter vindo. Isso significou muito. E lhe agradeço também pelas mensagens. – Jess telefonara todos os dias depois da morte de Mia, deixando mensagens de amor a Katie e notícias e condolências de amigos mútuos. – Desculpe-me por não ter respondido. Pensei em telefonar... mas, bem... – Katie interrompeu a frase sem saber como se explicar. Era grata a Jess e a todos os amigos, mas não se sentia à vontade para falar de Mia. Ainda não.

– Você perdeu sua irmã, claro que compreendo. – Jess deu um passo à frente e abraçou-a. – Vamos parar com as desculpas, está bem? Você precisa de um tempo. Estaremos todos aqui e prontos para atendê-la quando você quiser.

– Muito obrigada. – Katie suspirou, sentindo o cheiro da fumaça de cigarro no cabelo da amiga.

Jess apertou as mãos de Katie com carinho e se voltou para Ed de dedo em riste.

– Trate de cuidar bem dela, ouviu?

Ele sorriu e enlaçou a cintura de Katie.

– Pode deixar.

Jess foi quem apresentara Katie para Ed durante uma festa num barco pelo Tâmisa. Katie acabara de sair de um relacionamento e não estava interessada em se envolver com ninguém. Mas o rosto bonito e o sorriso perspicaz e devastador de Ed conspiraram para reverter essa decisão. Os dois escapuliram da festa no momento em que o barco ancorou e se dirigiram para um bar, onde beberam uma garrafa de Merlot em meio a conversas e risadas até o bar fechar. Dezoito meses depois, Ed se pôs de joelhos e ofereceu um anel de brilhante e uma vida em comum para Katie. Ela sorriu e disse sim.

Foi uma longa viagem de carro de volta a Londres, mas Katie não permaneceria na Cornualha, o mar era agitado e as ondas sussurravam lembranças. Já no apartamento, ela abriu o zíper do vestido preto que caiu com um ruído surdo. Saiu da poça negra amontoada sob os pés e entrou no conjunto de moletom macio que pertencia a Mia. A bainha da calça arrastou pelo chão quando cruzou o saguão. Ela hesitou por um instante antes de entrar no quarto da irmã.

A mochila de Mia ainda estava encostada na cama. Fazia alguns dias que tinha sido enviada de Bali, mas ainda não fora aberta. Os lacres da companhia aérea continuavam ao redor das alças e as tirinhas de couro indiano se mantinham presas em cada zíper. No bolso lateral, havia um emblema de uma mulher vestida de saia havaiana e a imagem de uma margarida rabiscada em tinta preta. Ela o desafivelou e afrouxou o cordão da mochila.

Enfiou a mão no bojo da mochila e tateou alguns itens. Começou a retirá-los um a um como um sorteio. Puxou um vestidinho de praia cor de laranja queimada que cheirava a jasmim misturado ao típico aroma de férias de creme de bronzear e sal.

Alisou o tecido amarrotado e o deixou na cama. Retirou cuidadosamente os outros itens: um par de sandálias havaianas com as solas desgastadas pelo uso, uma toalha de viagem dentro de um saco de rede, um iPod protegido por uma capa transparente, dois romances de autores desconhecidos, uma lanterna arranhada de areia e um moletom masculino com buracos nas mangas. De Finn?

Katie prosseguiu com a busca até que tocou em alguma coisa dura. Já estava avisada que o diário de Mia fora localizado e examinado pela polícia, que nada encontrara que servisse de evidência.

Mia tinha o hábito de anotar tudo nos diários. Para Katie era desconcertante que a irmã preferisse partilhar os sentimentos com folhas de papel a fazê-lo com as pessoas. Durante a adolescência, a tentação de lê-los era irresistível. Por duas vezes tentara uma busca no quarto da irmã, na esperança de descobrir alguma informação que só os diários revelam, mas, apesar de toda a bagunça e desorganização, Mia era meticulosa quando os escondia.

Katie retirou o diário com cautela. Era um volume pesado com uma capa de tecido azul-marinho brilhante. Passou o dedo pela lombada e depois o abriu com cuidado, como se as palavras ali contidas fossem borboletas que pudessem se soltar no ar.

Folheou as páginas lentamente, admirando a caligrafia refinada da irmã. Em algumas coisas, Mia era negligente e descuidada – sua carteira era um tijolo de papeizinhos inúteis e seus livros eram todos desenhados nas margens. Mas a caligrafia no diário era graciosa e elegante. Os relatos eram ornados de arabescos desenhados a lápis, notas escritas à mão, cantos de mapas e fragmentos de lembrancinhas dos lugares visitados. Cada página era uma obra de arte que contava uma história.

– Está tudo bem? – Ed surgiu à soleira da porta do quarto de Mia.

Katie anuiu com a cabeça.

Ele olhou de relance para a mochila.

– Está examinando as coisas dela?
– Encontrei o diário de viagem.
Ele se aprumou surpreendido.
– Eu não sabia que Mia tinha um diário. – Enfiou as mãos nos bolsos. – Vai lê-lo?
– Acho que sim. Sim. Não sei muita coisa sobre essa viagem dela – e sobre ela, pensou consigo. Elas quase não tinham se falado enquanto Mia esteve fora. Em que momento essa distância aumentara? Já tinham sido muito próximas, mas não ultimamente. Katie suspirou. – Ed, por que ela partiu?
– Em viagem?
– Sim. Ela agendou a viagem tão subitamente. Aconteceu alguma coisa que a impeliu a partir.
– Ela era muito impulsiva, só isso. Jovem. Entediada. Foi isso.
– Eu não devia ter permitido que ela partisse.
– Katie – ele disse amavelmente –, você teve um dia longo. Talvez não seja uma boa ideia ler o diário esta noite. Espere até amanhã. Vou preparar um lanche para nós dois. Por que não vai à cozinha me fazer companhia?
– Talvez daqui a um minuto.
A porta se fechou e ela folheou o diário e depois escolheu uma página ao acaso. E começou a ler com os olhos pulando de frase a frase – *"deserto de concreto"*, *"Finn e eu"*, *"céu violeta"*, *"paisagem lunar"*. Era como se as palavras queimassem demais para serem absorvidas. Ela então fechou os olhos e os reabriu na tentativa de se concentrar em uma única sentença. Mas foi em vão; os olhos passavam pelas palavras, mas a mente se recusava a digeri-las.
Frustrada, seguiu folheando as páginas. Um pássaro desenhado no rodapé de uma delas parecia prestes a alçar voo; em outra página, a letra espiralava ao redor de um rabinho invisível, como se estivesse sendo tragada. Ficou de coração acelerado quando se deu conta de que estava chegando ao final do diário,

as pontas dos dedos passaram velozes pelas páginas à medida que se aproximaram do último relato.

Depois disso, Katie fez uma pausa. Claro que havia coisas ali dentro, sabia disso, de que não deveria tomar conhecimento, mas não poderia passar perto de um desastre e desviar os olhos, ela teria que olhar.

Fixou os olhos no último relato e notou que apenas um dos lados da folha dupla estava preenchido. Faltava a página seguinte; tinha sido arrancada, deixando uma tira dentada na lombada do diário. Cravou os olhos na página remanescente que estava preenchida com um intrincado desenho a lápis de um perfil feminino. Uma teia de desenhos despontava por dentro do rosto: uma onda sombria, uma boca gritando, estrelas cadentes, um homem enforcado com seis traços vazios, o receptor de um telefone dependurado pelo fio.

Katie fechou o diário e se levantou.

Não devia ter olhado; era cedo demais. Agora, novas perguntas nadavam à superfície dos pensamentos. *O que aquelas ilustrações queriam dizer? Por que uma página tinha sido rasgada? O que havia nela?* Enfiou o diário na mochila, como se pudesse deter a vertiginosa corrente de dúvidas, mas, na pressa de fazê-lo, o diário caiu no chão e alguma coisa soltou-se das páginas.

Ela curvou-se e pegou-a. Era o canhoto do primeiro cartão de embarque de Mia: Aeroporto Heathrow de Londres para San Francisco. Fez um suave traçado com os dedos no cartão branco enquanto imaginava Mia chegando a San Francisco, cheia de expectativas em relação à viagem. Pensou nos lugares que a irmã teria visitado, se perguntando sobre as pessoas que teria conhecido e as coisas que teria vivido. Mas aquela viagem de Mia era um mistério que Katie tentara entender durante seis meses. Seis meses para os quais o diário tinha a chave.

Uma ideia começou a germinar em sua cabeça enquanto ela segurava o tíquete.

***

Katie quase não dormiu naquela noite. A ideia assumiu a forma de um projeto. Na manhã seguinte se levantou cedo e se dirigiu a Putney High Street, em busca de uma agência de viagem. Colocou o itinerário de Mia em cima da mesa de uma mulher com um batom coral rosado sobre os lábios rachados.

– Quero reservar passagens para esta mesma rota.

Ela podia ter feito isso pela internet, mas era uma decisão importante demais para ser tomada num único clique. Talvez estivesse na expectativa de que a vendedora hesitasse e a convencesse de que era uma ideia maluca e impulsiva, mas, em vez disso, a mulher tomou um gole de um café fumegante e simplesmente perguntou:

– Quando gostaria de partir?

Agora, cinco dias depois, lá estava Katie sentada no piso de madeira do quarto, tentando fazer a mala. O conteúdo da mochila de Mia roçava a seus pés e as roupas que levaria aguardavam timidamente empilhadas dentro de uma mala roxa. Ela sempre fazia as malas de maneira metódica e decidida, mas para essa viagem não fazia a mínima ideia do que levar. Dentro de algumas horas deveria embarcar num voo para San Francisco, tal como fizera Mia seis meses antes.

A porta do quarto estava aberta e Ed entrou com duas canecas de chá nas mãos. Estendeu uma para ela e, quando se agachou no chão, a calça subiu e deixou à vista alguns centímetros da perna acima do cano das meias.

Ela tomou um gole de chá. Ele o havia preparado da maneira que ela gostava: não muito forte, com uma generosa pingada de leite e meia colher de açúcar.

Ele olhou com ar cético para as pilhas de coisas.

– Ainda há tempo para mudar de ideia. Você sabe que deve retomar o trabalho.

Ela abandonara o trabalho de consultora sênior de recrutamento logo que saíra da agência de viagem. Depois de tanto tempo dedicado à mesma empresa após a formatura, só precisou de cinco minutos ao telefone para abandoná-la.
– Já não posso voltar. – Parecia ridícula a ideia de voltar ao escritório, sentar-se à escrivaninha no canto debaixo do aparelho de ar-condicionado que tanto incomodava os olhos e fingir que a colocação de candidatos ainda era importante.
– Por que não esperar algumas semanas mais? Já estou quase certo de que poderei tirar férias no final do ano. Poderíamos ir juntos... não para todos os lugares, só para Bali. Você poderia ver onde...
– Eu preciso começar do início. – Para Katie, o mecanismo de enfrentamento era uma estrutura. Depois da morte da mãe preenchera os dias com compromissos sociais, assumindo o controle de cada hora livre que pudesse fazê-la entrar em estado depressivo e de autopiedade. Jogou-se no trabalho com igual vigor, trabalhando horas a fio com uma determinação ferrenha que a fez conseguir uma promoção três meses depois.
Contudo, perder Mia era diferente. O trabalho e as distrações sociais não combinavam com um sofrimento consistente e sombrio. Com a descoberta do diário de viagem, afigurou-se uma pequena luz no final do túnel; portanto, a decisão de segui-lo página a página, país a país, retraçando os mesmos passos da irmã, poderia ajudá-la a compreender a sua morte. Pela primeira vez, desde que a polícia batera à sua porta, Katie se sentia na posse da objetividade.
– Sei que já conversamos sobre isso – disse Ed –, mas ainda estou me esforçando para compreender sua lógica.
– Você sabe que as coisas estavam muito difíceis entre mim e Mia antes da viagem – disse Katie, deixando de lado a caneca de chá. – E eu a deixei partir... me senti *aliviada* quando a vi partir.

— A morte de Mia não é culpa sua.

Não era? Ela sabia que Mia não estava feliz quando moravam juntas, mas de alguma maneira deixou-a entregue à própria sorte. Era sua irmã caçula, era sua responsabilidade. E falhara com a irmã. – O diário foi tudo que me restou. É um elo que une os seis meses de vida de minha irmã que perdi.

— Então, leia o diário. Já lhe disse que ficarei feliz se fizer isso com você.

Katie tinha visto Ed folheando o diário um dia após tê-lo encontrado, e ele disse que só estava vendo se havia alguma coisa que poderia aborrecê-la. Ela sabia que ele estava sendo apenas gentil, mas não queria a sua proteção; queria o apoio dele. Depois disso, passou a manter o diário sempre à vista.

— Quando a leitura terminar não haverá novas lembranças de Mia – ela explicou. – Minha irmã simplesmente terá partido de vez. – Ela se imaginou folheando as páginas vezes e vezes sem fim, até que as palavras se tornassem enfadonhas e sem sentido, como fotografias antigas e esmaecidas pelo tempo. Mas o fato é que se fizesse a leitura dos relatos nos países onde Mia os tinha escrito, experimentando um pouco de cada coisa vivida pela irmã, isso seria como se as duas estivessem viajando juntas... E dessa maneira aqueles seis meses não se perderiam. – Eu preciso fazer isso, Ed.

Ele se levantou, cruzou o quarto até a janela e abriu-a. A batida de um baixo que estremecia no aparelho de som de um carro lá embaixo chegou aos ouvidos de Katie. Ele apoiou as mãos no peitoril da janela e olhou para a rua por um instante.

— Ed?

— Eu te amo – ele disse pausadamente, girando o corpo –, mas acho que está cometendo um erro. E quanto ao que estará deixando para trás? E quanto ao nosso casamento?

O casamento estava marcado para agosto. Eles tinham reservado uma casa de campo em Surrey, onde pretendiam passar o fim de semana com a família e os amigos mais íntimos. Até então Katie ocupara as noites à procura de uma banda que pudesse tocar até depois da meia-noite enquanto deliberava entre cheesecakes ou profiteroles para a sobremesa e reunia antigas fotos para emoldurar um cenário à mesa do bolo. A excitação e a expectativa que a consumira até recentemente agora pareciam parte de uma vida que havia muito não lhe pertencia.

– Não vou ficar fora por muito tempo. Algumas semanas no máximo.

– Sei muito bem que você tem passado por um inferno – ele disse, afastando um abajur cor de creme e abrindo espaço para se sentar. – Eu gostaria, gostaria de verdade, que houvesse alguma coisa que pudesse fazer para tornar as coisas mais fáceis para você. Mas, querida, tudo o que posso dizer é que realmente acredito que a única coisa que poderá ajudá-la é começar a olhar para o futuro, e não para o passado.

Ela balançou a cabeça. O que ele dizia fazia algum sentido.

Ed apontou para um lugar ao seu lado. Ela atravessou o quarto, sentou-se e sorveu o odor do creme de barbear e o frescor da loção pós-barba que ele usava. Ed estava bonito naquele terno; ela lhe dera aquela gravata cinza de presente e gostava de imaginá-lo acariciando a seda numa reunião de negócios, com os pensamentos voando da sala de reuniões até ela.

– Isto não é a resposta – ele disse, olhando para o diário nas mãos de Katie e acrescentando em tom irônico: – Admita; você odeia voar! Você nunca saiu da Europa. Não é seguro sair sozinha pelo mundo afora. – Ele pôs a mão na coxa dela e acariciou-a levemente. – Vamos lidar com isso, juntos. Aqui.

Ed sempre tinha um jeito prático de abordar as situações; era uma das muitas coisas que ela admirava nele. Talvez estivesse mesmo errada. Voar até o outro lado do mundo sem indicação alguma de quando voltaria seria uma injustiça com ele. Ela sabia disso.

– Já não sei qual é a decisão certa.

– Katie – ele disse baixinho –, cedo ou tarde você terá que deixá-la partir.

Ela passou os dedos na capa azul-marinho do diário, imaginando as muitas vezes que Mia tinha escrito naquelas páginas. Imaginou a irmã se balançando preguiçosamente numa rede, movendo a caneta suavemente pelas folhas cor de creme, as pernas bronzeadas estendidas à frente. Aquele diário guardava os detalhes mais íntimos dos pensamentos de Mia, e Katie o tinha nas mãos.

– Eu não posso – disse. – Não até saber o que de fato aconteceu.

Ed soltou um suspiro.

Ela se perguntou se ele já tinha chegado a uma conclusão sobre o ocorrido. Ele conhecera Mia em um momento em que ela mostrava os piores aspectos que tinha – impetuosa, rebelde, volúvel. Mas não conhecera a verdadeira Mia, a que nadava no mar como um peixe, a que tirava os sapatos para dançar e que adorava catar pedrinhas.

– Não foi suicídio – ela disse em tom firme.

– Talvez não tenha sido.

E lá estava outra vez. O *talvez*.

Ela se pôs de pé, pegou a mochila vazia de Mia e começou a substituir os itens que tirara de dentro. Retirou da sua mala uma pilha de roupas, um saco para roupa suja e o passaporte, e depois os enfiou na mochila e fechou-a. Colocou a mala dentro do armário e trancou a porta, com um sorriso de satisfação: que serventia aquela mala teria nos lugares para onde estava indo?

Ed a encarou.

– Você realmente está disposta a fazer isso?

– Estou.

Ela notou que ele estava magoado e que queria falar mais. Existiam milhares de razões que não recomendavam uma viagem: ela nunca viajava sozinha, estava de luto, poderia ter a carreira afetada e seria melhor viajar acompanhada. Já tinham discutido exaustivamente todas essas questões e ele sempre dava conselhos pragmáticos, tal como ela própria daria para qualquer outra pessoa. Só que agora era diferente. Já não se tratava mais de praticidades, de riscos ou de tomar a melhor decisão. Agora, tratava-se de Mia.

4

Mia

(Califórnia, outubro do ano anterior)

Mia descansava as pernas no painel do Chevy caindo aos pedaços que haviam alugado. Pressionava os pés descalços no vidro, retirava-os e observava o lento desaparecimento das impressões dos dedos ali condensadas. Ao lado, Finn tamborilava no volante, acompanhando um blues que soava no rádio.

Eles se dirigiam para o sul através da conhecida Highway One, deixando San Francisco para trás, uma cidade cujo charme febril os cativara, fazendo-os passar mais tempo lá do que o planejado. Na primeira noite acabaram deixando as mochilas no quarto de um motel barato e saíram para jantar num movimentado restaurante tailandês que servia saborosos camarões doces e apimentados. O proprietário do estabelecimento indicou uma boate em um porão a algumas quadras de distância e, apesar de atordoados pelo fuso horário, beberam e dançaram até os pés não aguentarem mais. Saíram da boate algumas horas mais tarde para apreciar o amanhecer na cidade e, aos trancos e barrancos, cruzaram com uma cafeteria, onde compraram pãezinhos de canela e café fresco e depois se acomodaram no extremo da baía para observar o sol rosado e esmaecido que emergia de Alcatraz.

Uma névoa baixa os espreitou ao longo da costa, cobrindo o mar como uma capa úmida que obscurecia a visão do horizonte. Mia abriu a janela do carro, pôs a cabeça para fora e tentou enxergar o céu.

– O sol já se vai.
– Vou parar no primeiro acostamento.
A poucos quilômetros de distância avistaram um mirante de pedras no alto de um penhasco. O sol ainda ardia por entre a neblina e deixava à vista uma linha costeira acidentada e verdejante. Despenhadeiros cobertos de mato e flores secas que deviam ser espetaculares na primavera descaíam até uma baía selvagem com águas brancas e espumantes.
Mia saiu descalça do carro, entrelaçou as mãos em cima da cabeça e se alongou de estômago tenso. Fechou os olhos e aspirou o ar salgado.
Finn se encostou ao carro e cruzou os braços no peito.
– Olhe só este lugar.
– Quer ir lá embaixo?
– Claro.
Eles descobriram uma trilha estreita que descia espiralada pela face do precipício e contornava os trechos mais íngremes do caminho. Chegaram lá embaixo e Mia foi a primeira a correr até a praia e molhar os pés no mar.
– Alô, Pacífico! – gritou. Em seguida voltou-se para Finn: – Vamos nadar?
– Aqui? O mar parece muito agitado.
– Então, tome conta de minhas roupas. – Ela tirou o top e o short e só ficou de calcinha e sutiã que não combinavam nem um pouco. Seu corpo era esbelto e musculoso. Embora se achasse muito angulosa para ser considerada bonita, sabia como acentuar os ossos do quadril e os seios pequenos e não se envergonhava na frente de Finn. Os dois já tinham se visto despidos centenas de vezes – ela conhecia de cor a largura dos ombros, o umbigo ligeiramente protuberante e os pelos espalhados ao redor dos mamilos e do peito dele.
– Bom bronzeado londrino – ela disse, referindo-se ao branco leitoso do peito dele, demarcado pela marca da gola da camiseta.

— Bom bronzeado de quem não trabalha.

Ela riu e ele aproveitou a oportunidade e saiu correndo, mergulhou na água espumante e furou as pequenas ondas antes de ter as pernas engolfadas pelo mar. Seguiu pela água adentro de braços abertos e com um rápido mergulho fez a água levantar no ar.

Ela ainda ria quando correu para se juntar a ele. A água fria bateu nos joelhos e a fez arrepiar. Uma gaivota cruzou lá no alto e ela observou em êxtase o voo que deslizou pela brisa. De repente o solo cedeu e a água subiu pela calcinha de algodão até o estômago. Ela tentou escapulir da mordida do mar, respirou fundo e mergulhou.

Emergiu com os cabelos negros escorrendo como óleo e saiu nadando com braçadas e batidas de pernas vigorosas.

— Não se afaste muito — gritou Finn. — Só faço resgates *a la Baywatch* em dias de calcinhas vermelhas.

As ondas se formavam e arrebentavam em cima de Mia. Uma delas pegou-a de surpresa e cobriu-a de espuma branca como um cobertor. Ela esfregou a água nos olhos e retomou o nado *crawl*, os músculos se contraíam em razão da força que faziam para seguir adiante. Em cada braçada em que virava a cabeça para tomar fôlego, sentia a tímida carícia do sol no rosto.

A certa altura, as pernas enrijeceram pelo esforço e o frio e isso a fez diminuir o ritmo e nadar paralelamente à praia, agora observando os penhascos de um novo ângulo. Era uma linha costeira impressionante — além de dramática, fustigada pelo tempo e vazia. Era uma região inebriante, um alívio físico depois de Londres, onde Mia se sentira sufocada, como se nunca mais pudesse respirar. Longe da cidade, longe da memória da pessoa que se tornara, era a primeira vez em meses que ela se sentia completamente à vontade.

* * *

À noite eles se sentaram num banco de mesa de piquenique para tomar uma caneca de chocolate. As ondas quebravam ao longe, uma doçura ecoante, parecia um caminhão passando ao longe. Mia tirou do bolso traseiro um frasco de prata e abriu a tampa.
– Uísque?
Finn estendeu a caneca para ela.
– Você caprichou no jantar.

Já estavam acostumados a acampar juntos desde a adolescência e tinham aperfeiçoado a arte de fazer um único prato em nível mais do que mágico. Naquela noite Mia se oferecera para cozinhar, servindo miojo refogado com fatias de salame, nacos de cogumelos, tomates-cereja e especiarias.

– Fora de casa sempre parece mais gostoso – disse, pondo uísque nas duas canecas. – Faz muito tempo que não acampamos juntos.

– Os parques de Londres não são tão atrativos.
– É verdade. – Ela sorriu. – Mas está mesmo gostando de Londres? – Ele se mudara para lá após a formatura e alugara um apartamento em cima de um açougue. O apartamento ficava de fundos para a linha férrea e a água tremia na pia toda vez que passava um trem.

– Estou. Quer dizer, estava. Foi uma mudança e tanto depois da Cornualha.

– As noites de sexta na SJ's não faziam isso por você?
– É verdade, adoro a estampa de oncinha e a lycra dos velhos anos cinquenta. – Ele riu. – Londres não foi legal pra você, não é?
– Acho que não. – Ela morria de saudades do mar e se dera conta de que tinha sonhos habitados por praias e horizontes vazios.

– Foi por isso que quis viajar?
Ela puxou os punhos do moletom, cobriu as mãos e enlaçou-as em volta da caneca para mantê-las aquecidas.

— Já estava pronta para uma mudança.
— Foi um ano difícil. Você merece um descanso.
Será que mereço?, ela pensou. O ano tinha sido difícil para Katie, não para ela; Katie é que se mantivera estoicamente ao lado da mãe durante toda a doença. Enquanto Mia fechara os olhos para o grande número de pílulas, os chumaços de cabelo no ralo do chuveiro e a esqualidez do rosto da mãe – simplesmente porque era mais fácil. Qualquer coisa era mais fácil do que assistir ao implacável esmorecimento da mãe outrora forte e capaz. Ela sentiu uma pontada da pedrinha de culpa que sempre incomodava o estômago e se esticou para pegar o frasco de prata e levar o gargalo metálico e frio aos lábios.

Finn abraçou-a pelo ombro.
— Você está bem?
Ela assentiu com a cabeça.
— Preste atenção, Mia. – A voz dele soou séria e a fez erguer os olhos. – Sei que não ficamos muito juntos durante a doença de sua mãe, mas você sabia que eu estava lá com você, não sabia?
— Claro que sabia. – Ela se embaraçou com a seriedade do assunto. Até então não tinham mencionado os dolorosos quatro meses, durante os quais se erguera entre eles um muro com tijolos de ressentimento cimentado pelo silêncio dela. Ela não tinha certeza se estava preparada para conversar sobre isso naquele momento.

Finn percebeu a indecisão de Mia, retirou o braço do ombro dela e perguntou:
— Fale então sobre o Mick. Quando é que decidiu que queria vê-lo?
— Encontrei uma fotografia dele quando estava tirando as coisas de mamãe do armário. – Era uma foto que o exibia no palco com uma banda e à frente de uma faixa onde se lia *OVELHA NEGRA*. Aparentemente, era o final da apresentação da banda porque os músicos estavam com o rosto vermelho e suado. Ao centro, um cara de cabelos longos e pretos umedecidos

nas têmporas segurava uma guitarra presa ao pescoço e olhava fixamente para a câmera. Ao lado dele, um Mick exuberante e novinho em folha, usando um conjunto de calça e paletó dos anos setenta e sapatos marrons cujas pontas se erguiam à altura dos dedões. Ao contrário dos outros, não segurava instrumento algum e fazia uma pose de cabeça inclinada para o lado e com uma piscadela para a câmera. Mia nunca faria um gesto assim tão pouco natural, embora no todo tivesse gostado da foto porque notara uma similaridade entre ela e o pai, nos traços fortes do nariz e possivelmente na curva dos lábios. – Acho que essa fotografia aguçou minha curiosidade.
– E não sentia curiosidade antes?
– Na verdade, não. Talvez apenas um pouquinho. – Ela admitiu ao se lembrar de um inesquecível comentário feito pela avó alguns anos antes. Estava no banho e a água escurecia por causa da lama grudada nos joelhos, e quando começou a se debater e protestar porque não queria lavar os cabelos, acabou recebendo uma palmada da avó, que lhe disse: "Que coisinha independente e teimosa é você." E logo acrescentou entre dentes: "Igualzinha ao seu pai." A ilicitude desse nome pairou no banheiro enevoado de vapor por um longo tempo. Longo a ponto de enraizar-se na mente de Mia.

Finn levou a caneca aos lábios para terminar o drinque.
– Por que não contou para Katie que estava com vontade de visitá-lo?

Mia pensou por um segundo.
– Às vezes quando as pessoas nos dão alguma opinião sobre a nossa vida, essa opinião pode acabar virando a nossa própria opinião. Eu não queria isso.

Um carro entrou no acampamento e, antes de desligar o motor, os faróis os iluminaram por um momento. Um casal saiu de dentro e começou a montar uma barraca com o auxílio de uma lanterna.

As poucas frases que acabavam de trocar eram o máximo que Mia admitia para os outros e para si mesma. Por ora, era o suficiente. Ela se esticou e pegou a caneca de Finn.

– Vou lavá-la. – Em seguida retirou-se da mesa de piquenique e sumiu de vista para lavar a louça na torneira.

Mais tarde, já de dentes escovados, entrou na barraca junto com Finn. Estava armada com a sombra de uma encosta ao fundo e o ar salgado ao redor. Eles apoiaram a cabeça numa toalha de banho dobrada e estendida para fora da barraca a fim de observar o céu estrelado. Já tinham compartilhado a mesma barraca inúmeras noites e também a cama de solteiro do quarto de um ou de outro, espremidos como sardinhas. Era uma amizade até então inquebrantável, uma dádiva pela qual Mia sempre agradecia.

– Uma estrela cadente – ela disse, apontando para o céu.

– Não vi.

– É difícil vê-las de olhos fechados. Você está caindo de sono.

Eles colocaram a cabeça para dentro, fecharam o zíper da barraca e se deitaram juntinhos, como já tinham feito em centenas de noites.

O solo do lugar era um horror e Finn então se moveu para um dos lados, evitando uma protuberância que incomodava o ombro.

Mia já estava dormindo. Ele se concentrou na respiração dela e no canto dos grilos que ecoava lá fora. Adorava acampar porque nos acampamentos a vida parecia se mover a passos vagarosos. Uma simples refeição demorava muito mais para ser preparada; os banhos e as trocas de roupas eram luxuriantes e não rotineiras. Levava-se mais tempo para absorver os sons, os aromas e o ritmo dos lugares, e prestava-se mais atenção nos próprios pensamentos.

Mia mexeu a mão que escorregou da barriga e tombou no braço dele. O calor da pele dela se encontrou com o da pele dele. Ele podia puxar o braço, mas o manteve parado. E sem as repressões, agora no meio do escuro, concentrou-se em certa noite de verão em que Mia estava com 16 anos.

Eles assistiam ao show que esperaram por meses a fio, de uma banda punk americana chamada Degelo. Mia vestia um jeans desbotado e rasgado nas coxas que comprara num brechó chamado Hobos. Uma linha prateada de delineador lhe avivava os olhos e alguma coisa fazia o rosto dela brilhar. Aparentava mais idade que a garota de cara lavada a quem ele ajudou a puxar uma cavala com o anzol na manhã daquele mesmo dia, e de alguma maneira a transformação mexeu com ele.

A banda atendia todas as expectativas: a plateia pulsava de energia; dançava freneticamente e a cada música se tornava mais selvagem. Mia dançava louca e efusivamente, as mãos voltadas para o céu. Em determinado momento se virou e gritou alguma coisa para um cara corpulento de pescoço grosso que estava por perto. Ele pôs as mãos em posição de calço e, antes que Finn percebesse o que estava acontecendo, ela apoiou o pé nas mãos suadas do cara e foi arremessada ao ar. Foi pega por um oceano de mãos, o corpo arqueado para trás e os braços abertos como asas, e saiu surfando por cima das cabeças da multidão.

Mia vestia uma camiseta preta da Beastie Boys que sempre dividia com Finn, já que eles tinham feito uma vaquinha para comprá-la. A camiseta subia pela cintura e deixava exposta uma barriga suave e esbelta. A multidão acesa empurrava aquela garota etérea que se projetava para frente em meio a uma onda de cabelos negros. Um grupo de sujeitos suados de punhos fechados e voltados para o ar assobiava e dizia gracinhas para ela. Cada centímetro do corpo de Finn se retesava a cada comentário lançado, e ele chegou a cogitar em abrir caminho pela multidão para calar a boca daqueles sujeitos.

A multidão continuou em frenética danação sob as luzes azuis que faiscavam a laser enquanto ele fazia de tudo para manter Mia à vista. Até que esticou o pescoço por um dos lados de um sujeito esguio e viu que os seguranças formavam uma barreira de segurança para ela. Embora não fizesse ideia de como ela encontraria o caminho de volta, o fato é que quatro músicas depois ela apareceu.

Espremida por entre um vão impossível, lá estava ela à frente dele, com as faces coradas e a testa brilhando de suor.

– Mia!

Quando a banda executou a última música, a plateia forçou passagem para frente e levou-a de encontro a Finn. Ele a agarrou pela cintura por instinto, temendo que pudesse ser pisoteada. E no corpo a corpo sentiu o calor do peito de Mia através da camiseta molhada. Alheia à multidão que se contorcia debaixo de uma grossa cortina de fumaça, ela o segurou pelo rosto e o beijou rapidamente nos lábios.

A multidão retrocedeu; ela soltou-se das mãos dele e se voltou para a banda a fim de retomar a frenética dança. Ele continuou plantado no mesmo lugar enquanto milhares de pessoas dançavam.

Na história humana sempre há incidentes-chave – pontos essenciais que fazem o eixo da vida girar e nos quais as ações aparentemente mais inócuas acabam por mudar a direção do destino de alguém. Para Finn, aquele beijo mudou tudo. Da noite para o dia, aquela garota que sempre estava ao seu lado tornou-se um enigma. No dia seguinte, cada interação corriqueira na escola – segurar o tubo de ensaio enquanto ela acrescentava uma fita de magnésio, comer um sanduíche de presunto lado a lado no banco debaixo do pé de plátano, compartilhar o mesmo fone de ouvido no ônibus de volta à casa – fundiu-se no recente desejo dele. Era como se ele tivesse saído do próprio corpo e se tornado outra pessoa. Ficou tão abalado com a mudança que se enfurnou dentro de casa por dois dias para se dar um tempo para pensar.

Nas férias de verão, Mia chegou de bicicleta à casa de Finn, com barraca, saco de dormir e uma garrafa de vodca que subornara Katie para comprar, e disse que eles iriam acampar na floresta que dava para os penhascos. Ele não conseguiu uma boa desculpa para recusar, e só lhe restou pegar o saco de dormir e segui-la.

Naquela noite uma repentina chuva torrencial e imprevista os levou para dentro da barraca antes de escurecer. Jogaram cartas e beberam vodca enquanto ele lançava olhares furtivos para ela, se perguntando por que ainda não tinha reparado naqueles olhos verdes e brilhantes como esmeraldas. Depois que a chuva parou, eles abriram o zíper da barraca, que estava de frente para uma floresta escura e impregnada de um rico odor de terra. Sentiram-se bêbados e exuberantes sobre a urze úmida e com as bainhas das calças encharcadas. A lua daquela noite era um perfeito disco de prata que, de tão espetacular, o fez uivar inesperadamente para o alto como um lobo. Ela caiu na risada e também uivou.

Nas 72 horas que se seguiram ao beijo de Mia, Finn não parava de pensar no que teria acontecido se tivesse retribuído o beijo. De maneira adequada.

– Mia – ele disse, colocando-se em frente um tanto zonzo. Ela o olhou ainda rindo. Sem maquiagem, a pele dela resplandecia sob a luz do luar. – Deus, como você é linda! – Depois do rompante, ele estendeu a mão até o rosto dela e se curvou para beijá-la.

Ela deu um salto pouco antes de ser tocada nos lábios.
– Finn! – Riu e bateu no peito dele. – Por um segundo achei que você não estava brincando! Não me estranhe!

Ele se dobrou para frente e fingiu que também estava rindo, mas na verdade era como se tivesse levado um soco no meio do estômago.

Depois disso, ficou sem vê-la por três semanas porque teve que se juntar à família no norte da França para as festas de fim de ano. E nessa viagem perdeu a virgindade com uma garota de 17 anos que se chamava Ambré e que trabalhava na limpeza do estacionamento onde a família ficava. Ela estava com um sutiã cor-de-rosa debaixo do uniforme e sem calcinha; toda tarde passou a convidá-lo para dentro de uma caminhonete no intervalo das três da tarde. Embora genuinamente fascinado com o compromisso, aos poucos esse relacionamento revelou a profundidade dos sentimentos que ele nutria por Mia. Não só ansiava tocá-la e beijá-la como fazia com Ambré, como também sentia falta de outras coisas, como a risada e o jeito com que ela mordiscava a ponta da unha do polegar quando se concentrava e o tom determinado quando dizia para ele "eu não posso fazer isso". Sentia falta da amizade de Mia – e não queria colocá-la em risco outra vez.

Os dois retomaram a velha rotina depois que ele retornou para casa e nunca mais mencionaram aquela noite. Um cortejo de outras garotas e, mais tarde, de outras mulheres aquietou a aflição dele, e ele agradeceu pela amizade que retornara ao ritmo habitual.

Agora, no entanto, depois que Mia se despiu na praia, deixando à vista um corpo maravilhoso e esguio, uma nota baixa de desejo passou a tocar e ressoar na cabeça de Finn.

Ele sabia que seria arriscado permitir que uma nota proibida soasse muito alta, e por isso puxou o braço que estava debaixo da mão dela com todo cuidado e se afastou com certa relutância.

5

Katie

(Califórnia, março)

Katie fechou a persiana de plástico da janela do avião, obstruindo a vista. Não lhe interessava saber se sobrevoava as nuvens ou se o oceano estava a novecentos e poucos metros abaixo ou se as asas brancas do Boeing 747 os impediam de cair de parafuso em direção à terra. Na primeira vez que viajou de avião se agarrara nos braços da poltrona com tanta força que as juntas dos dedos embranqueceram. Ao lado, Mia arregalou os olhos com as pupilas dilatadas e, a princípio, isso fez Katie pensar que era medo. Mas depois viu o sorriso aberto no rosto da irmã e se deu conta de que o olhar arregalado era de espanto. E não conseguiu entender como é que Mia podia estar tão fascinada enquanto ela tremia de medo. Esse pânico não tinha sido transmitido a Katie nem por adultos medrosos, nem pelas histórias tenebrosas contadas pelos amigos, nem pela televisão: era algo intrínseco. Na ocasião, ela estava com 9 anos. E voar deveria ser uma aventura.

Depois daquele voo, Katie só fez mais duas viagens de avião – e nas duas vezes o medo se converteu em uma coisa viva que chiava dentro dela nas semanas que antecediam o voo. Descobriu, então, que a única maneira de silenciar o medo era evitá-lo: na universidade, quando planejaram uma viagem para a estação de esqui, só aceitou depois que soube que seria de ônibus; quando a mãe recebeu uma herança inesperada e ofereceu uma viagem para as filhas, disse que preferia um cruzeiro; e quando Ed propôs uma visita a Barcelona, tratou de persuadi-lo a irem até Paris pelo túnel do Canal.

E agora, enquanto ajeitava a manga do cardigã, enrolando-a com força entre os dedos e soltando-a para logo recomeçar, não era o medo de uma pane no motor do avião ou de uma possível inabilidade do piloto que a preocupava. O que fazia a garganta de Katie se apertar e o coração bater descompassado dentro do peito era a clausura do avião, a pequena poltrona com braços fixos, os dois passageiros – um dormindo e o outro lendo – que bloqueavam a saída para o corredor, o cinto de segurança preso ao colo e aquelas onze horas ininterruptas de viagem. Ficaria silenciosamente encurralada naquele lugar, hora após hora, sem nada para se distrair, de modo que, pela primeira vez desde que recebera a notícia, estava sentada e totalmente imóvel. Assim, cogitou que poderia se concentrar na palavra que vinha tentando evitar: "suicídio".

Ela associava suicídio à doença mental ou às pessoas que sofriam de doenças pavorosamente incuráveis – nunca a uma pessoa capacitada fisicamente, com 24 anos, intelectualmente capaz e em viagem pelo mundo com o melhor amigo. Não havia lógica nisso. Mas tinha acontecido. Os depoimentos das testemunhas, o relatório da autópsia e o relato policial diziam que tinha acontecido.

Ela procurara obsessivamente a palavra "suicídio" na internet e se chocara ao saber que estava no décimo lugar na lista das causas de mortes – acima de assassinato, de doença de fígado e de Parkinson. Já tinha lido que um milhão de pessoas comete suicídio a cada ano e se mortificou quando viu que uma entre sete pessoas considera seriamente cometer o suicídio em algum ponto da vida. Ela também havia descoberto que a má utilização de drogas e álcool desempenhava um papel importante em 70% dos suicídios de adolescentes.

Mas nem a internet, nem as testemunhas, nem a polícia balinesa conheciam Mia. Ela jamais teria pulado. Sim, às vezes era imprevisível, oscilava entre impressionantes picos de energia e uma fraqueza assustadoramente problemática, e outras vezes ela sentia as coisas com tanta profundidade que o coração parecia à flor da pele. Mas também era resolutamente corajosa. Era uma guerreira – e os guerreiros não pulam para a morte.

Katie acreditava nisso de todo coração. Precisava acreditar porque, do contrário, só lhe restaria o veredicto agonizante de que a irmã preferira abandoná-la.

O Aeroporto Internacional de San Francisco parecia uma cidade. Katie se perdeu na multidão, deixando-se levar ao longo de corredores alinhados com avisos e escadas iluminadas, até chegar à área de bagagem. Posicionou-se a alguns passos de distância, na esteira 3, permitindo que os passageiros mais afoitos pegassem os pertences e saíssem para novas jornadas.

Enquanto aguardava a mochila de Mia, jogava um jogo particular, imaginando o emparelhamento das bagagens com os respectivos donos. As primeiras tentativas foram fáceis; o saco de um equipamento de hóquei no gelo só podia pertencer ao adolescente grandalhão que tinha um raio raspado na cabeça e cabelos cor de areia, e as duas malas que estampavam joaninhas deviam pertencer a duas garotas gêmeas que vestiam casacos azuis iguais. Mas teve uma pequena surpresa quando um cavalheiro com um velho chapéu panamá não pegou a mala de couro marrom que previra, e sim uma elegante mala prateada que brilhava como uma bala. E ninguém seria capaz de prever que a elegante mulher de botas pretas de cano alto e blazer bem-talhado pegaria uma mochila surrada.

Katie agarrou a alça desgastada da mochila e tirou-a da esteira com as duas mãos. Lutou para colocá-la às costas enquanto dobrava os braços em contorções desajeitadas a fim de enfiá-los pelas alças, e por fim deu um pulinho para ajustá-la na posição. Sobrecarregada com o peso da mochila, curvou-se até a altura da cintura para equilibrar a carga.

Atravessou às pressas o portão de chegada, onde uma multidão aguardava ansiosamente pelos entes queridos, movendo-se de um lado para o outro a fim de olhar melhor quem vinha atrás dela. Um homem corpulento que trajava um suéter dos Giants abriu caminho na barreira humana e correu de braços abertos para acolher o garoto grandalhão que carregava o equipamento de hóquei. Katie estava excitada para observar San Francisco, supondo que Mia e Finn assim o tivessem feito, e, em vez de se apressar para sair do aeroporto, juntou-se à multidão do outro lado da barreira de chegada, retirou a mochila das costas, colocou-a no chão, sentou-se em cima e se pôs a observar.

Passado algum tempo, Katie ainda estava no mesmo lugar e de braços cruzados no colo. Dessa maneira, tentava entender o ritmo das chegadas, antecipando o espaço vazio ao longo das barreiras entre os voos que se abarrotava à medida que uma tela no alto anunciava as próximas chegadas. Se houvesse algum voo atrasado ou algum engarrafamento, dois grupos de passageiros poderiam chegar ao mesmo tempo e abarrotar ainda mais a barreira.

Eram pais que esperavam filhas, namoradas que encontravam namorados, maridos que aguardavam esposas e avós que rejubilavam com netos. Mas os encontros que ela observava eram sempre entre irmãs. Às vezes era difícil identificar as mulheres que eram amigas e as que eram irmãs, mas muitas vezes era possível identificá-las quase por instinto. A identificação se dava na casualidade de como se abraçavam e nos sorrisos que se completavam quando se viam ou mesmo nos gracejos que passavam rapidamente dos lábios de uma boca para o sorriso de outra. E também se dava pelo mesmo ângulo dos narizes ou pelos gestos comuns a ambas ou pela maneira de caminhar de braços dados quando saíam juntas.

Uma mulher de cabelos ruivos que caíam sobre os ombros de um *kaftan* levou a mão à boca ao avistar a irmã. Uma echarpe de seda roxa cobria parcialmente a cabeça careca da irmã, mas a gravidade da doença era mais visível na palidez da pele e nas faces encovadas. A ruiva se aproximou, apertou carinhosamente as mãos da irmã e percorreu suavemente a linha sem cabelo com o dedo; por fim, deixou de lado a compostura aparente e deu um abraço longo e apertado na irmã, soluçando no ombro dela.

Se Katie estivesse junto com Mia e alguém as observasse, poderia identificá-las como irmãs? As feições claras dela se distinguiam das feições morenas de Mia, mas, prestando atenção, logo se notaria que os lábios de ambas eram igualmente carnudos e que as sobrancelhas seguiam exatamente o mesmo arco. Se fossem ouvidas mais de perto, apresentariam as mesmas terminações impecáveis nas palavras, resultantes de anos de uma boa educação escolar, mas se notaria que ambas ainda pronunciavam erroneamente a palavra "irritável", enfatizando a segunda sílaba e não a terceira.

Lembranças vívidas da irmã passaram voando pela cabeça de Katie, detalhes da infância esquecidos durante muitos anos: juntas em piscinas naturais, aquecidas pelo sol, cheirando alga cozida e plantando bananeira no mar com a água salgada entrando pelo nariz; a primeira bicicleta, vermelho-cereja, que pedalava com Mia empoleirada no guidão branco; fingir-se de piratas e combater em praias vazias durante o inverno, com penas de gaivotas enfiadas atrás das orelhas.

Katie adorava fazer o papel da irmã mais velha, como uma medalha de honra ao mérito. *Em que ponto, se perguntou, nossa intimidade começou a fenecer? Será que foi pelas brigas que tínhamos quando mamãe estava morrendo? Talvez tenha começado muito antes. Talvez não tenha sido um único incidente, e sim uma sequência de pequenos incidentes, um desenrolar, como um vestido predileto que se rasga com o tempo: primeiro um desgaste na gola, depois a perda da forma ao redor da cintura e por fim um fio solto que abre um rasgão.*

— Madame? — Um porteiro de uniforme azul naval com tranças escondidas sob o boné se pôs ao lado. — A senhora está aqui desde o início do meu turno.

Ela olhou o horário na base do quadro de chegadas. Já tinham passado duas horas.

— Posso ajudar em alguma coisa?

Ela se levantou bruscamente e de joelhos alinhados na mesma posição.

— Eu estou bem, obrigada.

— A senhora está esperando alguém?

Ela olhou na direção de duas jovens que se abraçavam. A mais alta deu um passo atrás, segurou a mão da outra, levou-a aos lábios e beijou-a.

— Sim — ela respondeu. — Minha irmã.

Algumas horas depois deixou a mochila em cima da cama e, de mãos na cintura, passou os olhos pelo quarto do motel. As paredes beges e brilhantes eram decoradas por dois quadros de tulipas, e as janelas não seriam abertas porque o cheiro de suor das outras pessoas podia impregnar o ar. A televisão de controle remoto estava aparafusada em cima de uma escrivaninha de fórmica, e a Bíblia e o telefone, em cima da mesinha de cabeceira. Não era um quarto que encorajava uma permanência mais longa, mas era o quarto onde Mia se hospedara, e ela também se hospedaria ali.

Ela teve o impulso de desempacotar tudo, mas agora era uma mochileira que seguia a rota de Mia, mudando-se no dia seguinte ou na noite seguinte ou na noite posterior a essa. Como compromisso, tirou o saco de roupa suja da mochila e o pôs no banheiro sem janela, junto a um pequeno sabonete oferecido pelo motel. Já exausta de viagem, só queria se deitar e descansar, mas só eram cinco horas da tarde. Se dormisse, acordaria no meio da noite, tentando repelir as memórias sombrias. Preferiu então se alimentar a dormir e, depois de jogar água fria no rosto, retocou a maquiagem e vestiu outro top. Pegou o diário de Mia e saiu.

A recepcionista indicou o caminho para o restaurante tailandês que, segundo o diário, era o local da primeira refeição de Mia e Finn. Katie cruzou a área do cais de San Francisco ao pôr do sol e só parou para telefonar e comunicar a Ed que chegara sã e salva.

A névoa do anoitecer que se espraiava por sobre a água a fez apertar a jaqueta em volta dos ombros e desejar uma roupa mais apropriada. No diário, Mia anotara que San Francisco era uma *"panela com um misto de artistas, músicos, artesãos e espíritos livres"*, e que *"o ritmo elétrico da cidade"* era adorável. Em outra ocasião talvez tivesse concordado e se comovido com a peculiaridade da arquitetura e com as ruas tortuosas e o grande número de lojas, mas naquela noite Katie estava apressada.

Chegou ao restaurante, um lugar animado em cujas mesas circulares e lotadas soavam palavras e risos enquanto se comia e se bebia. Foi conduzida por um garçom até uma das mesas próximas da vitrine; um grupo de homens olhou-a com apreço quando ela passou e só retomou a conversa quando ela se afastou.

Ela ajeitou a jaqueta no encosto da cadeira enquanto o garçom limpava a mesa. Soava um jazz dos alto-falantes presos nos cantos das paredes cor de ocre e ouvia-se uma enxurrada de sotaques americanos por cima da música. O aroma aconchegante das especiarias e a fragrância do arroz a fizeram se dar conta de que estava faminta e de que não tinha comido nada no avião. Pediu uma taça de vinho branco e, quando o garçom retornou com a bebida, pediu camarões a Penang King.

Sem o cardápio onde se escorar e sem nada para se ocupar, sentiu-se um tanto visível naquele jantar solitário. Esse seria um dos muitos e pequenos obstáculos que teria que encarar a cada dia durante a viagem, e de repente se sentiu assustada com a escala de tal empreendimento. Uniu as pernas e os tornozelos e os dobrou debaixo da cadeira e depois colocou a palma das mãos sobre as coxas e tentou relaxar. Só então se congratulou: além de ter entrado num avião depois de tantos anos, agora estava sentada sozinha no restaurante de um país onde nunca estivera. *Estou me saindo bem.* Pegou a taça de vinho, sorveu metade da bebida e pôs o diário de Mia à frente.

Já tinha lido o primeiro relato no avião, o bastante para saber onde Mia e Finn haviam se hospedado e se alimentado. E prometera a si mesma que iria saborear cada sentença e soprar vida em todas as páginas, vivenciando-as nos lugares por onde Mia passara. Abriu o diário e sentiu-se estranhamente segura na companhia das palavras da irmã, como se estivesse sentada à sua frente. Sorriu quando leu *"até mesmo Finn ruborizou quando o garçom o fez trocar os pauzinhos por uma colher. Nem mesmo um garfo... uma colher!"*. Entreviu os restos do jantar de Finn espalhados sobre a toalha branca engomada enquanto Mia soltava as risadas tão amadas.

Lembrou das vezes em que ouviu as explosões de riso de Mia e Finn pela parede do quarto, sons convulsivos que às vezes duravam minutos e eram estimulados por ambos. E quando se aproximava da porta, às vezes flagrava Finn com a calça cintada à altura dos quadris, imitando um dos professores com uma precisão fantástica, e outras vezes os via de óculos e de bigodes riscados no rosto com uma caneta preta. Ela morria de vontade de entrar no quarto e se divertir com eles, mas quase sempre ficava paralisada na porta e cruzava os braços à altura do peito.

Isso não significava que sentia inveja dessa amizade – Katie tinha o seu próprio círculo de amigos com os quais podia contar em qualquer crise. O que a incomodava, e só depois de alguns anos é que entendeu isto, era a maneira com que Mia e Finn interagiam. Ela ria com mais vontade e com mais frequência na

companhia dele; conversavam por horas a fio sobre diversos assuntos, apesar de Mia ser quase sempre uma presença silenciosa na casa; e ele tinha o dom de dissipar o mau humor dela, coisa que Katie só parecia capaz de ativar.
– Com licença? Essa cadeira está livre?
Ela tirou os olhos do diário, surpreendida. Um homem de camisa polo amarelo pastel apontava para a cadeira à frente dela.
– Sim. – Ela achou que ele pretendia retirar a cadeira e levou um susto quando o viu se sentar, colocar um copo de cerveja comprido na mesa e lhe estender a mão.
– Muito prazer. Mark.
Aquela mão era pequena e úmida. Ela não se apresentou.
– Estou com meus colegas de squash aqui. – Ele apontou para a mesa do grupo que a observou quando ela entrou no restaurante. – Mas como perdi, *mais uma vez*, não tive o direito de me sentar na rodinha. Você se importaria se me sentasse aqui? Espero que não.
Ela se importaria. Muitíssimo. Em outras circunstâncias, explicaria que não estava disponível, abrandando a situação com um comentário educado, e depois aquele sujeito seguiria o próprio rumo com a dignidade intacta. Mas o cansaço do dia pesava nos ombros e o habitual e afável traquejo social simplesmente desvaneceu.
– E então? – Mark tomou o silêncio como encorajamento. – De onde você é?
Ela levou a mão esquerda com o anel de noivado à haste da taça de vinho em direção a ele.
– Londres.
Pegou a taça e tomou um gole.
Ele olhou para o diário.
– Agenda?
– Diário.
– Você é escritora?
– O diário não é meu.

Ele angulou a cabeça para enxergar melhor. Ela reparou que ele tinha os olhos estranhamente próximos, o que o fazia parecer um réptil.

– De quem é então?

– Da minha irmã.

– Está bisbilhotando as sujeiras dela, não é? Ela sentiu o bafo de álcool e, pelo brilho vítreo dos olhos, se deu conta de que o sujeito estava bêbado. Olhou ao redor na esperança de que o garçom estivesse chegando com o jantar.

– Diga-me então... – Ele fez um movimento com a mão.

– Katie.

– Diga-me, Katie. O que está fazendo com o diário da sua irmã?

Ela encolheu-se perante a referência casual de um estranho ao diário de Mia. Pensou em fechá-lo e se livrar daquele palhaço bêbado e cheio de si.

– É privado.

– Aposto que ela também pensou isso quando estava escrevendo! – Ele riu, pegou a cerveja e tomou uma golada; ela observou o lado de dentro do lábio dele esmagado na borda do copo.

– Sinto muito, mas acho que você devia se retirar.

Ele pareceu afrontado, aparentemente por achar que a conversa estava agradando.

– Está falando sério?

– Sim. É sério.

Ele se levantou e esbarrou o joelho na mesa, fazendo-a balançar. Katie conseguiu pegar a taça de vinho antes de cair. Não teve tempo de segurar o copo de cerveja. O líquido dourado e espumoso tombou por cima do diário aberto. Horrorizada, tentou secá-lo com o guardanapo, mas a cerveja já estava ensopando, escurecendo e franzindo as macias páginas cor de creme. Olhou desanimada para aquela escrita precisa e caprichada agora borrada.

– Seu idiota!

Duas mulheres na mesa ao lado se voltaram para olhar. O sujeito ergueu as mãos para o ar.

— Calma, moça, eu só estava querendo ser gentil. — Ele puxou o encosto da cadeira abruptamente. — Acho que o jogo acabou — disse com malícia, apontando para o diário encharcado.

— Foda-se! — Ela saboreou na língua o delicioso e cortante palavrão.

O sujeito voltou para junto dos amigos, balançando a cabeça em negativa.

Katie mordeu o lábio desesperada a fim de manter o controle, mas as lágrimas já se insinuavam. Ela então pegou o diário danificado, a bolsa e o casaco.

Já estava na porta quando o garçom começou a servir o jantar para um. Deixara para trás o país, o trabalho, o noivo e os amigos pela desesperada necessidade de entender o que havia acontecido com Mia. Mas quando chegou à calçada e a umidade se acercou como um hálito frio, Katie se perguntou se não teria cometido um terrível engano. *Mia, desculpe-me. Acho que não consigo fazer isso.*

6

Mia

(Maui, outubro do ano anterior)

Finn apoiou as botas de caminhada na calota da roda do carro alugado em pleno escuro e amarrou-as. Regulara o despertador para quatro horas da manhã. Caminharia com Mia ao longo das estradas tortuosas e curvas fechadas até o ponto mais alto de Maui, o topo do vulcão Haleakalã, onde assistiriam ao nascer do sol. Fazia muito frio a três mil metros de altura, mas eles tinham sido avisados que, por volta do meio-dia, a temperatura era abrasadora e não havia nenhuma sombra onde se refrescar.

– Estamos com água suficiente? – perguntou Mia, com a voz ainda rouca depois da cochilada no carro.

– O suficiente para nós dois. – Ele fechou o zíper do casaco, trancou o carro e apertou as correias da mochila.

As lanternas de cabeça iluminavam o caminho. Ele seguia à frente e mantinha a rota em passos firmes. As mudanças no terreno eram difíceis de avaliar e tornavam a caminhada noturna perigosa, mas era uma trilha tranquila que desembocava na bacia da cratera. Os dois faziam o percurso em silêncio; ouvia-se apenas o som das cinzas de concreto esmagadas sob os pés como a neve.

Ainda não tinha amanhecido e o ar estava seco e gelado; as bochechas de Finn se repuxavam sem parar. Ele olhou para trás para ver se Mia estava próxima, e o feixe de luz da lanterna deixou-a à vista. Ela estava com um coque no cabelo e o casaco de moletom preto fechado pelo zíper até o queixo. Mantinha uma expressão firme e determinada.

– Tudo bem?

– Tudo bem.

Seguiram em frente enquanto o céu passava de negro à violeta intenso e irrompiam silhuetas de vulcões e cilindros de lava. Mia ainda se mantinha firme, determinada e com um bom passo; já dissera um dia para Finn que gostava de caminhadas pela simplicidade de poder se deslocar de um ponto para o outro sob um céu aberto. E desde que chegaram a Maui passava muitas horas caminhando sozinha pelas praias. Finn desconfiava de que ela aproveitava esse tempo para pensar no pai. Fazia uma semana que estavam na ilha, mas ainda não o tinha visitado, e Finn não perguntou por que ela agia assim. Faria uma visita ao pai no tempo certo.

Passados os anos, ele acabara se tornando exímio na arte de decifrar os sentimentos de Mia pelas pequenas pistas que ela deixava. Se, por exemplo, estivessem conversando e ela o olhasse de soslaio, mordiscando o lábio inferior, isso quase sempre indicava que ela queria falar de alguma coisa importante e que ele devia falar mais devagar e abaixar a voz para que ela tivesse espaço para se comunicar. Após treze anos de amizade – tempo que superava o de muitos casamentos –, ele já estava sintonizado com tais sinais. Mas os sinais que não podia traduzir com segurança se referiam ao que ela sentia por ele.

Ele se deteve.

– Vamos olhar de lá – disse, apontando para uma elevação ligeiramente afastada da trilha de onde poderiam observar o nascer do sol. O céu já se abria em suave azul índigo e ele então retirou a lanterna da cabeça, jogou a mochila no chão e se sentou em cima dela. Mia sentou-se ao lado, bocejou e dobrou os joelhos contra o peito, deixando entrever o ligeiro arco das costas.

Ela tirou da mochila um cobertor fino emprestado pelo albergue e o estendeu ao redor. O aroma de pêssego e abacate do xampu que usava chegou ao nariz dele. O calor se espalhou pelo corpo e ele engoliu em seco e fechou os olhos. Era perigoso se deixar sentir coisas como essas.

– Finn – ela disse quase ao pé do ouvido dele.
– Sim?
– Muito obrigado... por ter vindo comigo para Maui.
– A história seria bem diferente se seu pai morasse no Cazaquistão – ele comentou, forçando um sorriso.
– Estou falando sério. – Ela o observou atentamente e mais de perto. Muito de perto. – Gostei muito que tivesse vindo comigo. – Acercou-se ainda mais, ergueu o queixo e deu um beijo no rosto dele.

E lá estava ele outra vez com 16 anos, em pé no meio da multidão de um concerto de rock, com o suor escorrendo pelas costas e saboreando o gosto dos lábios macios de Mia.

Ele então se viu confrontado com a mesma realidade de dez anos antes: ainda estava apaixonado por Mia.

Na língua havaiana, "Haleakalã" significa "Casa do Sol". O primeiro raio de luz irrompeu no horizonte em meio a riscos rosados no céu e a barriga das nuvens pintou-se de prateado.

– Meu Deus! – disse Mia, curvando-se para frente.

Um sol vermelho radiante eclodiu atrás da cratera, um deus majestoso em todo o esplendor de sua glória. À medida que eclodia, o cenário lunar se inundava de luz e tudo mais se metamorfoseava em tom vermelho-terra. Seguiu-se a aparição dos cones de concreto e da bacia da cratera que irradiavam uma qualidade etérea só comparável às fotos lunares. Alguns minutos depois, o sol irrompeu por inteiro por trás do vulcão como um sorriso, fazendo-os sentir a primeira carícia de calor no rosto.

Era uma visão de outro mundo, uma das muitas maravilhas que poderiam experimentar juntos naquela viagem. Ele olhou para mais além, para as semanas e meses seguintes, para as horas e horas que estaria junto a Mia, e logo um tipo raro de tortura se desdobrou. Ele se deitaria ao lado dela, ouviria a respiração dela ao dormir, mas não poderia abraçá-la. Jantaria com ela ao pôr do sol, mas não poderia se aconchegar para enlaçar a mão dela. Ouviria todas as coisas que fervilhavam na mente dela, mas não poderia compartilhar as dele.

Seria uma dificuldade e, quem sabe, até uma falsidade viajar por meses e meses em tamanha intimidade com ela. Era como se a vida o tivesse levando em direção a uma inevitável e única alternativa: *contar para ela*.

Mia descalçou as botas e tirou as meias úmidas, libertando os pés rosados e suados. Uma camada de poeira cobria as canelas exatamente à altura da borda do cano das meias. Ela estava queimada de sol nos ombros, no nariz e no rosto e agradeceu quando entrou debaixo do chuveiro frio e sentiu a água escorrendo pela pele.

Eles estavam hospedados no Pineapple Hostel, na costa norte de Maui. Mia gostava das cores vibrantes dos dormitórios e dos canteiros de vegetais espalhados pelo jardim; se fosse outra tarde, até que se daria ao prazer de desfrutar uma das redes ou simplesmente sentar-se à sombra de uma palmeira para ler. Mas naquele exato momento estava com a cabeça em outro lugar porque decidira, durante a caminhada, que naquela noite visitaria Mick.

Então, passou desodorante ao longo das axilas e depois soltou os cabelos molhados que brilharam como alcaçuz e os penteou. Pegou na mochila uma camiseta limpa que combinava com o short e vestiu-a, e depois pegou a bolsa.

Finn estava na cozinha comunitária, preparando um macarrão e batendo um papo com um grupo de surfistas que acabara de chegar ao albergue.

– Desculpe interromper – ela disse, pousando levemente a mão no braço dele. – Estou saindo para me encontrar com Mick.

– Agora?

— Sim.
— Só um instante — ele disse, seguindo-a para fora da cozinha.
— Espere, Mia. Quer mesmo fazer isso? Posso ir com você.
— Prefiro fazer isso sozinha.

Ele balançou a cabeça.
— Você sabe o caminho?
— O dono do albergue disse que são dez minutos a pé até lá.
— Mas está escurecendo.
— Na volta eu pego um táxi.

Finn esfregou a junta do dedo por baixo do queixo.
— Então, tomara que tudo corra bem.

Mia saiu apressada para não ter tempo de mudar de ideia. Caminhou pelo pequeno centro de Paia, um lugar excêntrico e salpicado de lojas de comida natural, lanchonetes vegetarianas, estabelecimentos especializados em surfe e butiques de roupas praieiras. Ao fundo, os campos de cana exalavam um perfume doce no ar, e tudo mais se mostrava exuberante e verde, como se ela estivesse pisando na terra depois de um temporal.

Dois rapazes de cabelos molhados e com pranchas debaixo do braço surgiram no gargalo de uma trilha. Em vez de virar à direita, para uma rua em direção à casa de Mick, ela entrou na trilha ladeada de palmeiras e pés de papaia em direção a uma praia.

Exalava um doce perfume nos arredores, como se mil pétalas estivessem em infusão na umidade do ar. Ela se livrou das sandálias de dedo e saiu caminhando pela areia morna que refletia o matiz rosado do pôr do sol. Os músculos das panturrilhas e a parte posterior das coxas estavam doloridos pela caminhada da manhã, e ela então se sentou na areia.

As ondas rolavam translúcidas e em linhas perfeitas do mar, como um exército aquático. Extasiada, ela observou o movimento gracioso das ondas que cresciam e formavam picos e depois arrebantavam em poderosa cacofonia de jorros de espuma que se espraiavam pela areia.

Além do espetáculo das ondas, um surfista também chamou a atenção de Mia. Ele fez força com as mãos, remando enquanto a água elevava a prancha e de repente se arremessou adiante. Colocou-se de pé e desceu pelo lado vítreo da onda. Fez duas curvas suaves e fluentes, riscando a parede de água com o rabo da prancha, e surgiu atrás da onda um instante antes de se fechar num estrondo e num jorro de espuma. Mia se flagrou prendendo o fôlego enquanto o assistia.

E depois tirou o diário de dentro da bolsa e o pôs em cima dos joelhos. As quatro linhas do endereço do pai estavam escritas num pedaço de papel enfiado entre duas páginas, onde anotara perguntas e comentários ligeiros.

Para Mia, escrever era organizar os pensamentos; só quando as palavras tomavam corpo na página é que conseguia reconhecer os fios dos sentimentos e das emoções que fermentavam até então irreconhecíveis. Falar não era fácil para ela. E por isso admirava a maneira com que Katie se sentava na poltrona, apoiava o rosto na mão e falava sobre tudo que a estava aborrecendo. Apesar das advertências de Mia ou da mãe, era óbvio que falar ajudava Katie a clarear a mente e, da mesma forma que uma caminhada na manhã fria desentope o nariz, ela estava sempre aberta para isso.

Agora, olhando para o pedaço de papel enfiado entre as duas páginas, Mia reparou que duas perguntas se sobressaíam em relação às outras anotações e riscou um círculo ao redor de cada uma. A primeira era simples: *"Quem é Mick?"*

Ela sabia os detalhes básicos: Mick tinha 28 anos quando conheceu a mãe dela, que por sua vez tinha 21 anos. Casaram-se quatro meses depois e compraram uma casinha no norte de Londres, onde Katie e Mia nasceram. Mick trabalhava na indústria da música e lançara três selos independentes durante a carreira; os dois primeiros faliram e ele vendeu o terceiro antes de se retirar para Maui. Alguns desses fatos tinham sido relatados pela mãe com relutância, já que não queria falar de um homem com tão pouca participação na vida das filhas. Quando pressionada, ela o descrevia como um tipo carismático com grande tino para os negócios, mas acrescentava que era extremamente egoísta e que nunca assumira as responsabilidades paternas.

A segunda pergunta anotada era mais complicada. Desde criança Mia se sentia bem diferente de Katie. Os professores apreciavam o trabalho ético e a popularidade de Katie entre os colegas de classe, mas reclamavam da conduta inconstante e da falta de cuidado de Mia com os estudos. Se Katie era a referência em relação a quem Mia era medida, a recíproca não era verdadeira.

Contudo, as comparações que as outras pessoas faziam não eram nada se comparadas com as que Katie e Mia trocavam entre si. Mia sempre se perguntava por que as diferenças entre elas eram tão pronunciadas quando, estranhamente, celebravam aniversário no mesmo dia, 11 de junho, embora com um intervalo de três anos entre os nascimentos. No ano que Mia completou 12 anos e Katie, 15, Mia pediu para celebrar com um churrasco na praia, enquanto Katie, prestes a terminar o ensino médio, queria uma festa. A mãe encontrou a solução: elas teriam uma festa na praia.

Katie convidou dezenas de amigos que logo correram em direção à água enquanto as garotas se aqueciam ao sol da tarde na areia. A Mia só restou explorar uma baía nas cercanias com Finn, a única pessoa que lhe ocorreu convidar. Durante o tempo todo eles cavaram buracos atrás de minhocas marinhas ou correram atrás um do outro, balançando grossas cordas de algas por cima da cabeça. Só se juntaram à festa quando o ar cheirou a hambúrguer, mas logo levaram os pratos até as pedras, onde se sentaram juntos para comer e lançar migalhas para as gaivotas agrupadas por perto.

Mia observou se Katie agia com naturalidade entre os amigos e se eles se serviam de muita comida, e se os copos estavam cheios, e se todos estavam se divertindo. Reparou em como as garotas se alegravam quando se juntavam a Katie e em como os garotos não desgrudavam os olhos dela. Em dado momento, uma onda encharcou a parte de baixo do jeans de uma garota franzina que, arrasada pelo incidente, sentou-se sozinha, com o prato de papelão equilibrado em cima dos joelhos. Isso não passou despercebido a Katie, que se afastou de fininho de um grupo e sentou-se ao lado da garota. Tocou na parte molhada do jeans da garota e cochichou alguma coisa que a fez rir e esquecer o brim que esfriava e grudava nas canelas. Depois, Katie se levantou, estendeu a mão para a garota e a levou para se reunir ao grupo.

Mia ficou impressionada. Aos 15 anos, quando a maioria dos adolescentes se mostra desajeitada e temperamental, Katie já possuía uma habilidade intuitiva de confortar os outros. Daquele ponto privilegiado nas pedras, notou quando Katie se juntou à mãe que estava ao lado da churrasqueira enquanto amontoava as últimas linguiças tostadas em um prato de sobras. Os cabelos louros de ambas se fundiram e os dois pares de olhos se voltaram para o mar, e de repente Mia se deu conta com surpresa de que a mãe e a irmã eram parecidas. Não era apenas uma semelhança física, mas também de personalidade. Compartilhavam o mesmo dom de agregar e de compreender as outras pessoas e mostravam gestos e expressões totalmente estranhos a Mia.

A percepção da semelhança entre a mãe e a irmã deixou Mia perturbada, mas somente nos últimos anos, quando o câncer da mãe entrou nos últimos estágios, é que entendeu exatamente por quê. Estava de visita a casa e fez a curva da entrada com três horas de atraso, de acordo com o horário estabelecido por Katie via e-mail. Sentia uma dor de cabeça forte nas têmporas e exalava vapores de álcool dos poros.

Quando entrou na casa, Katie desceu a escada, com uma bolsa de viagem de couro na mão.

– Mamãe está dormindo.

— Tudo bem.

Ela se deteve no último degrau. Só de perto é que Mia notou que ela estava com os olhos rosados e inchados.

— Já está com um atraso de três horas — disse.

Mia se encolheu.

— Um pedido de desculpas seria bom.

— Pelo quê?

Katie arregalou os olhos.

— Você me fez atrasar *três horas*. Eu tinha planos.

— Tenho certeza de que seu namorado vai entender — retrucou Mia de sobrancelha arqueada.

— Isso não tem nada a ver conosco, Mia. Tem a ver com mamãe. — Katie abaixou o tom da voz. — Ela está morrendo. E não quero que você se arrependa no futuro.

— Da mesma forma que me arrependo de tê-la como irmã?

— Foi um comentário infantil do qual Mia não se orgulhou.

Katie saiu andando e disse:

— Não faço a menor ideia de quem é você.

Com esse comentário era atingido um ponto que sempre tinha sido um problema para Mia: se não cuidasse da mãe como Katie cuidava, isso só a levaria em uma única direção — Mick. E como tudo que sabia dele é que tinha abandonado a própria família, a segunda questão anotada com um círculo no diário acabou sendo: *"Quem sou eu?"*

Ela olhou de relance para o alto e percebeu que as sombras das palmeiras já marcavam um caminho ao longo da praia. Levantou-se e sacudiu a areia da parte posterior das coxas, pensando que estava na hora de responder as questões anotadas no diário.

Quando saiu andando ao longo da praia se viu de novo capturada pelo surfista solitário que pegava ondas. Cavalgava uma montanha de água com tanta graça quanto um bailarino, arqueando o corpo e girando os quadris em movimentos precisos. Mia se deteve e assistiu, arrebatada e em silêncio, enquanto a espuma carregava o surfista até a beira da praia. Em seguida ele pulou da prancha e colocou-a debaixo do braço.

Aparentava ser pouco mais velho que ela e tinha o cabelo rente à cabeça e uma tatuagem escura que se estendia pela parte interna do braço. Ele apertou os cantos dos olhos com o polegar e o indicador a fim de tirar a água salgada e piscou. Enfiou a prancha na areia, retirou a correia que a prendia ao tornozelo e retornou à beira do mar, onde uma última chama avermelhava o horizonte de franjas. Ficou de pé, braços cruzados no peito e o queixo erguido. Era uma postura estoica, resoluta, mas de alguma forma também contemplativa. Mia ficou intrigada com a intensidade com que ele olhava, como se estivesse em comunhão com o mar.

Os minutos se passaram e o céu vermelho se converteu em um aconchegante brilho alaranjado, e o surfista continuava no mesmo lugar. Já era hora de ir embora e, quando ela deu um passo à frente, ele se virou rapidamente.

Olhou-a fixamente e com ar afrontado, como se ela tivesse se intrometido em um momento que era para ser solitário. Não fez a menor menção de abrir um sorriso ou de arquear as sobrancelhas em sinal de compreensão. Cílios fartos sombrearam os olhos negros dele com uma intensidade que a deixou perturbada. Ele se manteve de olhos fixos e isso a fez sentir uma onda de calor emergindo das bochechas. Por um momento pensou que ele estivesse prestes a dizer alguma coisa, mas em seguida ele abaixou a cabeça e se voltou novamente para o horizonte.

Mia seguiu em frente, deixando a praia sob a vigilância daquele surfista. Seguiu por uma trilha estreita que a levou casualmente para uma fileira de casas com vista para o mar. Sistemas de irrigação mantinham os gramados verdejantes e grandes carros com janelas blindadas estavam estacionados nas entradas de macadame das garagens. A casa de Mick, a de número 11, tinha dois andares, telhado de terracota, paredes de pedra e venezianas azuis que emolduravam as janelas. Canteiros de flores com exuberantes plantas tropicais ladeavam o caminho sinuoso até a porta principal, e o ar exalava o doce aroma das flores de janaúba.

Ela se deteve desconcertada na beira do caminho de entrada. Enfiou as mãos nos bolsos com o coração disparado e esperou que parassem de tremer. A ansiedade dobrou a cada minuto de espera. Essa visita não era um simples exercício de curiosidade; era muito mais que isso. Ela sempre se sentira um *outsider* na própria família, e sempre nutrira o estranho consolo de que em algum lugar no mundo estava o pai dela, alguém *igual a ela*. Se ela estava em Maui era para segurar um espelho na frente dele e ver se a imagem refletida era igual à dela.

Mia respirou fundo e seguiu em frente, passo a passo. Chegou à frente da porta, aprumou-se e tocou a campainha.

7

Katie

(Califórnia/Maui, abril)

Katie olhou para o sinal luminoso no Aeroporto Internacional de San Francisco. Uma horda de passageiros apressados empurrava carrinhos de bagagem nas proximidades e, em frente ao aeroporto, circulava uma agitada procissão de táxis, microônibus e ônibus. Um carro buzinou duas vezes. Faróis acenderam. Uma porta bateu. E, mais além, o rugido da decolagem de um avião encheu o ar.

Ela tirou o celular do bolso, digitou um número e entrou no aeroporto.

Ed atendeu. Ela ouviu uma torneira aberta ao fundo e o imaginou fazendo a barba em frente à pia.

– Sou eu. – Fazia dois dias que não telefonava para ninguém e se assustou com a debilidade da própria voz. Limpou a garganta. – Estou no aeroporto.

– Onde?

– San Francisco. – Ela hesitou. – Estou voltando para casa.

Ela ouviu a torneira fechar.

– O que houve? Está tudo bem com você?

No mesmo instante em que comunicara a viagem para Ed ela se apercebera de que ele questionaria o bom senso de tal decisão. Uma coisa era Mia viajar pelos cantos mais distantes do mundo, outra coisa bem diferente era Katie fazer isso, e ele tinha lá suas dúvidas de que ela pudesse lidar com isso após a perda da irmã.

— Não consigo fazer isso — ela admitiu.
— Katie...
— Eu queria muito. Não suporto pensar que... — Ela caiu em prantos e as lágrimas rolaram pelo rosto.
— Está tudo bem, querida.

Ela enxugou as lágrimas com o dorso da mão. Nada estava bem. Permanecera nos Estados Unidos apenas por doze dias. E, ao sair da Inglaterra, estava totalmente segura de que se retraçasse a rota de Mia ficaria mais perto de entender o que tinha acontecido, mas durante a viagem sentiu-se ainda mais distante de Mia. Ela não tinha dançado no centro de San Francisco até o dia amanhecer e não tinha nadado de calcinha e sutiã nas águas do Pacífico; não se animara a caminhar no Parque Nacional de Yosemite apenas para apreciar a paisagem do alto das cachoeiras e admirar as antigas sequoias; não tivera sequer a coragem de se hospedar nos coloridos albergues onde Mia e Finn haviam se hospedado ou de armar uma barraca apenas para olhar as estrelas no céu. Não era capaz de viajar, da mesma forma que a irmã não era capaz entendê-la.

Muito pelo contrário, se deslocara de hotel a hotel, solicitando fast-food ou, serviço de quarto para não comer na rua e assistindo a longos filmes pela noite adentro simplesmente para adiar o sono. Passava os dias no volante de um carro ao longo de estradas vazias e depois estacionava e sentava-se no capô do carro, com um cobertor em volta dos ombros enquanto ouvia as ondas a se quebrar em espumas contra as rochas.

As lembranças de Mia enchiam os dias de Katie. Algumas ela recebia de bom grado para se reconfortar, como se pudesse suportar o frio da ausência da irmã abrigando-se em tais lembranças. Outras chegavam sem pedir licença, trazidas pelo odor da brisa ou pelas músicas que soavam no rádio ou pelos gestos de um estranho.

— Era muito cedo para viajar — disse Ed em tom gentil e não de repreensão.

Ele estava certo – o tempo todo estivera certo.
– Já comprou a passagem?
– Não.
– Quero que entre no próximo voo e venha para cá. Não se preocupe com o preço. Cuidarei disso. Só quero que retorne em segurança para casa.
– Muito obrigada.
– Meu Deus, como eu senti saudades de você. Que tal se eu tirasse um tempo de férias? Poderíamos nos trancar no meu apartamento. Eu poderia cozinhar para você. Assistiríamos a DVDs antigos. Sairíamos para fazer longas caminhadas... Já estamos quase na primavera.
– É sério? – ela perguntou distraída.
– Seus amigos ficariam contentes. Os que estão preocupados com você. Você nem faz ideia de como minha caixa de e-mails está cheia! Vai se sentir bem melhor quando chegar aqui. Prometo.

Retornar para Londres, para o apartamento dele, para os braços dele, era tudo de que ela precisava. Estaria com os amigos por perto, onde pudesse encontrar um supermercado sem recorrer a mapas, onde soubesse os horários do cinema e da academia, onde pudesse preencher cada hora livre. O novo mundo onde estava era grande demais, longe demais do mundo que conhecia.

– Telefone logo que marcar a passagem. Vou pegá-la no aeroporto. – Ele fez uma pausa. – Katie, eu mal posso esperar para vê-la.

– Eu também – ela disse, mas quando desligou sentiu uma estranha decepção no peito.

Já habituada à técnica de jogar a mochila sobre os ombros, ergueu-a e saiu em direção à fila para o balcão de passagens. A fila serpenteava ao longo de um labirinto de obstáculos e ela se postou atrás de uma família cujo filho pequeno jazia sonolento sobre uma pilha de malas pretas no carrinho de bagagem.

A fila se moveu para a frente e Katie a acompanhou. A fila se deteve e ela abriu o zíper do bolso lateral da mochila e tirou o diário de Mia de dentro. Passou o dedo pelos cantos arranhados e pela lombada desgastada. Folheou as páginas antes cor de creme e agora grossas, enrugadas e amarronzadas pela ação da cerveja derramada.

Katie fazia questão de guardar muito bem guardada cada palavra daquele precioso diário, que era como um presente. Lia um relato por dia, mas agora que deixava o caminho de Mia para trás não havia mais razão para manter esse hábito. De todo modo, fixou os olhos na página onde terminara a última leitura – Mia e Finn atravessavam o Vale da Morte de carro – e se pôs a ler.

Ficou sabendo da beleza realizada pelas mãos do homem na represa de Hoover Dam e de uma pequena barraca de estrada, onde Mia encontrara os melhores tacos de carne do mundo. Leu que Mia e Finn partilharam uma cerveja quente enquanto observavam o voo em círculos de um urubu-de-cabeça-vermelha sobre o Grande Canyon. E também leu que eles fizeram algumas caminhadas no Parque Nacional de Jodhua Tree, onde haviam escalado pedras gigantescas para apreciar a paisagem.

Você parecia tão feliz, Mia: o que aconteceu? Mesmo depois de ter vivenciado todas essas coisas incríveis com Finn, saiu em viagem para Bali sozinha. Por que você foi para o alto daquele penhasco naquela noite? Será que estava se apoquentando com tudo que lhe disse? Você fez aquilo, Mia? Você pulou? Por Deus, o que aconteceu com você, Mia?

Ela se manteve de olhos fixos no diário enquanto folheava página após página. Isso era como abrir o peito de Mia, era como revirar os ossos e a carne e olhar direto no coração da irmã. Tudo o que Mia sentira e vivenciara estava exposto naquelas páginas.

Ignorando o peso da mochila sobre os ombros, Katie percorreu sentença após sentença, engolindo relatos inteiros com avidez e impaciência a fim de entender. Até que de repente se deparou

com um nome que de tão surpreendente a fez tapar a boca para conter um suspiro.
Mick.
Mia anotara que planejava visitar o pai a quem as duas filhas tinham visto pela última vez vinte e poucos anos antes. O nome de Mick era um peso tão desalentador para a mãe que Mia e Katie jamais demonstraram qualquer desejo de vê-lo. Pelo menos até então. Ela continuou lendo na esperança de que a ideia de visitá-lo não tivesse passado de um mero capricho de Mia.
Mas seguiram-se outros detalhes. Algo escrito em uma tira de papel enfiada entre duas páginas que provavelmente era o endereço dele. Ao redor do papel, alguns salpicos de palavras, fatos e meditações de Mia. E ainda duas interrogações rodeadas por um traço de tinta preta. *"Quem é Mick?"* e *"Quem sou eu?"*.
As interrogações fervilharam na cabeça de Katie, até que lhe trouxeram uma súbita lembrança.
Dois meses antes da viagem, Mia a tinha acordado às três da madrugada.
– Perdi minhas chaves – disse com a voz arrastada e pondo um dedo sobre os lábios. Estava com os olhos borrados pelo traçado do *khol* e com os sapatos altos dependurados na mão.
– Oh, Mia – suspirou Katie, amparando-a enquanto atravessavam a porta. – Por que faz isso com você?
– Porque sou uma fodida – respondeu Mia, cambaleando em direção à sala.
Katie deixou-a por um momento e se dirigiu à cozinha. Apoiou-se na beirada fria da pia e fechou os olhos. Naquela mesma semana já tinha encontrado diversas evidências de noites iguais – a batida da porta principal às altas horas, a caixa de remédios revirada e sem alguns comprimidos para dor de cabeça, restos de lanches noturnos pela bancada da cozinha. Mas como a bebida e o humor sombrio se deviam à perda da mãe, deixava de lado as insônias da irmã e a bagunça que limpava a cada manhã.

Era a irmã mais velha, e os sacrifícios que fazia por Mia se justificavam. Quando aos 6 anos Mia esqueceu a fala na peça de Natal, Katie é que acudiu atrás do palco, acariciando suas mãos suadas e dizendo-lhe palavras de conforto. Quando aos 17 anos Mia pensou que estivesse grávida, Katie é que saiu correndo da universidade de volta para casa e perdeu o baile de verão. Quando Mia gastou o dinheiro da bolsa de estudos numa viagem ao México e não pôde devolvê-lo, Katie é que lhe emprestou o dinheiro – apesar de ser curto para ela própria. Os dois temperamentos pareciam se equilibrar em uma gangorra: Mia se impelia selvagem para o alto enquanto Katie era deixada no chão. Katie amava a irmã de todo coração, mas acabou se ressentindo com ela.

De repente, a música ecoou alta da sala e na mesma hora Katie pensou no casal de vizinhos com um bebê do andar de baixo.

– Mia! – exclamou, entrando na sala... E detendo-se em seguida.

Mia dançava no vão entre o sofá e a mesa de centro, com os cabelos balançando nas costas. Rodopiava enquanto era levada de olhos fechados pelo soul de um dos velhos discos da mãe. Acariciava o ar com os dedos, como se abrindo o caminho ao fluir das notas. Ela então girou e a saia do vestido se inflou de ar. Logo abriu os olhos, sorriu e estendeu a mão para Katie.

Por um momento Katie se viu diante de Mia de 8 anos que dançava no jardim coberta de lama sob uma chuva de verão. Depois, se viu dando um passo à frente, arrastada pela música, arrastada pela irmã. Seus ombros relaxaram e seus quadris rebolaram ao toque sedoso da camisola de seda. Sorriu quando Mia ergueu sua mão e a rodopiou por baixo do braço erguido.

Elas provocaram risadas uma na outra, com movimentos abestalhados e gestos ultrajantes. Mia pulou para cima do sofá, fazendo-o de pódio e afundando no estofado de couro com os pés descalços e as pontas dos dedos esticadas para o teto. Katie se lembrou de uma sequência de passos de uma dança que estava na moda nos seus tempos de criança e que tinha aprendido na frente do espelho do quarto junto com a irmã. Fez os mesmos passos com a apurada precisão de quando ainda tinha 10 anos. Elas caíram no sofá aos risos. Mia pôs os braços em volta de Katie, que aceitou o gesto pelo que realmente significava – um raro arroubo de afeição possível graças ao álcool.

A faixa acabou e fez-se silêncio na sala. Elas continuaram abraçadas e com o coração aos saltos pelo exercício.

– Você me faz lembrar tanto da mamãe – disse Mia na penumbra.

– Faço mesmo? – disse Katie suavemente, com medo de espantar a intimidade que as banhava como um raio de sol.

– Vocês duas podiam ser irmãs.

Estendeu-se um longo silêncio entre elas, quebrado com uma pergunta lançada por Mia:

– Você nunca se pergunta por que Mick nos abandonou?

Katie sentou-se, pega de surpresa.

– Ele nos abandonou porque era um egoísta.

– Talvez houvesse mais que isso.

– Claro – continuou Katie. – Ele não era perfeito. – As luzes azuis de um carro de polícia entraram pela janela. – Por que estamos aqui falando dele? Ele nunca se preocupou com ninguém além de si mesmo.

– Como podemos ter certeza?

– Ele nos abandonou; só isso responde. – Katie se pôs de pé.

Mia jogou os pés para o lado e a irmã viu que estavam imundos.

– Tome um copo d'água antes de dormir.

Katie fez menção de sair da sala e ouviu outra pergunta:

– E se eu fosse igual a ele?

Katie se deteve por um instante, sem saber ao certo se tinha ouvido direito. Mia não disse mais nada, e ela então saiu andando até seu quarto.

Na ocasião, descartara a pergunta como conversa de bêbado, sem considerar que talvez a irmã estivesse expressando um medo real. Agora, ansiosa para acompanhar o relato sobre Mick no diário de Mia, apressou-se em virar a página.

No reverso da página em branco encontrava-se o canhoto do cartão de embarque de um voo para Maui. Mia e Finn tinham estado naquele lugar um dia após a página ter sido escrita.

– Em que posso ajudá-la? – Uma mulher com um vistoso lenço amarelo amarrado sobre a blusa sorriu atrás do balcão de passagens. Katie já era a primeira da fila.

– Quero marcar um voo, por favor.

– Claro. E para onde quer voar?

Ela olhou para o diário e se perguntou se a decisão de Mia de ver Mick não estaria ligada ao que tinha acontecido em Bali. Se voltasse para casa, não teria outra escolha senão aceitar o relato das autoridades sobre a morte de Mia. E assim nunca saberia a verdade.

Ela fechou o diário lentamente.

– Quero uma passagem para Maui.

Já era madrugada quando Katie saiu do avião em meio à atmosfera doce e úmida de Maui. Enquanto os agentes turísticos colocavam colares de hibiscos no pescoço dos turistas, Katie atravessava em silêncio a perfumada multidão e pegava um táxi.

Abaixou o vidro da janela e sentiu-se aliviada da tensão localizada no pescoço e nos ombros com o calor do ar. Foi deixada no Pineapple Hostel, na costa norte da ilha.

– O dormitório 4 está vazio. Siga pelo corredor e suba a escada que logo estará lá. O banheiro fica do outro lado. Divirta-se, *Mahalo* – disse o proprietário, que exibia três aros de prata no lábio inferior.

Katie agradeceu e seguiu por um corredor pintado com cores vivas enquanto olhava fotos com molduras baratas de windsurfistas em ondas gigantescas; na parte inferior de cada foto se lia impresso em letras brancas: MAUI. Só então se deu conta do surrealismo da situação, uma vez que não sabia quase nada a respeito da ilha quando poucas horas antes uma decisão diferente a levaria de volta às temperaturas geladas de Londres.

Era a primeira vez que se hospedava num albergue e sentiu-se aliviada quando viu que o dormitório era limpo e arejado. Colocou a mochila na parte de baixo de uma das quatro camas-beliche cobertas de lençóis verdes brilhantes e travesseiros amarelos.

Fazia tempo que ela e Mia tinham pedido beliches amarelo-canário de presente de Natal. Estavam respectivamente com 9 e 6 anos. Na época, nem precisavam dividir um quarto porque a casa dispunha de dois quartos vagos. Mas Katie queria ter alguém por perto quando caísse no sono e Mia queria ter alguma coisa de madeira no quarto onde pudesse escalar. Não brigaram para definir quem dormiria em cima e embaixo: Katie preferiu o leito de baixo porque poderia enfiar um lençol nos cantos do colchão de cima de maneira a simular o dossel de um quarto de princesa, e Mia se encantou em dormir no leito de cima para fazer de conta que estava no alto do convés de um navio. Estrelas grudadas no teto representaram o céu e um tapete azul do banheiro representou o mar. Mia chamava Katie que subia com todo cuidado porque não confiava na firmeza da escada e, sentadas de pernas cruzadas na cama de cima, descreviam as coisas que viam na água.

Já no dormitório, Katie tirou o celular da mochila e o ligou. O aparelho soou de imediato, registrando três novas mensagens de Ed. Ela sentou-se na beira do colchão do beliche de pescoço esticado para frente e ligou para ele.

– Katie! Onde você está? Já estava preocupado com você.

– Meu voo saiu logo depois. Não tive tempo...

– Já está no Heathrow? Já chegou?

– Não. Preste atenção, Ed. – Ela pôs a mão na testa. – Eu pensei melhor. E decidi continuar com a viagem.
– Onde você está?
– Em Maui.
– Maui? Que raio de coisa está acontecendo?
– Achei errado desistir.
– Você simplesmente não pode pegar um avião sabe Deus para onde sem avisar! Não é seguro. Está agindo igual à Mia.

Ela percebeu que a comparação era uma forma de puni-la, mas por dentro sentiu-se feliz. Enquanto conversava, se livrava das botas de cano alto e das meias e pisava o piso de madeira do dormitório de pés descalços. Foi uma sensação maravilhosamente fria.

– Uma decisão como essa devia ser tomada junto comigo – ele continuou. – Você precisa falar comigo.

– Desculpe-me, você tem razão. Eu mesma odeio ser colocada à parte, realmente odeio. É que só agora me dei conta de que realmente preciso fazer isso.

– Algumas horas atrás você me telefonou e disse que estava voltando para casa. E agora está em Maui e tudo voltou de novo. Honestamente, já não tenho certeza de que você está mentalmente sã para fazer isso.

– O que está querendo dizer?

– A Katie que conheço é decidida e equilibrada.

– Sim, ela é isso. Mas ela também acaba de perder a irmã e merece um pouco de paciência.

– Não estou brigando com você, Katie.

– Então, trate de demonstrar o seu apoio.

– Apoio tudo o que você faz. É que está sendo difícil me convencer de que viajar sozinha agora é a melhor coisa para você. Fico preocupado em vê-la à caça de fantasmas.

– E o que me preocupa é a possibilidade de deixar Mia para trás, se voltar para casa agora – ela rebateu um tanto exaltada.

Fez-se um silêncio constrangedor. Ela girou o anel de noivado com os dedos e o diamante brilhou contra a luz.

– Os convites ficaram prontos hoje – disse Ed.

Ela os tinha encomendado a uma empresa de design que fazia um excelente trabalho com flores bordadas a laser nas bordas. Não lhe passou pela cabeça que ficariam prontos tão cedo.

– O casamento é daqui a quatro meses – ele continuou.

– Eu sei.

– Vai voltar a tempo?

– É óbvio que sim.

– Porque se não estiver aqui – ele acrescentou em tom mais suave –, não faço a menor ideia do que farei com cem castiçais Cath Kidston.

Ela sorriu.

– Não se preocupe, estarei em casa.

Ela desligou, largou o celular e deitou-se sobre o lençol verde com o diário de Mia. Apesar da preocupação de Ed, pela primeira vez desde que saíra da Inglaterra sentia que estava pensando com mais clareza.

Abriu o diário na página onde estava o endereço de Mick e passou o dedo indicador nas palavras desconhecidas. Foi estranho pensar no pai tão próximo; imaginou uma casa moderna e grande, um homem de cabelos grisalhos e um armário repleto de ternos.

Na infância, às vezes Katie e Mia conversavam baixinho no escuro do quarto sobre o pai. Mia se debruçava na beira do beliche, enfiava a cabeça por dentro do dossel de princesa e perguntava: "Como você acha que papai é?" Katie, que se achava mais esperta em fazer comparações abstratas que deixavam Mia confusa por dias, respondia: "Ele é como Moby Dick" ou "Ele me lembra as músicas daquele disco do David Bowie da mamãe". Às vezes Mia queria saber o sentido dessas palavras e Katie se limitava a dar de ombros, aconselhando a irmã a ler o livro ou ouvir o disco.

A verdadeira razão que a impedia de responder certo era não saber como o pai era de verdade. Suas recordações eram peças de dois quebra-cabeças diferentes que não se encaixavam. Algumas recordações eram inesquecíveis – como a que tinha acontecido na velha cozinha da casa ao norte de Londres, onde o piso de lajotas vermelhas gelava os pés até mesmo no verão. Ela devia estar dormindo, mas desceu até o andar de baixo para pedir um copo de leite. Não encontrou nem o pai nem a mãe na sala e se dirigiu à cozinha, de onde ecoava a música. A mãe girava nos braços do pai às risadas. Ela observou a cena por um momento; o brilho do relógio de ouro do pai alinhado ao punho da camisa, o cheiro da loção pós-barba mesclado ao cheiro doce do uísque, o cabelo da mãe se soltando do pregador de tartaruga. O pai então a viu e parou de dançar. Ela ficou com medo de ser repreendida por estar fora da cama e começou a bocejar, mas ele a pegou pela mão e também a fez girar. Ela riu do jeito que tinha visto a mãe rir, com a cabeça jogada para trás e de boca aberta.

Outras recordações, no entanto, Katie mantinha em segredo, como na vez em que Mia levou sete pontos na têmpora direita aos 2 anos. Katie assistia a um espetáculo de balé com a mãe e, durante o intervalo, enquanto fazia piruetas no salão de coquetel, ouviu soar o nome da mãe no alto-falante. "Grace Greene?", disse o gerente do teatro no balcão de entrada. "Seu marido está ao telefone." A mãe perdeu a cor e arregalou os olhos de medo quando levou o telefone ao ouvido.

Depois disso, as lembranças daquela tarde se fragmentaram em quadros, como as ilustrações de uma revista de quadrinhos. Lembrava-se da corrida de táxi pelas ruas escuras e do balcão de recepção do hospital que não conseguia alcançar, mesmo nas pontas dos pés. Lembrava-se da irmã deitada na cama ladeada de grades de metal e das mãos pálidas da mãe agarrando a bolsa enquanto conversava com o pai.

Segundo o pai, Mia tinha tropeçado no patamar e caído da escada, mas com o tempo outras pistas vieram à tona e sugeriram outra coisa bem diferente. Uma enfermeira mencionou uma motocicleta; um vizinho se referiu ao pai com a palavra "irresponsável".

Quando elas saíram do hospital no dia seguinte, os pertences do pai não estavam mais na casa. Seguiram-se outras mudanças. Com o tempo, a mãe passou a se mostrar apática e vazia e, quando entrava no banheiro para tomar banho à noite, o ruído da água do chuveiro era abafado pelo choro dela.

Katie ainda era uma criança, mas a ligação entre o acidente de Mia e a partida do pai não lhe passou despercebida. Lembrava-se de ter chegado à soleira da porta do quarto dos pais e de ter perguntado para a mãe que passava um corretor de manchas nas olheiras escuras: "Papai partiu por causa da Mia?" A mãe largou o potinho dourado do corretor, deu três passos pelo tapete, agarrou-a pelo braço e lhe deu uma palmada atrás das coxas. Três meses depois todas as coisas foram encaixotadas e elas tomaram um ônibus para a Cornualha.

E agora, enquanto folheava o diário, Katie se via com a incômoda sensação de que, de alguma forma, aquele encontro com Mick se emaranhava com os acontecimentos seguintes na viagem de Mia. Estirou-se no beliche e leu rapidamente, mas com muita atenção. Nem reparou nos dois outros viajantes que entraram e saíram do quarto, assim como não ouviu a chuva tropical que começou a bater no vidro da janela. Simplesmente continuou lendo, absolutamente concentrada nas páginas do diário, na narrativa de Mia sobre os acontecimentos na noite em que chegou à casa do pai.

8

Mia

(Maui, outubro do ano anterior)

Mia se postou na entrada. Anoitecia e o ar que ainda mantinha o calor a fez sentir uma fina e viscosa camada de suor sob o cós do short. Ela então levou o dedo à parte de trás do cós e o puxou para deixar o ar entrar e refrescar a pele. Enquanto aguardava, as gotas de suor pinicavam nas axilas e se agrupavam entre os seios.

Ouviu quase sem fôlego uma batida de passos e em seguida alguém se aproximou apressado da porta. Ela deu um passo atrás, cruzou os braços, descruzou-os e cruzou de novo, só que agora menos apertados.

Mick tinha a mesma altura dela. Vestia uma camisa branca folgada e carregava um celular preso à bermuda preta. Seu rosto estava mais redondo que numa foto antiga, as bochechas eram protuberantes e o cabelo grisalho de corte curto rareava nos lados. Ele tinha os mesmos olhos avelãs com cílios claros de Katie, isso era bem visível.

Eles se entreolharam atentamente. Mia se perguntou o que ele estaria pensando da jovem silenciosa ali à porta. Talvez tivesse sido melhor se não estivesse vestida casualmente de short e sandália de dedo. Um vestido e uma sandália mais discreta, ao estilo da mãe e de Katie, não teriam sido mais apropriados?

Mick foi o primeiro a se manifestar. A palavra soou com a força de uma bofetada:

— Sim?

Ele não a tinha reconhecido.

Ela desviou os olhos e se voltou para um capacho que os separava, onde uma mosca lutava para se libertar da trama dos fios. Mia sempre imaginara aquele encontro — e o tinha imaginado infinitas vezes — como um enlace afetuoso no qual Mick corria instintivamente para um primeiro abraço entre pai e filha selado em muda conexão. Ela também se preparara para a rejeição: Mick explicava que já tinha passado muito tempo ou a escondia de uma segunda esposa que nem sabia da existência dela. Mas entre todas as cenas imaginadas, nunca considerou que talvez ele não a reconhecesse.

Ela ergueu os olhos e ele arqueou as sobrancelhas e tombou a cabeça levemente para o lado, espelhando um meio sorriso nos lábios à espera. Ela não soube ao certo se isso era um encorajamento ou um espanto pelo silêncio dela.

— Eu sou... — disse olhando nos olhos dele, na esperança de que ele tivesse um clique e a poupasse da humilhação. — Eu sou Mia.

Mick se manteve impassível.

Será que ela deveria dizer? Será que deveria dizer que ele era o pai dela? Ainda bem que Finn não estava ao lado; seria insuportável se alguém testemunhasse aquilo.

— Eu sou sua filha — ela disse por fim.

O meio sorriso se dissipou. Ele piscou os olhos quando mapeou os traços dela, talvez em busca de sinais que não tivesse percebido.

— Desculpe, eu... Eu não me dei conta de quem...

Ela continuou de frente para ele. E depois de alguns segundos deu um passo para o lado.

— É melhor você entrar.

Ela o seguiu por um corredor branco e frio que os conduziu a uma aprazível cozinha projetada. Uma bancada de granito em forma de L emoldurava o amplo ambiente, e armários com portas de vidro abrigavam elegantes taças de vinho. Os aparelhos eram em sua maioria de aço inoxidável: uma chaleira elétrica, um forno duplo com relógio digital e uma elegante geladeira. Nas paredes brancas, apenas um relógio em forma de guitarra, e de quatro discretos alto-falantes ecoava uma música de Neil Young.

Mick pegou um controle remoto em cima de uma mesa com tampo de vidro coberta de revistas, partituras e correspondência e desligou o som. Ele parecia abalado.

– É uma baita surpresa.

Mia, que mal conseguia falar, se viu tomada por uma quentura no rosto.

– Que tal sentar-se no deck? – Ele apontou para uma porta dupla que se abria para um jardim. – Drinques. Vou preparar uns drinques.

Ela saiu e se viu atraída por um muro de pedra baixo na extremidade do jardim que separava a propriedade da praia. Aspirou profundamente o ar refrescante e salpicado de sal. Sob a luz diáfana do anoitecer, apenas a tênue linha do horizonte era visível, um azul desbotado e efêmero que se dissolvia em tons de malva e azul-marinho. Em algum lugar ao longe as ondas quebravam, e ela se concentrou em ouvi-las.

– Não é magnífico? – ele disse, juntando-se a ela e estendendo um copo grande com uma bebida clara. Observou-a enquanto ela tomava um gole. O sabor doce, alcoólico e gelado coube como uma luva às necessidades dela.

Eles retornaram ao deck e ela sentou-se em uma das cadeiras em volta de uma mesa de madeira com um guarda-sol ao centro. Ele tirou o celular da bermuda e o pôs na mesa antes de sentar-se. Uma pequena luz azul piscou por alguns segundos no celular. Ele tirou do bolso um maço de cigarros e um isqueiro.

– Você fuma? – Ofereceu um cigarro para ela, com um ligeiro tremor na mão.

– Não.

Mick acendeu um cigarro e deu uma longa tragada de olhos fechados. Isso propiciou a Mia um momento para observá-lo. Ele tinha sofrido transformações dramáticas, já não era o homem musculoso e bem-vestido da foto. Os músculos dos braços estavam flácidos e a barriga projetava a camisa para fora. A pele avermelhada entre as sobrancelhas estava esticada e as pálpebras pareciam pesadas.

Ele soltou a baforada de fumaça no ar e se recompôs.

– Então – disse, curvando-se para bater a cinza num cinzeiro de madeira –, você está aqui em Maui sozinha ou está com Katie?

O nome da irmã dito rapidamente pegou-a de surpresa.

– Estou com um amigo.

Ele balançou a cabeça e ela se perguntou se ele estava desapontado ou aliviado.

– Onde se hospedou?

– No Pineapple Hostel.

– Conheço. Fica a poucos minutos daqui. – Ele pôs o braço esquerdo sobre o encosto da cadeira. – Pretende ficar muito tempo ou só está de passagem?

Ela entendeu que ele queria sondar suas intenções. Quem estava com ela? Quanto tempo ficaria ali? O que ela queria dele?

– Estou de viagem por alguns meses – ela respondeu. – Nós começamos pela Califórnia. Fizemos de Maui uma parada seguinte. E daqui nós voaremos para a Austrália Ocidental. – Foi o máximo que conseguiu dizer desde a chegada porque a garganta estava seca e apertada. Ela sorveu o drinque e manteve uma pedra de gelo na língua por um momento.

– Nós?

– Eu e Finn... meu melhor amigo.

Fez-se um longo silêncio. Mia fixou os olhos na bebida. Embora tivesse achado que as palavras fluiriam com facilidade, preenchendo os anos perdidos como um rompante, agora estava ali com tanta coisa a dizer e simplesmente não conseguia decidir por onde começar.

Eles terminaram os drinques ainda silenciosos. Mick acabou de fumar o cigarro e se dirigiu à cozinha, de onde voltou com outros drinques e com velas de citronela acesas cujo intenso odor de limão impregnou o ar. Ele bebeu rapidamente, a bebida quase não tocou nos lados do copo. Ela reconheceu nesse detalhe uma primeira semelhança entre eles.

– Fiquei sabendo que sua mãe faleceu – ele disse por fim.

Como é que ele tinha sabido?

– Deve ter sido duro pra você e Katie.

– Sim. – Não era o momento de pensar na mãe. O fato de estar ali já era demais para ela.

– E como vai a Katie?

– Bem. Nós temos um apartamento em Londres, onde moramos juntas.

– É mesmo?

– Ela trabalha com recrutamento.

Ele sorriu e Mia considerou o sorriso um encorajamento.

– E você? – ele perguntou. – O que você faz?

Ela se encolheu.

– Faço trabalhos ocasionais... trabalhos em bares, como garçonete; enfim, esse tipo de coisas. Ainda não tenho certeza do que quero fazer.

– Antes de me dedicar à indústria da música me formei em *chef* de cozinha.

Era o primeiro fato que ela sabia sobre ele. O pai tinha sido um *chef*. Será que cozinhava para elas? Será que ela própria tinha algum dom culinário? Não identificou nenhum.

Mick disse que iniciara a carreira num restaurante francês de West London. Um dos jovens garçons tinha uma voz incrível para cantar, mas lhe faltava confiança para se apresentar. Mick o pôs em contato com um ótimo guitarrista que conhecia da universidade e tornou-se agente dos dois. Seis meses depois contratou um baterista e um baixista e a banda se saiu tão bem que ele conseguiu dinheiro para gravar um disco. Foi o início do seu primeiro selo musical.

Mick falava atropeladamente, uma frase puxava outra, uma história desenrolava outra, talvez para evitar o silêncio constrangedor ou talvez para escapar de uma conversa mais séria a respeito da presença dela. E quanto mais falava, mais a afastava e o silêncio se acercava da garganta de Mia como duas mãos. Ela sabia que estava sendo esquisita, mas o tema da deserção do pai parecia grande demais para ser abordado.

– Mia?

Ela ergueu os olhos, sem saber quanto se afastara. Mick a olhou fixamente, diretamente nos olhos dela.

– Você se interessa por música?

– Adoro música – ela disse, enrolando uma mecha de cabelo no dedo. – Gosto de ouvir, não de tocar instrumentos. – Ela assistia a muitos shows e gostava de sentir a intensa batida dos ritmos dentro do peito. Londres era boa nisso, uma graça que salvava a cidade.

– Você disse que esteve na Califórnia. O que achou de lá?

Ela desenrolou a mecha de cabelo do dedo e enfiou as mãos debaixo das coxas.

– As praias são mais selvagens do que eu esperava. E mais tranquilas. Foi maravilhoso.

– Foi até Los Angeles?

– San Francisco.

– Morei em Los Angeles durante sete anos – ele disse. – Lugar fantástico... muito animado.

Muito animado. Ela diria essa frase? Não. Katie diria. Já identificava traços da irmã em Mick – a confiança compartilhada, a facilidade com as palavras.

– Eu tinha um escritório de frente para a praia – ele continuou.

– Depois de Londres, até que não foi um lugar ruim para ficar. Depois de Londres. Depois de abandonar a mulher e as filhas. Ela precisava desviar a conversa para a vida que levavam naquela cidade. Concentrou-se para se lembrar de detalhes escritos no diário, mas as palavras nadavam na cabeça e não se deixavam pegar.

O celular de Mick soou. Ele atendeu de imediato.

— James! Sim, sim... Está certo... Absolutamente. — Olhou para o relógio. — Nós ainda podemos.

Mia engoliu o último gole do drinque. Ela devia ter comido antes de ir para lá. Já sentia os músculos do rosto descontraídos. Colocou o copo vazio na mesa e só então reparou que a noite engolira a penumbra do anoitecer.

— Você me dá vinte minutos? — perguntou Mick ao celular.

— Estarei logo aí.

Colocou o celular em cima da mesa.

— Desculpe-me, mas já tinha marcado um jantar com um colega. Acabei perdendo a noção da hora.

— Oh! — Ele a despachava quando ainda havia tanta coisa a ser dita.

— Foi bom ver você — ele disse enquanto se levantava. Afastou-se da mesa e acendeu um holofote que iluminava o deck. A súbita claridade a fez piscar e por um momento se sentiu desorientada.

Quando ergueu os olhos, Mick já estava se deslocando da cozinha em direção ao corredor de entrada. Ela o seguiu, pensando consigo que teriam outra chance para conversar. Talvez tivesse sido melhor deixar os pontos mais delicados para uma próxima vez.

— Obrigado pela visita — ele disse ao chegar à porta de entrada.

Ela balançou a cabeça.

— Ficarei quinze dias aqui.

— Você vai adorar a ilha.

Nenhuma menção em vê-la novamente. Será que ele realmente queria isso?

— Amanhã estarei livre.

– Amanhã não é um bom dia. Meu advogado estará aqui o dia inteiro – ele disse sem olhar para ela.

Ela esperou por um segundo na esperança de que ele ofereceria uma alternativa, mas ele se manteve calado. Soou o clique de um purificador de ar em algum lugar da casa. O odor artificial de pinho impregnou tudo em volta e chegou ao fundo da garganta de Mia.

– Que tal depois de amanhã?

Mick esfregou a nuca, perdendo aos poucos a compostura. Ficou agitado e ergueu os olhos para o teto.

– Não posso fazer isso, Mia.

– Fazer o quê? – ela perguntou, agarrando as bordas dos bolsos com os dedos.

– Vê-la de novo. Ser quem você quer que eu seja. Isso não seria justo nem para mim nem para você. – Ele sacudiu a cabeça com força. – Há muitas coisas que você não sabe.

– Então, conte tudo – ela retrucou, ouvindo a elevação da própria voz.

– Ficou tudo no passado. É melhor deixar o passado sossegado. – Ele segurou a maçaneta da porta. – Desculpe, mas preciso sair.

Ela o olhou fixamente por um instante, sem acreditar que haviam chegado a esse ponto tão cedo. E de repente sentiu-se atordoada, etérea, como se dissolvida pela decepção.

– Lamento que nosso encontro não tenha sido como você esperava – ele disse realmente sentido e depois abriu a porta para a noite.

Mia saiu aturdida e o pai fechou lentamente a porta da casa atrás de si. Ela saiu balançando a cabeça e pensando: *o que foi isso?* Onde estavam as semelhanças e as conexões que esperava que houvesse entre pai e filha? Ficou com o rosto queimado de humilhação: depois de ter voado até Maui, visitara a casa do pai e compartilhara alguns drinques enquanto ouvia o que ele dizia, e durante o tempo todo ele só estava à espera do momento em que lhe pediria para ir embora.

Se Katie estivesse com ela não teria aceitado a rejeição de Mick. Ele teria sido forçado a dar respostas, a eloquência vivaz da irmã teria dado um nó nas desculpas dele. A imagem a encheu de coragem e ela cogitou dar meia-volta para enfrentá-lo. Mas lá no fundo sabia que não faria isso.

Saiu caminhando ao acaso e chegou à praia onde encontrara o surfista solitário. O ar exalou um forte odor de sal e a fez arquear para observar as curvas escuras das ondas ao longe, com as costas lambidas pelo luar prateado.

Logo jogou a bolsa na areia, livrou-se das sandálias de dedo e sentiu a poderosa vitalidade da água do mar que chegou aos tornozelos e sugou a areia por baixo dos dedos dos pés. Em seguida, respirou fundo e ouviu o movimento das ondas. Pouco a pouco os pensamentos que giravam em torno de Mick se dissiparam como palavras escritas na areia à beira do mar.

Mia deu um passo à frente e uma pequena onda arrebentou nas coxas e encharcou a bainha do short. Não recuou quando uma segunda onda veio em sua direção e encharcou o short e a calcinha de água fria. Emocionada com a experiência de estar sozinha à beira daquela praia, se deixou levar pela lua para dentro do mar.

A água atingiu-lhe a cintura e a fez encolher o estômago de frio.

Com um movimento natural, dobrou os joelhos e projetou o corpo para frente, deixando-se pegar com todo o peso pelo mar. Afastou-se da praia com braçadas vigorosas e a camiseta grudada ao corpo.

O mar era um bálsamo. Ela submergiu a cabeça na água turva. Flutuou com os braços esticados e a ponta dos dedos unidos simetricamente. Emergiu para tomar fôlego e submergiu novamente, agora mais fundo e com a água entrando pela gola da camiseta.

Logo parou de bater os pés e, de corpo imóvel, deixou-se boiar de costas voltadas para o céu e com os membros abertos, como uma estrela do mar. Sempre fazia isso com Katie quando criança, os cabelos flutuavam em volta do rosto enquanto tentavam ouvir as canções das sereias. E agora os zumbidos e estalos do mar eram como peixes-anjos que nadavam silenciosos e curiosos mais abaixo. O calor cresceu dentro dos pulmões à medida que a necessidade de ar também crescia. Isso a incitou a continuar imóvel enquanto se deixava levar pelo declive escuro das ondas para cima e para baixo, como se fosse um pedaço de madeira solto no mar.

O ritmo subaquático mudou e um novo som se sobrepôs à suave melodia. Não era o som do movimento das ondas. Eram como jorros de água lançados contra uma parede. Ela aguçou o ouvido na direção de onde vinha o som e de repente sentiu uma dor atrás da cabeça. Seguiu-se um rumor agitado e ela se viu puxada para cima e jogada de cabeça para trás. Engasgou enquanto emergia e engolia o ar.

Ouviu um grito e de novo sentiu-se puxada e com água salgada entrando pela boca e pelas narinas. As roupas pesaram e a fizeram submergir e se debater desorientada debaixo d'água.

Em seguida emergiu engasgada novamente. Os gritos se sucediam e ela então nadou em direção à praia. Logo que se pôs de pé saiu cambaleando pela água rasa.

Um cara acenou.

– Você está bem?

– Sai fora! – ela gritou, com o coração disparado.

Ele se deteve.

– Eu pensei... merda, pensei que você estava se afogando.

– Eu estava nadando!

– Você estava vestida. Sem se mover. Parecia que você, que você estava... – Ele não terminou a frase.

– Você estava me observando?

– Não. – Ele balançou a cabeça e arregalou os olhos assustado. – Não. Eu ia pegar uma onda. E aí vi uma sombra na água. Você estava flutuando de barriga para baixo.

Só então ela reparou que ele tinha uma prancha debaixo do braço.

– Desculpe – ele disse, e pelo tom da voz ela se deu conta de que estava sendo sincero. – Eu não pretendia assustá-la.

Ela tirou o cabelo de cima do rosto e pôs os braços na cintura.

– Quer dizer que você surfa à noite?

– Às vezes.

Ela ficou absorta com a imagem de alguém sozinho em meio às ondas turvas.

– Isso pode ser perigoso.

– A lua é um bom farol.

O que será que o atraía para o mar a ponto de arriscar a própria vida pela emoção de uma onda?

Ele ergueu a mão para tirar água dos olhos e deixou à vista uma tatuagem escura que serpenteava ao longo do braço.

– Era você que estava aqui mais cedo – ela disse, lembrando-se subitamente de que o tinha visto na beira do mar em atitude meditativa. – Eu o vi surfar.

Ele olhou para ela, tombando a cabeça ligeiramente para o lado.

– Foi sim – disse por fim. – Lembrei.

A voz dele era intensa e grave. Será que tinha um sotaque?

– Você deve estar com frio – ele disse.

Ela ainda não tinha se dado conta de que estava tremendo de frio.

– Vou pegar uma toalha. – Ele saiu andando e ela o seguiu.

Mais à frente, ainda na praia, ele tirou uma toalha de um saco e estendeu para ela, que por sua vez enxugou o cabelo e enrolou-a nos ombros.

Ele pegou uma caixa de fósforos e ajoelhou-se ao lado de uma pirâmide de galhos secos.

– Você ergueu isso mais cedo?
Ele balançou a cabeça e riscou um fósforo, que deixou um cheiro de pólvora no ar. Protegeu a chama com a mão e ateou fogo em diversos pontos da pirâmide de galhos. Cuidadosamente, soprou as chamas que logo se agitaram e se expandiram. Sob a luz da fogueira surgiu um rosto com olhos negros e sérios e sobrancelhas ainda molhadas.
Depois de fazer o fogo pegar, ele tirou uma camisa de moletom de dentro do saco.
– Aqui, pode usar se quiser.
Ela podia ter recusado e saído dali em direção ao albergue. Finn devia estar esperando por ela e se corroendo para saber como tinha sido o encontro com Mick. Mas ainda não estava pronta para sair dali. Ainda não.
– Muito obrigada – disse, pegando o moletom. Ficou de costas, tirou a camiseta e o sutiã molhados e vestiu o moletom. Esticou as mangas até cobrir as mãos e deixar um espaço para aninhar os polegares.
Sentou-se ao lado do fogo enquanto ele trocava de roupa. Logo ele retornou e estendeu uma garrafa de cerveja.
– Saúde – ela disse, girando a tampa da garrafa. – Muito prazer, Mia.
Ele repetiu o nome dela em voz alta, como se só assim fosse capaz de se lembrar.
– Noah – disse o próprio nome, enlaçando os joelhos com um braço. Olhou de soslaio para ela. – Então, você sempre nada vestida?
Ela encolheu-se.
– Há correntes muito fortes por aqui. Alguém devia tomar conta de você.
– E quem toma conta de você?
Ele sorriu.
– Achei que estava sozinha – disse Mia depois de um tempo.
– Fazia isso com minha irmã quando éramos crianças... apenas

boiar e ouvir o mar. – Mas isso tinha sido muitos anos antes de se distanciarem. Ela sentia saudades das tardes de verão que passavam na praia, pulando das pedras e catando conchas na beira da praia. *Irmãs do Mar*, esse era o apelido que tinham quando crianças. – Fiquei com uma vontade danada de fazer isso de novo.

Ele fixou seus olhos negros nos dela por um segundo. Ela se perguntou se ele estaria pensando na tolice dela, mas ele continuou calado.

Eles beberam em silêncio, hipnotizados pelo movimento das chamas. O forte cheiro de fumaça de madeira impregnou o ar. De quando em quando ela o olhava de relance e recolhia pequenos detalhes: os pelos negros das pernas que diminuíam à altura dos tornozelos; o rasgão na costura da camiseta que descia alguns centímetros por um dos lados; o jeito com que segurava a garrafa da cerveja pelo gargalo.

– E quando você começou a surfar? – ela perguntou depois.

– Ainda era moleque. Morávamos perto de Melbourne, a alguns quilômetros da praia. Depois das aulas pedalava até a praia só para observar o estilo de surfar da turma mais velha em pranchas grandes.

– Aprendeu sozinho?

– Não, aprendi com um cara, Reuben. Era das antigas, mas não perdia uma só onda. Não se interessava por grandes ondas ou grandes manobras, mas tinha um equilíbrio na água que ninguém mais tinha. Eu ficava cercando o cara na praia sempre que podia, só para observar. – Noah tomou um gole de cerveja. – Com o tempo acabei me enchendo de coragem e pedi que me ensinasse... Disse que em troca lavaria a caminhonete dele. Fizemos um trato. Ele me ensinaria a surfar e teria a caminhonete mais polida de Melbourne. Ele espalhou a notícia do meu talento como lavador de carros. Cinco meses depois eu era dono da minha primeira prancha.

– Gostei disso – disse Mia sorrindo. – Você fez por merecer.
– Passou os dedos no cabelo úmido, soltando alguns nós. – E o que o trouxe a Maui? Está viajando?
Ele balançou a cabeça.
– Com amigos?
– Com meu irmão.
– É mesmo? Vocês devem se dar muito bem.
Ele deu de ombros.
– E onde ele está agora?
– Num bar lá no centro.
– E por que você não está lá?
Ele pensou por um momento.
– Às vezes prefiro ficar sozinho.
Ela sorriu, sabendo exatamente o que ele queria dizer, descruzou as pernas e esticou-as em direção ao fogo para aquecer os pés. As chamas iluminaram a linha das pernas e ela notou que ele as apreciou.
– E para onde vai depois? – ela perguntou.
– Voltaremos para a Austrália em alguns meses. Depois disso, não sei. Seguiremos as ondas. – Ele jogou um graveto no fogo e disse: – E você? De onde você é?
– Cornualha. Fica a sudoeste da Inglaterra.
– Vocês têm boas ondas atlânticas por lá. Mas muito frias.
– Você acaba se acostumando.
Noah acabou de beber a cerveja, pegou mais duas garrafas e passou uma para Mia.
– E onde você vive agora?
– Estou morando em Londres há quase um ano. Minha irmã e eu compramos um apartamento lá. – Ela fez um traço na garrafa de cerveja com os polegares enquanto pensava no apartamento com janelas de caixilhos altos que quase nunca eram abertas e que a deixavam sufocada.
– Você não gosta de lá, não é? – ele disse, talvez lendo a expressão dela.

– Acho que não sou urbana.

Ele balançou a cabeça e olhou para ela como se disposto a ouvir mais.

Ela respirou fundo.

– Foi um erro mudar para lá. Acho que a morte de mamãe alguns meses antes é que nos levou a morar juntas para provar alguma coisa para nós.

– Para provar que continuavam sendo uma família?

– Sim, exatamente isso – disse Mia, surpreendida pela perspicácia de Noah. Era um cara que surfava à noite e que preferia uma fogueira na praia a um bar, e isso a intrigava. Ele tinha um senso de autonomia que ela também reconhecia em si mesma.

– Sua irmã ainda está em Londres?

– Katie. Sim, está. Ela é feliz lá.

– E onde você é feliz?

Os marulhos das ondas tornaram-se suaves murmúrios do ser amado.

– Perto do mar.

Eles continuaram contando as experiências de cada um com seu próprio mar. O dele era o mar de águas claras e azuis da Tasmânia, com ondas descascadas e ferozes tubarões, e o dela era o Atlântico franjado de falésias de granito e ardósia e povoado de gaivotas.

Ele a ouvia atentamente e de olhos fixos nela. Essa atenção deixou-a confiante, como se estivesse se libertando de alguma coisa, como se uma portinha dentro da garganta tivesse sido aberta. Isso a levou a falar do câncer da mãe e de como Katie desempenhara o papel de enfermeira e ela, o de relapsa. Falou como tinha sido o fim de semana em que se mudara para Londres e observara as nuvens no Hyde Park enquanto fazia de conta que estava em outro lugar. Também falou que viajara para Maui a fim de se encontrar com o pai, que a divertira por uma hora e depois a despachara. Enquanto falava, a fogueira minguava e o cabelo de Mia secava em ondas duras de sal.

De repente, ela ergueu os olhos.
– Desculpe, falei demais.
– Que nada, não falou, não – disse Noah, esquadrinhando-a com olhos negros e sérios. O que havia naqueles olhos? Eram como se fossem mais velhos que o resto do rosto. Ela se deu conta de que estava se sentindo atraída.
Ele cutucou as brasas ardentes com um graveto. Ela o acompanhou com os olhos, a começar pelos dedos e o punho, e se deteve na tatuagem escura que se espraiava pela parte interna do braço.
– E quando fez essa tatuagem? – perguntou.
– Há dez meses. – Ele atirou o graveto no fogo. Faíscas alaranjadas cintilaram no alto. Só quando angulou o braço contra o fogo é que surgiu à vista a excelente tatuagem de uma poderosa onda registrada no momento em que jorrava pela crista abaixo. Na base entreviam-se seis números discretos.
Era uma tatuagem intrigante. Uma tatuagem diferente das palavras árabes estampadas por pura rebeldia adolescente nas costas pálidas dos garotos que tinham estudado com ela. Era uma tatuagem recente e inscrita na pele tenra do lado de dentro do antebraço de Noah.
– Ela é linda – disse Mia, aproximando-se e traçando a curva da onda com a ponta do dedo.
Na mesma hora a atmosfera se carregou de um calor que emanou do ponto onde as duas peles se tocaram.
Ele olhou para ela, que por sua vez se surpreendeu com o desejo de beijá-lo. Eles eram estranhos, mas para ela, por alguma razão misteriosa, fazia muito tempo que se conheciam. E por isso foi tomada por uma onda avassaladora de desejo e acariciou seu rosto e sua barba com a palma da mão.
Ele piscou os olhos, como se pego de surpresa pelo toque. Ela pensou por um momento que se afastaria, mas logo ele se inclinou e delicadamente colou os lábios nos lábios dela. Ele tinha lábios suaves e quentes e ela fechou os olhos quando se viu

agarrada e beijada intensamente. Enquanto tinha a boca explorada pela língua de Noah, ela saboreava o gosto do mar nos lábios dele.

Em dado momento ela enfiou as mãos debaixo da camiseta de algodão dele e apalpou uma montanha de músculos debaixo das omoplatas.

Noah se pôs de joelhos, segurou-a pela cabeça e deitou-a de costas na areia e com os cabelos esparramados. Passou a língua ao longo da clavícula até a garganta de Mia. Isso a fez girar a cabeça.

O céu estrelado se dependurava lá em cima e ao redor se espraiava o calor do fogo. Os pensamentos se libertaram e se fundiram na mente, a decepção anterior se dispersou e ela então se comprimiu e se aqueceu naquele outro corpo enquanto era beijada na nuca. Se deixou dissolver completamente, primorosamente, naquele estranho.

9

Katie

(Maui, abril)

Katie fechou o diário e o deixou de lado. Apertou um ponto retesado na testa que ameaçava uma enxaqueca. Depois de ter se chocado pelo risco que Mia correra ao se envolver com um estranho, agora o choque se minimizava pela raiva que sentia de Mick.

Mia tinha sido poupada de muitos detalhes relacionados ao pai, o que talvez tivesse deixado espaços vazios nos quais poderia projetar uma infinidade de fantasias. O fato é que se decepcionara intensamente com o encontro: oito páginas cuidadosamente escritas comprovavam isso. Katie pegou o diário novamente e procurou uma frase que a tinha abalado, deixando-a de coração partido: *"Eu gostaria que Katie estivesse aqui comigo."*

Foi o que Katie também desejou! Além de ter se censurado pela sua negligência e indiferença quando Mia tentava falar a respeito de Mick. A dor na testa piorou e se estendeu até as têmporas. Ela se esticou e enfiou a mão no bolso da frente da mochila a fim de pegar os comprimidos analgésicos. Esbarrou os dedos no tubo de protetor solar e no pacote de lenços de papel e alcançou um compartimento interno. Introduziu ali os dedos e tocou em algo fino e lustroso que não fazia ideia do que era. Puxou o item e descobriu que era uma fotografia.

Arregalou os olhos de surpresa enquanto uma viscosidade nauseabunda atingia-lhe o fundo da garganta.

Katie estava com 11 anos e Mia, com 8, na época em que tiraram aquela fotografia. Elas caminhavam junto com a mãe ao longo de uma feira local onde passavam o dia, carregando toalhas de praia e trajes de banho e saboreando jujubas que tiravam de um saco de papel. Até que Mia avistou um carrossel que cintilava ao sol e de onde ecoava uma melodia que era levada pela suave brisa do mar.

Era um carrossel que sempre chegava ali pela primavera e que permanecia na cidade por três semanas antes de desaparecer durante a noite, deixando para trás apenas um tênue anel de folhas secas e poeira. Em vez de pôneis coloridos, apresentava cavalos-marinhos que pareciam oriundos de mares diferentes com diferentes tons de azul – azul-cobalto, azul-celeste, azul-marinho e azul-claro. Elas sempre pediam à mãe para cavalgar naqueles cavalos-marinhos.

A simpática mulher que operava o carrossel sorria quando as via.

– Ah, as Irmãs do Mar!

Tinham esse apelido porque todo ano elas andavam no carrossel e depois brincavam por horas a fio no mar enquanto a mãe sentava-se na praia para ler um livro e tomar café numa caneca de poliestireno.

– De que paraíso veio isto aqui? – perguntou a mulher na ocasião, puxando uma conchinha por trás da orelha de Mia com um floreio. – E o que você tem aí? – perguntou para Katie, que abaixou os olhos para o vestido vermelho de verão em cujo bolso apareceu uma longa pena branca.

Elas escolheram dois cavalos-marinhos próximos um do outro. Katie enfiou os pés nos estribos imaginários do animal cor de safira e cavalgou para cima e para baixo em passo de trote. Mia fez o mesmo no cavalo-marinho azul-celeste à beira do carrossel para poder sentir o vento no rosto enquanto se divertiam.

– Meninas – chamou a mãe, apontando uma câmera para as filhas.

Elas esticaram os braços para dar as mãos e sorriram com o mar cintilante ao fundo. A foto ficou pregada na parede do quarto de Mia na Cornualha, mas depois de alguns anos Katie não a viu mais. Estava rasgada ao meio: sem a imagem de Katie. *Como pôde fazer isso, Mia? Você desistiu de nós? Será que nos separamos tanto assim? Ou me tirou da foto com raiva por tudo que lhe disse depois de nossa última briga?* As perguntas rondaram rasantes como urubus, mortificando-a de dor. Ela enfiou a foto no diário e o fechou. Achou os comprimidos para dor de cabeça, engoliu dois, vestiu um vestido de algodão e saiu do albergue.

A raiva se enrolava com força nos músculos do estômago quando ela chegou aturdida sob a luz do sol do meio-dia em frente à porta da casa de paredes caiadas de branco de Mick. Depois de tocar a campainha, aguardou da mesma forma que Mia seis meses antes.

Já estava preparada para a possibilidade de não ser reconhecida ou de ser descartada por Mick com alguma desculpa esfarrapada quando a porta abrisse. Mas não estava preparada para o sorriso que ele abriu no rosto.

– Katie!

Era uma voz que trazia recordações. Uma voz rica e intensa que fazia a segunda sílaba de "Katie" flutuar nos lábios e tornar o nome especial. Ela esquadrinhou aquele rosto em busca de traços que lhe trouxessem recordações da infância e os encontrou no queixo arredondado e no amendoado dos olhos. Ele aparentava mais idade do que o imaginado, os anos tinham gravado pesadas rugas na testa e apagado o contorno dos lábios, que agora não passavam de linhas finas.

– Você está tão linda! – Mick sorriu e balançou a cabeça. – Tão parecida com ela. – Katie achou por um segundo que era uma referência a Mia, e a raiva arrefeceu enquanto se perguntava o que ele teria identificado entre elas. Ela não estava se maquiando desde o início da viagem, e o cabelo por cortar estava solto ao redor do rosto. Ele apontou para o cabelo. — Exatamente o mesmo tom dos cabelos da sua mãe.

Ela encolheu-se.

Ele deixou o braço tombar para o lado.

— Você quer entrar? — perguntou casualmente.

— Sim, claro.

Mick deu um passo atrás enquanto a filha passava e a observou atentamente enquanto ela arrastava as sandálias nas lajotas de pedra do piso do corredor.

Na cozinha, um sanduíche de bacon esfriava pela metade em cima de um prato e o doce aroma da carne impregnava o ar.

Katie se colocou perto da pia e cruzou os braços no peito, sentindo-se como se a frieza do aço inoxidável estivesse vazando pelo vestido.

Mick se colocou no lado oposto, com uma calça de verão bege e uma camisa branca informal que dobrava à altura da barriga. Foi difícil encaixá-lo no rapaz que dançava com a mãe, rodopiando-a no piso de lajotas vermelhas da cozinha.

— Fiquei muito abalado quando soube da morte de Mia. Foi trágico, desesperadamente trágico — ele disse de um modo enfático. — E realmente entendo que deve ter sido muito difícil para você...

— Você não pode.

— Eu só quis dizer que entendo...

— Você nem foi ao funeral dela. — Katie se mostrara indecisa em informar a morte da irmã ao pai. Isso porque antes a própria mãe não quis que Mick ficasse sabendo do falecimento dela, mas Ed argumentou que havia uma diferença: Mia era filha dele. Persuadida, ela entrou em contato com a última companhia de propriedade do pai a fim de que alguém lhe desse o seu paradeiro atual. Já tinha telefonado e deixado uma breve mensagem na secretária eletrônica dele, explicando o ocorrido. Mas não soube se ele a tinha ouvido, e isso a preocupava.

— Desculpe, mas não me pareceu apropriado ir — disse Mick.
— Recebeu as flores que mandei?
— Sim. — Ela recebera um extravagante buquê de lírios copos-de-leite na manhã do funeral, acompanhado de um cartão com as primeiras palavras que recebia do pai em duas décadas: *"Perder as duas pessoas que você mais ama no mundo é quase insuportável. Meu coração está com você."* Depois de quebrar as grossas hastes das flores ao meio, jogou-as na lata de lixo de plástico.

Os pensamentos de Katie giraram em torno de uma outra flor enviada em tributo: uma orquídea acompanhada de um cartão onde se lia *"desculpe"*. Era uma mensagem estranha, mais um pedido de desculpas que de condolências, e até então não fazia ideia de quem a enviara. Ed fotografara a flor com o celular, dizendo que sua mãe era uma especialista em jardinagem e poderia identificá-la. Os pensamentos de Katie se voltaram de novo para Mick. Precisava dizer algumas coisas que organizara em questões-chave durante o trajeto até aquela casa; sempre fazia isso quando entrevistava um candidato, primeiro deixando-o à vontade e só depois fazendo as perguntas pertinentes.

Mas quando abriu a boca para falar, Mick a interrompeu.
— Vou pegar uma bebida. O que você quer? Alguma coisa gelada?

Ela pensou em recusar, mas a garganta apertou e secou.
— Só água.

Ele tirou uma jarra da geladeira e despejou a água em dois copos que refletiram a luz do sol. Estendeu um dos copos para ela e sugeriu que se dirigissem para o deck. Ele tinha feito o mesmo gesto com Mia e ela então se recusou, engoliu a água apressada e pôs o copo no escorredor de louça que estava atrás.

— Fiquei me perguntando sobre você... depois da visita de Mia.

Ela nunca reconheceria que só tinha tomado conhecimento da visita no dia anterior, e por isso não disse nada.

— Sinto muito se isso a deixou chocada.

— Fiquei chocada pela forma com que você tratou a minha irmã. — Katie deixou a raiva desenrolar quente e certeira, e agarrou-se a isso. — Mia viajou milhares de quilômetros para ver você. Merecia mais do que uma rápida acolhida.

— Ela me pegou totalmente de surpresa. — Ele ergueu a palma das mãos para o teto. — Nem mesmo a reconheci...

— Eu soube.

— Eu gostaria que as coisas tivessem sido de outro jeito...

— Eu tenho certeza que Mia também.

Mick abaixou a cabeça, com pequenas gotas de suor rolando do alto da testa.

Ela o golpeara sem lhe dar a mínima chance de falar. Era melhor se acalmar e se concentrar no motivo que levara Mia até Maui na tentativa de descobrir quem era o pai delas. E para isso era preciso que ele respondesse uma pergunta.

— Mick — disse, abaixando o tom para atrair a atenção dele. — O que aconteceu com Mia na noite que você nos deixou?

Ele inclinou ligeiramente a cabeça para o lado e arqueou uma sobrancelha.

— Sua mãe nunca disse nada?

— Não.

— Mas você se lembra daquela tarde?

— Só lembro que Mia sofreu um acidente. Também lembro que você estava tomando conta da minha irmã.

Ele bateu as mãos nos bolsos da calça à procura de alguma coisa — cigarros, ela apostou consigo — e pareceu nervoso quando não encontrou o que procurava. Deslocou-se até a mesa de jantar com tampo de vidro no extremo da cozinha, puxou uma cadeira e se deixou cair em cima pesadamente. Cruzou as mãos e repousou-as no tampo da mesa. Pendeu a cabeça com ar de derrotado e os olhos fixos no vão entre os braços e disse:

— Você precisa mesmo saber o que aconteceu naquela noite? O que me fez partir? Por que estive distante por todos esses anos? Então, vou contar... Você tem o direito de saber. Mas primeiro precisa entender que não se trata de um único episódio, uma única pessoa, uma única decisão.

Ela aguardou.

– Nunca me passou pela cabeça ser pai. – Ele ergueu os olhos para observá-la. Ela não reagiu, e ele continuou. – Eu não queria abdicar do meu estilo de vida. Achei que Grace queria me tornar outra pessoa quando engravidou de você. Talvez também achasse que ela pudesse fazer isso.

Um cortador de grama soou e o fez desviar os olhos para a porta dupla.

– Sua mãe e eu tivemos uma briga que envolvia Mia na noite do acidente. Eu era muito ausente... Já trabalhava com música, sabe disso?

– Sei.

– Às vezes isso me servia de desculpa para ficar fora de casa. Eu passava muito pouco tempo com você e Mia. – Ele coçou a nuca. – Principalmente com Mia.

Era uma observação estranha, mas Katie cruzou as mãos e o deixou continuar.

– Eu tinha combinado com sua mãe que tomaria conta de Mia... Sua mãe iria com você sei lá para onde.

– Para o balé – disse Katie. – Nós fomos ao balé.

– Foi isso mesmo. Nós brigamos antes de vocês saírem, e Mia... Deus, ela sempre parecia captar essas coisas no ar e começou a berrar logo que a porta se fechou. Talvez você me ache ridículo, mas era como se ela soubesse, simplesmente soubesse, que eu não queria estar ali. – Ele ergueu o copo e bebeu um gole de água.

– E o que aconteceu?

– Não consegui fazê-la parar de chorar. Eu a peguei no colo, dei uma mamadeira e li para ela. Nada disso funcionou. Achei que ela sossegaria se a deixasse sozinha por alguns minutos. Então, peguei um uísque e saí em direção ao fundo do jardim. Era o único lugar em que podia ficar comigo mesmo.

Mick pegou um cigarro perdido no bolso da camisa e o acendeu afobado e com as mãos visivelmente trêmulas. Depois de uma tragada, saiu andando até a porta dupla e soltou a fumaça para fora da cozinha.

– Eu nunca entendi como ela conseguiu fazer o que fez... Deus, Mia só tinha 2 anos! Ela deu um jeito de sair do berço. Eu tinha deixado a porta dos fundos aberta e ela entrou pelo jardim. Embora constrangido, reconheço que não me limitei àquela dose de uísque. Nem reparei nela. – Ele balançou a cabeça. – Talvez você ainda se lembre de que na casa antiga se atravessava do jardim direto para a rua.

Katie balançou a cabeça.

– Foi isso que Mia fez. Não faço ideia do por que fez isso. Talvez estivesse tentando seguir em direção ao carro da mãe. Quem sabe?

Isso tudo era ignorado por Katie, que já estava com as mãos molhadas de suor e fraternalmente mortificada pela irmã, mesmo transcorridos muitos anos. Ela soltou as mãos e apertou as coxas.

– De repente, surgiu um motoqueiro, o cara era marido da dentista de sua mãe ou algo assim. Segundo a polícia, vinha em alta velocidade e só a viu no último instante. Em tempo de desviar. Levou um tombo e a moto rodopiou livre e atingiu Mia de raspão.

Katie fechou os olhos, lembrando-se da irmã no leito do hospital, com um curativo de gaze branca na têmpora, onde mais tarde apareceu uma cicatriz em forma de lua crescente prateada.

– A polícia entrou em nossa casa. – Ele apagou o cigarro na moldura da porta, jogou a guimba no deck e empurrou-a com o calcanhar para um vão entre as tábuas. – Foi doloroso. Foi como se... bem, é difícil descrever o sentimento que temos quando sabemos que pusemos em risco a vida de um filho. É uma culpa imensa.

O aroma da fritura do bacon perdeu todo o sabor, tornando-se azedo e gorduroso. O estômago de Katie revirou.
– Fui com a polícia até o hospital, mas não consegui entrar no quarto de Mia. Ainda a observava do corredor quando você e sua mãe chegaram. – Ele fechou os olhos, como se levado de volta pela memória. – Ficaram ao lado do leito, acariciando Mia. Você segurou a mão dela o tempo todo.

Katie lembrou-se disso. Lembrou-se de uma agulhinha enfiada na pele macia do dorso da mão da irmã. Ficou segurando os dedinhos dela com todo cuidado para não esbarrar na agulha.

– Depois, sua mãe se aproximou de mim no corredor... E, mesmo sem dizer uma palavra, eu sabia que tudo estava acabado. – Ele enfiou as mãos nos bolsos. – Foi uma esposa generosa para mim; perdoou muita coisa do meu passado. Acho que com o tempo também me perdoaria pelo acidente. Mas não fiquei ao lado do leito de Mia, e isso ela nunca perdoaria. Nunca me esqueci das palavras que ela disse: "Se Katie estivesse naquele hospital, você estaria ao lado dela." Nunca me esqueci.

Mick olhou nos olhos de Katie do umbral da porta.
– Ela estava certa.

Katie tapou a boca de surpresa. Acabava de ouvir em alto e bom som um favoritismo do qual sempre suspeitara, sobretudo quando a falta de amor borrava as lembranças de como a irmã era tratada por ele. Lembrou-se então de que ele a fazia sentar-se ao seu lado para assistir a uma partida de críquete enquanto mantinha Mia a distância. Se ele ria quando Katie fazia gracinhas, mantinha-se impassível ante os gorjeios e sorrisos de Mia. Isso a fez também se lembrar da proteção que a mãe dava a Mia, abraçando-a e dizendo que a amava demais, como se houvesse motivo para alguma dúvida.

– Isso é algo terrível de se dizer.
Ele enxugou o suor da testa com a mão.
– Talvez um homem melhor conseguisse superar os ciúmes. Fiz de tudo para amar vocês duas de maneira igual; fiz de tudo.

– Ele estava a ponto de suplicar. – Mas nunca superei o fato de que Mia não era minha.

O mundo de Katie entrou em suspensão, fixando-se apenas nas últimas palavras ditas: *Mia não era minha.*

Katie ficou pálida e com as pernas bambas. Ela se apoiou na beira da pia que estava logo atrás dela.

– Não enten... – Claro que tinha entendido e por isso disse claramente: – Você não era o pai de Mia.

Ele pareceu surpreso.

– Pensei que você soubesse. Não sabia?

Ela balançou a cabeça.

– Mas... você disse que Mia tinha lhe falado da visita.

– Eu li. No diário dela. Ela escreveu que o tinha visitado... E que você a tinha mandado embora.

Mick arregalou os olhos.

– Ela voltou... alguns dias depois. – Ele levou as duas mãos à nuca. – Meu Deus! Custo acreditar que você não sabia. – Saiu em direção ao deck e voltou até o umbral da porta, como se em busca de um apoio para se escorar. – Ela estava furiosa quando voltou pela segunda vez. Queria respostas. E só me deixou duas saídas, ou fechava a porta novamente ou dava as respostas que ela queria.

O estômago de Katie rodopiou de náuseas. Ela se pôs de frente para a pia e respirou lentamente. Soou um telefone em algum lugar da casa. Ambos continuaram parados. Só quando o telefone parou de tocar é que ela encarou o pai.

– Eu sou sua filha?

– Claro – ele respondeu. – Você é.

Era uma verdade com um gosto amargo. Isso a fez imaginar a reação de Mia ante uma descoberta que destruía as fundações da família. Sentiu um súbito desprezo pelo pai... Não queria ficar perto dele. O peito apertou. Ela precisava de espaço para pensar.

— Lamento por tudo isso.

A desculpa mostrava quem ele era, e ela então saiu da cozinha em direção ao corredor, ansiosa para sair daquele lugar.

— Katie...

Ela se deteve por um segundo, mas sem se virar.

— Nos veremos de novo? – ele disse em tom hesitante.

Ela se virou e o observou. Mick já não era mais a presença exuberante e distante das lembranças de infância; era quase um sessentão e ausente durante grande parte da vida da família. A mãe e a irmã com quem tinha crescido é que importavam. Ele estava muito atrasado. Ela balançou a cabeça em negativa.

Ele mordeu o lábio, aceitando.

Agora, o importante era saber como Mia se sentira. Katie atravessou a porta da frente e saiu correndo pelo caminho de entrada da casa.

Correu o mais rápido que pôde em direção ao albergue. Cruzou com uma mulher que passeava com dois cachorros cinzentos conduzidos por guias vermelhas brilhantes e passou por uma loja de aluguel de pranchas de surfe e por um turista que fazia uma ligação a cobrar em língua desconhecida. No calor da correria, os pés molharam as sandálias e as coxas colaram no vestido. Chegou correndo ao albergue e seguiu correndo até o dormitório, sem olhar para o rapaz que falava no microfone de um laptop.

Depois de tirar o diário de Mia de dentro da mochila e colocá-lo em cima do colchão do beliche, localizou a página lida pela manhã e retirou a fotografia rasgada, onde já não fazia parte do mesmo quadro com a irmã. Continuou folheando o diário, passando por um jantar de Mia com Finn, por uma tentativa fracassada de ambos para trocar as passagens no aeroporto, e depois por uma frase com um círculo em volta: *"Eu preciso vê-lo de novo."*

Katie virou a página com hesitação e o coração quase saindo pela boca. A outra página poderia mudar tudo. A verdade que

Mia estava prestes a conhecer poderia abalar até mesmo o mais forte dos homens. Mas e se essa pessoa estivesse vulnerável pela perda da mãe e fosse sensível a ponto de ler o coração e a expressão dos outros, será que isso seria suficiente para colocá-la em um espiral que a deixaria sem saída e a levaria penhasco abaixo?

10

Mia

(Maui, outubro do ano anterior)

Mia se sentiu como se estivesse afundando sem fôlego num precipício inundado de água. A visão escureceu. Embora tentasse engolir o ar, só conseguia engolir as palavras de Mick: *você não é minha filha*.

Meia hora antes estava comendo rabanadas no café da manhã de um bar enquanto traçava planos com Finn em relação à Austrália. De repente, no meio do bate-papo, ela se deteve. Mick estava do outro lado da rua. Segurava uma caixa com compras de armazém junto a um cara com rabo de cavalo ralo. Ele disse alguma coisa e esse outro cara riu, e logo os dois seguiram por caminhos diferentes. Ela o acompanhou com os olhos enquanto ele atravessava a rua em direção à casa dele.

– Aquele cara é ele? – perguntou Finn, que acompanhara os olhos dela.

– O próprio.

– Vai falar com ele.

Ela se surpreendeu com o tom firme de Finn, se virou e o viu de dentes trincados.

– Não posso.

– Então, vou eu. – Ele se levantou.

– O que está fazendo?

– Mia, esse cara é um babaca. Você fez essa viagem toda.

– Finn, não. – Ela o pegou pelo braço.

Ele a olhou por longo tempo. E depois descontraiu o rosto.
– Desculpe, não é meu papel. É que odeio vê-la chateada.

Desde a visita a Mick, quatro dias antes, Mia mantinha conversas imaginárias, nas quais dizia tudo que gostaria de ter dito. Era melhor parar de imaginar e agir, devia isso a si mesma.

– Você está certo. Preciso falar com ele. – Ela pôs a faca e o garfo no prato e disse: – Nos encontramos no albergue.

Caminhou em passos largos até a casa de Mick, com o sol pinicando a nuca. Ao chegar, ignorou a campainha e bateu três vezes na porta. Um instante depois ele a atendeu, uma caixinha de tomates na mão.

– Mia. – Não pareceu surpreso ao vê-la, pareceu resignado, como se prestes a realizar uma tarefa que gostaria de evitar. – Acho que precisamos conversar.

Foram até a cozinha, onde a caixa de compras aguardava na bancada ao lado de um pacote de macarrão e de duas abobrinhas. Ele deixou a caixinha de tomates na bancada e olhou para ela.

Desta vez Mia não perdeu a voz. Soou forte e equilibrada quando disse:

– Quero que saiba que não vim até Maui para lhe pedir que seja um pai pra mim. Só vim até aqui pra entender por que você partiu. Acho que pelo menos mereço saber.

– Merece, sim. – Ele a olhou atentamente. – Só tenho medo que você não goste da resposta.

Ela se manteve calada.

– Talvez seja melhor nos sentarmos.

– Que resposta? – ela perguntou sem se mover um centímetro sequer.

Mick apertou a ponta do nariz.

– Lamento, Mia, mas você não é minha filha.

E foi dessa maneira que foi dito.

– Vamos – ele disse, segurando-a pelo cotovelo –, você precisa de ar. – Levou-a até o deck e ajudou-a a sentar-se numa cadeira. Ela se curvou e pôs a cabeça entre os joelhos. Ele abriu o guarda-sol do centro da mesa, cobrindo-a com uma sombra.

Pegou uma garrafa de água e colocou-a na mesa. Ela se aprumou ligeiramente e levou a garrafa aos lábios. Ele puxou a cadeira oposta.
— E a Katie? — ela perguntou quase sem voz. Já tinha perdido o arroubo e a convicção de antes.
Ele balançou a cabeça.
— Ela é minha. *Katie era de Mick. Ela não era.* Ele estava entre elas como um impossível divisor.
— Sempre achei que sua mãe tinha contado pra você. Claro que a mãe dela sabia. Como pôde ter escondido isso dela?
— Quando você esteve aqui no outro dia — ele balançou a cabeça — fiquei surpreso quando percebi que você pensava que eu era seu pai.
Ela se lembrou do choque dele quando ouviu a frase: "Sou Mia. Sua filha."
— Eu me senti muito mal quando lhe pedi para ir embora. Acabei me convencendo de que cabia a mim lhe contar a verdade, já que Grace não contou. Sei que isso é patético.
Ela não devia ter viajado até aquele lugar, não devia ter voado até Maui. Mas já era tarde demais para voltar atrás. Não havia outra escolha senão seguir em frente.
— Quem é ele?
Mick cruzou as pernas e pôs as mãos no colo.
— Chamava-se Harley.
— Mas você e mamãe eram casados.
— Éramos.
— Ela teve um caso?
— Sim.
Mia não esperava por isso.
— Você sabia?
— Só soube mais tarde. Embora talvez sempre tenha suspeitado — ele respondeu.

Os olhos de Mia passaram por Mick e chegaram ao mar. Uma brisa suave agitava as marolas que brilhavam ao sol.

– Seu pai era músico – ele continuou. – Vocalista da banda Ovelha Negra, agenciada por mim.

Ela se lembrou da foto encontrada em meio aos pertences da mãe e se aprumou: Mick junto à banda Ovelha Negra. No verso, os nomes dos integrantes escritos pela mãe, com *"Harley"* ao centro ladeado por *"Mick"*. Lembrou-se em seguida do homem de cabelos pretos que olhava fixamente para a câmera. Ou, só agora se dava conta, para quem tirava a foto.

– Então, você o conheceu. Vocês eram... Amigos?

– Ele era meu irmão.

A pele de Mia esquentou.

– Conhecemos sua mãe na mesma noite, depois de um show. Fomos apresentados a ela no bar. O acaso me fez oferecer o primeiro drinque pra ela... E também fui eu que casei com ela seis meses depois. – Ele deu de ombros. – Mas como se viu, Harley também estava apaixonado por ela.

– Como é que começou o caso entre eles?

– Talvez por distração e desilusão. Eu estava distraído com minha carreira e Grace estava desiludida com o marido. – Ele acendeu o cigarro e a brasa de uma longa tragada brilhou avermelhada. – Naquela época eu era uma pessoa diferente, Mia. Fiquei tão envolvido com a música e o sucesso depois que a Ovelha Negra decolou que deixei a família em segundo plano. Agendava turnês em cima de turnês e quase sempre estava fora do país. E deixava Grace abandonada com um bebê. Ela devia saber como era o meu estilo de vida na estrada... muitas drogas, muitas bebidas e muitas mulheres.

– E dessa maneira se interessou pelo Harley?

– Sim. Não os culpo pelo caso que tiveram. Não fui um bom marido. E não fui um bom irmão.

– Ele a amava?

— Muito — respondeu Mick sem hesitar. — Um amor tão intenso que era quase obsessivo. Os sentimentos dela não se equiparavam à ferocidade do amor dele, e isso a assustava.

Mick levou o cigarro aos lábios e Mia se esquivou da fumaça e observou as franjas brancas no topo das ondas no mar.

— Quando mamãe engravidou de mim, você já sabia que o bebê não era seu?

— Sim, mas Harley, não. — Ele bateu a cinza do cigarro. — Grace disse que o caso com Harley já tinha acabado e que ficaria comigo se eu aceitasse o filho dele como meu. Pensei na alternativa: ela me trocando por ele. Inveja e orgulho são emoções poderosas. Tirei a Ovelha Negra do meu selo, cortei Harley de nossas vidas e fiquei.

Mia se perguntou se essa decisão a teria induzido a um estilo de vida em particular.

— Isso foi mais difícil do que o esperado. Você me fazia lembrar do que tinha acontecido entre Grace e Harley. Você era apenas um bebezinho e não tinha culpa de nada, mas quando a via também via o Harley. — Mick olhou fixamente para Mia. — Você tem muita coisa dele. Meu Deus, os olhos! Como é que não vi isso quando você chegou! Os mesmos olhos cor de esmeralda de Harley. Sua mãe sempre dizia que ele tinha olhos raros. Você também tem o cabelo igual ao dele, mas o sorriso de sua mãe.

— Você partiu por minha causa?

— Acabei me dando conta de que nunca seria um bom pai pra você. Por isso, parti. — Ele mostrou no olhar a memória do que tinha sido o ponto final, mas preferiu não compartilhá-lo e Mia não perguntou. Ele apagou o cigarro.

— Harley. — O nome soou estrangeiro na língua de Mia. — Sabe onde ele está agora?

— Sinto muito. Morreu há muito tempo.

Era outro fato no mar de fatos que ela descobria naquele dia. Ela teria muito para sentir — e sabia que teria muito tempo para se entregar a isso de maneira adequada. Por ora, deixou-se penetrar pelo fato em questão e perguntou:

— Quando?
— Faz muitos anos... Ele estava com 24 anos.
Mia arqueou as sobrancelhas face à revelação.
— Tão jovem. O que aconteceu?
— Isso foi há muito tempo — disse Mick, como se a resposta fosse o bastante.
— O que aconteceu com ele? — ela repetiu.
— Sinto muito, Mia.
Picadas de agulhas de ansiedade irromperam na testa dela.
— Eu preciso saber.
Ele suspirou.
— Meu irmão era um cara complexo. Ele tinha talento demais. Era um compositor fenomenal, um verdadeiro poeta. Nunca vi letras tão tocantes como as dele. Os fãs viam aquele homem selvagem e irreprimível na apresentação, que se jogava sobre a plateia e dançava como se estivesse possuído, e não faziam ideia do quanto ele tinha que beber antes de entrar no palco.

A brisa soprou a borda do guarda-sol e uma poeira de cinza pela mesa. Mick a limpou com as mãos, deixando um rastro cinzento na madeira.

— Nem sempre era fácil lidar com Harley. Ele vivia entre altos e baixos. Coisas que outras pessoas tiravam de letra acabavam com Harley. Ele pensava profundamente a respeito de tudo. Às vezes isso o isolava, e ele passava dias sem falar com ninguém. Outras vezes se tornava selvagem e totalmente fora de controle. — Mick refletiu por um segundo. — Para ser honesto, não sei se algum dia ele realmente se amou.

Um arrepio subiu pela nuca de Mia: Mick a tinha descrito em um punhado de sentenças.

— Depois de Grace, ele perdeu o gosto por tudo, até mesmo pela música. A banda se desfez depois que a tirei do selo e ele estourou o dinheiro em bebida e drogas. Perdeu tudo em questão de meses. Era um iconoclasta. — Mick soltou um suspiro. — Foi-se o tempo em que éramos muito próximos. Ele era um músico surpreendente, mas nenhum vocalista servia pra ele. Fui eu que o fiz assumir esse papel. Eu tinha cérebro para os negócios, mas não tinha talento. E o invejava por isso. Mick limpou o rastro de cinzas da mesa.

— Ninguém o conhecia melhor que eu. Por isso sei muito bem como deve ter sido difícil pra ele perder a Grace. Mesmo sabendo que estava em decadência, nunca dei um telefonema pra ele. — Mick olhou para Mia como se ela não estivesse presente e ele estivesse sozinho com as próprias memórias. — Ele era meu irmão. Eu sabia que ele sentia as coisas com muita intensidade. — Os olhos de Mick marejaram. — Minha responsabilidade era cuidar dele, mas meu orgulho falou mais alto. Nunca me perdoarei por isso.

— O que aconteceu? — ela perguntou nervosa.

Ele a olhou com a tristeza estampada no rosto e respondeu com a voz embargada:

— Encontraram o corpo de Harley num quarto de hotel. Ele se enforcou.

Mia retornou atordoada pelo mesmo caminho que chegara, mas tudo havia mudado.

Ela não era filha de Mick.

O pai havia cometido suicídio.

A mãe tinha mantido tudo em segredo.

Katie era meia-irmã dela.

O sol ardia lá no alto enquanto Mia se apressava pela calçada de olhos pregados no chão. A respiração estava irregular e o sangue pulsava e martelava nos ouvidos. Num piscar de olhos, tudo em que acreditava tornou-se mentira.

Ela precisava telefonar para Katie. Precisava ouvir a voz da irmã. Saiu correndo em direção ao telefone público no outro lado da cidade. As pernas se desconectavam do cérebro. Passou espremida por entre dois adolescentes que curtiam um milk-shake e atravessou a rua praticamente sem olhar o trânsito.

A ponta da sandália de dedo prendeu-se numa fenda do concreto e a fez cambalear e dar uma topada com os dedos. Ela se abaixou, tirou as sandálias, segurou-as com uma das mãos e saiu correndo pela calçada, com o calor queimando a sola dos pés.

Chegou ao telefone e pegou algumas moedas de um dólar. *Fale com Katie. Conte tudo pra ela.* Pegou o fone e enfiou as moedas.

Ouviu o sinal de discagem e fechou os olhos para se lembrar do código internacional para a Inglaterra. Até que lembrou e discou os números com as mãos trêmulas.

Katie atendeu alguns segundos depois.

– Alô? – A ligação estalou e zumbiu, como se Katie estivesse muito distante, como se as duas realmente estivessem separadas.

Meias-irmãs.

Só meias.

O termo aplicado a ela e a Katie era odioso, como se pregasse um divisor entre ela e tudo o que restara da família.

Ela queria que as lágrimas represadas na garganta fluíssem livres. Queria ouvir a irmã que tanto poderia ser pragmática como adorável. Queria dizer para a irmã que tudo ficaria bem e que a amava. Mas espinhosas dúvidas brotaram em seus pensamentos. Será que o amor de Katie por ela se reduziria nem que fosse uma fração? Será que Katie não tinha percebido a diferença entre elas? Será que ela não tinha sido a razão que levou Mick a também abandonar Katie?

– Alô? – repetiu Katie.

Mia triturou as palavras que não podiam ser ditas com os dentes e recolocou o fone no gancho. Não conseguiu falar com a irmã.

Só tinha ido a Maui para descobrir se era um reflexo do pai. E agora só lhe restava conviver com o que tinha descoberto.

11

Katie

(Austrália Ocidental, maio)

Era impossível escapar do calor e da ferocidade das moscas, mas o cenário da imensidão desértica da Austrália Ocidental era belo e agreste. Fazia um mês que Katie perambulava de ônibus com a mochila às costas, seguindo a rota do diário de Mia. As intermináveis extensões de estradas retilíneas e ladeadas de mato eram reconfortantes. Katie era embalada pelo estado mental do esquecimento, a cabeça pendida na janela quente do ônibus.

Agora, acabava de chegar a Lancelin, uma pequena cidade costeira ao norte de Perth, onde pela tarde os barcos de lagostins aportavam para descarregar. Sentou-se à sombra de um guarda-sol à beira de uma piscina de concreto e abriu o diário. Ainda não eram dez horas, mas o calor estava forte e não havia sequer sinal de vento.

Um avião traçou uma linha aguda no azul do céu sem nuvens, deixando um rastro branco que a fez olhar para o alto até que aquilo sumisse no ar. Certa vez Mia tinha dito que os traços deixados pelos jatos eram nuvens que os próprios jatos inspiravam e expiravam em longos suspiros brancos. Katie não a corrigiu. Intrigava-se com todos aqueles lugares mágicos por onde a imaginação de Mia vagava e pensou que, se os seguisse mais de perto, também poderia vislumbrá-los.

Meias-irmãs, ela pensou. Como poderia ser uma das *metades* se passara uma vida *inteira* irremediavelmente ligada à outra metade?

Empurrou uma mecha de cabelo pelo rosto enquanto refletia sobre o termo. Claro que ela e Mia eram bem diferentes, mas agora a diferença ganhava um rótulo: meias-irmãs. Bem que Mia poderia estar conversando ali com ela. Bem que ela poderia estar enroscada no lado oposto do sofá do apartamento de ambas, conversando e degustando um chá com a irmã. Juntas, talvez encontrassem um sentido para o fato e até acabassem rindo da situação. Acontece que Mia já tinha partido, e agora o conhecimento do fato só aumentava o distanciamento entre elas.

Katie passou o dedo ao longo de uma frase do diário, na tentativa de sentir cada palavra de Mia. Os relatos já não cintilavam com descrições dos lugares por onde ela passava da mesma forma que cintilavam quando ela passou pela Califórnia; agora, fervilhavam em silenciosa fúria. Uma fúria inicialmente dirigida à mãe por ter escondido a verdade sobre Harley. A própria mãe ensinara um código moral de verdade e honestidade para as filhas, e a transgressão desse código era uma traição às crenças de Mia.

Mas o que mais preocupava é que nos últimos relatos Mia transparecia uma crescente fixação no Harley. E agora, na página que tinha à frente, Mia transcrevia a letra de uma música encontrada numa página obscura da internet, com círculos em volta de palavras e versos, como se quisesse descobrir uma conexão com o pai que até então desconhecia. A outra página estava pontilhada de perguntas: *"Como ele era?" "O que era importante para ele?" "Qual era o lugar que ele mais amava?"* Para Katie, no entanto, a pergunta ainda não feita e que orbitava em torno das outras era a seguinte: *eu sou como ele?* Harley se suicidara aos 24 anos: a mesma idade de Mia. Talvez essa fria coincidência tivesse atormentado os pensamentos de Mia, da mesma forma que agora atormentava os de Katie. Tentava apagar a voz interior que sussurrava com insistência a mesma história, mas era uma inegável e perturbadora coincidência.

Soaram passos súbitos no piso de cimento, seguidos por mãos frias que a agarraram pela cintura. Ela soltou um grito enquanto era erguida, e o diário escorregou do colo e caiu aberto no chão em forma de uma barraca.

Ela ouviu a gargalhada estridente de Ed ao pé do ouvido e depois ele a apertou contra o próprio colo molhado e saiu correndo da piscina em direção à praia. Enquanto corria, a areia levantava e a pinicava nas pernas soltas no ar. Ele a abraçava com tanta força que o osso do punho a comprimia dolorosamente contra as coxas. De repente ela se viu com a parte superior do biquíni enrolada e a borda rosa escura do mamilo exposta.

Katie começou a espernear e se debater no colo de Ed quando a beira da praia surgiu à frente. Isso o fez rir mais alto, gratificado pela resistência que recebia. Ela perdeu o fôlego quando ele entrou na água salgada do mar. Logo ela se viu com a água batendo contra o corpo, de repente de costas e o mundo girou. O sol se refletiu intensamente na água, deixando-a atordoada por alguns segundos e com as pontas do cabelo à superfície da água.

– Por favor, Ed! – sussurrou, mortificada de medo.

Uma onda espumante veio em direção aos dois e a água entrou pelas narinas dela. Só lhe restou fechar os olhos e se deixar beijar pela água no rosto enquanto saboreava o gosto salgado do mar. Até que Ed a ergueu com um movimento repentino e a levou de volta à beira da praia. Colocou-a delicadamente na areia.

Ela apertou o peito, engasgada.

– Katie? – ele disse, observando-a. – Você está bem? Sabia que eu estava brincando, não sabia?

Ela balançou a cabeça sem olhar para ele, dissimulando as lágrimas que rolavam dos olhos. Nunca tinha dito a ele que tinha medo do mar.

Ele a apertou ligeiramente no ombro com a mão molhada.

– Perdão; foi irresistível. Você estava tão linda e tão serena à beira da piscina que tive o impulso de capturá-la.

– Tudo bem – ela disse. – Você me pegou de surpresa. Foi isso.

Fazia cinco dias que Ed estava na Austrália. Conseguira duas semanas de férias no trabalho. Ela o esperara no aeroporto de Perth, onde ele a abraçara com tanto entusiasmo que a levantou no ar.

– Que tal uma caminhada para nos secar? – ele perguntou.

Ela o olhou de relance: ele ainda estava com água escorrendo do rosto e os olhos refletiam alegria e esperança. Ficaria feliz se caminhasse com ela, ambos precisavam de momentos ocasionais de leveza e sustentação. Mas ocorreu-lhe que o diário de Mia ainda estava aberto à beira da piscina. A poeira poderia entrar pelas dobras das páginas e o sol poderia descolorir a capa.

– Adoraria tomar uma chuveirada – disse Katie, sorrindo e caminhando de volta à piscina, onde recolheu o diário e soprou a poeira das páginas.

Ela se enrolou na macia toalha cor de creme e depois fez um círculo com a palma da mão no espelho embaçado de vapor. O rosto ainda estava úmido. O nariz, salpicado de sardas pela ação do sol, mas as faces estavam magras e o sol não agira debaixo dos olhos. Já estava usando maquiagem desde a chegada de Ed, mas de certo modo era uma rotina que agora não fazia muito sentido.

– Querida? – Ele estava esparramado na cama, os tornozelos cruzados e um jornal largado ao lado.

Os dois estavam hospedados em um hotel e não no modesto albergue descrito por Mia. Katie o tinha feito passar a primeira noite no albergue, mas ele estava exausto pela viagem de avião e não apreciou o dedilhar de uma guitarra que se estendeu até as duas da madrugada no dormitório ao lado.

– Vem aqui.

Ela atravessou o quarto e empoleirou-se ao lado dele. Na mesinha de cabeceira, um par de tampões de ouvido.

– Você ouviu os outros hóspedes? – ele perguntou de sobrancelha arqueada. – Deve ser o mar. As ondas são incessantes.

O mar?

– Em Londres você cai no sono com toda cacofonia do tráfego.

– Ah, os sons melódicos da cidade. – Ele sorriu. – Por falar em Londres, acredita que seus amigos querem que a leve de volta comigo? Todos estão preocupados com você.

– Eles não precisam se preocupar.

– Não precisam?

– Não precisam. – Ela insistiu, correndo os dedos pelo cabelo molhado. – Eu estou bem. – Fossem quais fossem os comentários a respeito da atitude dela, isso não importava. Continuar naquele lugar era uma necessidade. – Faz algum tempo que quero lhe perguntar sobre aquela orquídea que mandaram para o funeral da Mia. Mostrou a foto para sua mãe?

Ed sentou-se e a cama soltou um estalido.

– Mostrei. Mamãe olhou a foto e disse que era uma orquídea da lua.

– Orquídea da lua – repetiu Katie pausadamente. – E o que ela disse sobre essa espécie?

– São originárias dos trópicos – ele respondeu, desviando os olhos.

– Como assim? Ela não disse mais nada?

– Não acho isso importante. – Ele suspirou. – Mas a orquídea da lua é a flor nacional de Bali.

Ela piscou os olhos de surpresa.

– Bali?
– Sim.

Ela passou o dedo no lábio inferior.

– Não acha estranho que alguém tenha mandado justamente essa flor?

– Na verdade, não. Talvez tenha sido alguém que gosta da aparência da flor e que não sabe nada a respeito.

– Mas por que mandá-la de modo anônimo? E por que escrever *"desculpe"*?
Ele abriu a palma das mãos.
– Não sei. Talvez a floricultura não tenha transcrito a mensagem direito.
– Talvez – disse Katie, sem deixar de pensar se a mensagem tinha outra relevância para o remetente ou se era mesmo um pedido de desculpas.
– Por que você não se deita um pouco? – sugeriu Ed, abrindo espaço na cama.
Ela se deitou de barriga para cima e o cabelo umedeceu o travesseiro.
Ele se apoiou no cotovelo e olhou fixamente para ela.
– Mal posso acreditar que em três meses estaremos casados.
Ela sorriu, mas a observação a fez sentir uma ansiedade que tratou logo de reprimir.
Ele percorreu a clavícula dela com o dedo indicador.
– Sra. Katie Louth – disse para si mesmo, como se provando o gosto da situação. – Muito sexy.
– Ainda não decidi se quero adotar o seu sobrenome.
Ele levantou uma sobrancelha.
– Sério?
– Preciso pensar mais um pouco. Nem toda mulher adota o sobrenome do marido.
– Não me diga que você prefere um daqueles sobrenomes horrorosos separados por hífen? Greene-Louth soa como uma empresa!
Ela sorriu.
– Está bem, sem a separação do hífen!
Ele a olhou atentamente.
– Você é a última Greene, não é?
Ela balançou a cabeça enquanto uma onda de emoção subia pela garganta.
– Então, talvez seja melhor manter o seu sobrenome. Não preciso que adote o meu. O que me interessa é que toda noite

a levarei para a cama pelo resto de minha vida. – Ele puxou a ponta da toalha úmida, desembrulhou-a como se fosse um presente e beijou-a longamente no pescoço. Estimulada pelos lábios quentes dele, ela se deixou ser abraçada e puxada para mais perto do corpo dele.

Ele passou os lábios pelo pescoço abaixo, atravessou o osso do ombro e percorreu o caminho dos seios com um beijo, até que a língua atingiu os mamilos. Ela não reagiu enquanto ele viajava com a língua pela caixa torácica e pela maciez do estômago, até rodear o umbigo e alcançar os quadris. Só então fechou os olhos, relaxou e se concentrou no toque que recebia. Antes da morte de Mia, as relações entre os dois eram frequentes e apaixonadas, mas depois o desejo de Katie arrefeceu.

Ele roçou os lábios no alto do osso púbico.

– Ed.

Ele murmurou alguma coisa embaixo do lençol e seguiu roçando os lábios mais para baixo.

– Preciso me vestir. – Ela se desvencilhou dele. – Precisamos sair o quanto antes.

Ele afastou as cobertas e saiu da cama. Caminhou até a escrivaninha, puxou a cadeira e abriu o laptop.

Ela se vestiu de costas. Eles fariam uma visita ao Slade Plains, onde Mia e Finn haviam praticado paraquedismo seis meses antes. Katie não pretendia saltar, mas queria ver onde a irmã encontrara coragem para mergulhar no ar contando apenas com um paraquedas.

A essa altura seguia a rotina de ler apenas um relato do diário de Mia por dia, o que estabelecia um propósito para a viagem. Cada página lida aprofundava ainda mais a compreensão das viagens da irmã. O diário era agora um companheiro honesto e fiel que a acompanhava.

Katie acabou de se vestir e se voltou para Ed, que ainda estava às voltas com o laptop.

– Precisamos sair agora se quisermos pegar o ônibus.

– Não estou a fim – ele disse sem erguer os olhos.
– Mas você disse que me acompanharia.
– Não estou nem um pouco a fim de ir até o deserto para ver um bando de viciados em adrenalina jogando-se de um avião. – Ele afastou a cadeira. – Gostaria muito mais de passar a tarde tomando um vinho num restaurante elegante com minha noiva.
– Eu tenho que fazer isso. Faz parte do diário.
– Você não se dá conta do quão ridículo isso soa? Não passa de uma droga de um diário! Não é um livro de regras.
– Sei que não é um livro de regras. Mas eu *quero* ir até lá – ela disse, elevando a voz em desafio. – Não menospreze o que estou fazendo, Ed. Isso é muito importante para mim. – Pegou a bolsa que estava em cima da mesinha de cabeceira, fechou os dedos em torno dos tampões de ouvido e os enfiou dentro do bolso. *Ele que escute o mar!*
– Não consigo entender como é que alguém pode gastar dinheiro só para se lançar de um avião. Isso, além de não ser natural, é contrário a qualquer instinto de sobrevivência – ele disse quando ela chegou à porta.
– É isso que eu quero entender.

Katie assistiu ao vídeo de segurança, assinou a autorização e vestiu um macacão azul desbotado e roto nos joelhos. E depois se sentou na traseira de um avião de seis lugares, com um complicado cinto preso ao redor de sua cintura. A raiva e a adrenalina a tinham levado longe, mas agora estava arrependida. Tremia dos pés à cabeça e respirava com dificuldade. Era o pavor. Estava dentro do avião e agora era impensável pular para fora.

O piloto gritou alguma coisa e o instrutor aproximou-se da porta, soltou um trinco e abriu-a.

Ela engasgou. Era uma barulheira incrível, o mesmo estrondo de quando se mergulha na arrebentação das ondas. As lufadas de ar definiam todas as terminações nervosas. Ela teve que lutar para prender o cabelo que batia contra o rosto.

Na sua frente, um homem magro, com cicatrizes de espinhas no rosto, levantou-se enquanto um instrutor acoplou-se às suas correias, checando-as minuciosamente. A dupla caminhou em direção à porta aberta como prisioneiros desajeitados em seus macacões. Ela desviou os olhos por um segundo e, quando voltou a olhar, os dois já tinham desaparecido.

Em seguida sentiu uma tapinha firme no ombro.

– É sua vez – gritou o instrutor, um jovem de cabelos louros bastante ondulados e com dentes tortos.

– Eu não vou pular.

Ele arrumou-a, prendeu-se às costas dela e fez uma checagem nas fivelas para se assegurar de que estavam bem seguras. A barulheira o impedira de ouvi-la.

– Eu não vou pular! – ela gritou.

– Você não gosta de se alimentar? – ele gritou de volta, escancarando um sorriso e ajeitando os óculos no rosto dela. Claro que a provocava. Mas logo se encaminhou até a porta do avião.

– Não! – Ela abriu os braços. – Eu! Não vou! Pular!

– Tudo bem, a escolha é sua. Mas quero que olhe a vista antes de decidir.

Já com a pulsação acelerada, ela respirou profundamente e disse para si mesma que podia fazer aquilo.

– Eu vou olhar – disse, balançando a cabeça para o instrutor.

– Vamos sentar – ele disse e ela obedeceu, sentando-se entre as pernas dele, e depois os dois escorregaram juntos ao longo do piso do avião até a porta. O vento se intensificou e soprou as palavras, os pensamentos e a respiração para longe.

– Coloque o braço na alça – gritou o instrutor. – É mais seguro!

Ela se esticou e agarrou a alça. Que barulheira! O coração pulou dentro do peito. Lá embaixo, a aridez dos campos e o brilho do mar a distância.

– Está vendo aquele degrau? Vou pôr o pé direito nele e quero que você faça o mesmo depois.

Ela balançou a cabeça.

– Eu não consigo.

– Você consegue, sim – ele disse ao pé do ouvido dela, como se a voz estivesse saindo de dentro dela.

Será que ela conseguiria? Definitivamente, pular de aviões não tinha nada a ver com ela. Mas seria emocionante sair da mesmice. *O que Ed pensaria se me visse agora?* A sensação arrebatadora de desafio a fez esticar o pé lentamente até o degrau. A perna do macacão esvoaçou furiosamente e a fez se arrepiar por todo o corpo.

– Quer mesmo fazer isso? – ele gritou.

– Eu não sei! Eu não sei!

– Cruze os braços no peito.

Ela fez o que ele mandou. Parecia que estava fazendo uma prece com o corpo. Em seguida ela sentiu que ele se curvava para agarrar uma alça superior. A bandana que prendia o cabelo dela soltou-se e açoitou os óculos.

– Não! Não! – O pânico bateu de maneira pesada e ácida no estômago. Cada músculo do corpo contraiu quando ela se arqueou para se afastar da saída aberta.

De repente, o instrutor inclinou-se para a frente e deixou-a suspensa debaixo do corpo dele.

Ele projetou-se.

Os lábios de Katie se abriram de lado a lado ao impacto da queda livre e se ressecaram por dentro, como a terra lá embaixo. Ela se viu arremessada em meio a correntes frias de ar e fiapos de nuvens. O sangue pulsou nos ouvidos.

Um grito longo e mudo queimou a garganta de Katie. Era o pavor de que o paraquedas não se abrisse e de que as cordas embaralhassem e ela se machucasse no pouso, mas se apavorou ainda mais porque, à medida que mergulhava no ar, se dava conta com terrível clareza do terror vivido pela irmã no instante em que soltou os pés precipício abaixo.

12

Mia

(Austrália Ocidental,
novembro do ano anterior)

As solas dos pés de Mia se despregaram da borda e ela caiu. Seus ouvidos se entupiram com o rugido do vento e as batidas das roupas e do coração. O ar gelado entrou por sua boca aberta em perfeito "O". A injeção de adrenalina pela proximidade da morte era tão vigorosa que fazia a vida pulsar com igual vigor em suas veias.

Seguiu-se um súbito puxão e ela se viu içada para o alto. A copa do paraquedas amarelo se encheu ruidosamente de ar e se abriu como uma flor.

Ela inalou uma golfada de ar.

– Tudo bem? – gritou o instrutor atado às costas dela.

As faces doeram sob a pressão dos óculos e a sensação de ausência de peso cessou quando as tiras de nylon das amarras apertaram as coxas e a cintura.

– Sim, tudo bem – ela disse em seguida, sorrindo e com o som borbulhando da boca e sendo agarrado pelo vento. Foi um sorriso tão aberto que o vento passou por baixo dos óculos e fez os olhos lacrimejarem. Ela estremeceu de alegria quando se viu descendo em direção ao solo atada ao instrutor.

Finn estava mais abaixo com um paraquedas vermelho. Ele tinha sido o primeiro a saltar depois de ajeitar os óculos, fazer uma saudação e posicionar os pés simetricamente no degrau, e pronto. Ela assistiu à cena com um sorriso e deixou de hesitar: se Finn tinha saltado, ela também saltaria.

Mia fez uma ligeira prece para que ele chegasse ao solo em segurança, enquanto o observava no paraquedas que evoluía em suave varredura vermelha, como um pulmão respirando. E depois o anteviu se livrando das amarras e protegendo os olhos do sol para olhar o céu.

Ao se aproximarem do solo, o instrutor a fez lembrar das instruções de pouso. Ela encolheu os joelhos de encontro ao peito enquanto ele conduzia a descida final. O solo chegou mais rápido que o imaginado e finalmente pousaram, deixando para trás um rastro de poeira. Ela se livrou das amarras e saiu correndo em direção a Finn, que agora se livrava dos óculos.

Ele estava corado e sorria, com o suor escorrendo das têmporas.

– E então, como foi?

– Incrível! Achei que o estômago sairia pela boca, como no parque de diversões, mas a sensação era de voar e não de cair. – Ela o enlaçou com os braços e sentiu o calor que atravessava o macacão dele. – Muito obrigada! – O salto de paraquedas tinha sido uma surpresa organizada por Finn e só revelada durante o trajeto de ônibus até o centro de paraquedismo.

– De nada.

– Era tudo de que eu precisava.

Finn sabia disso. Fazia um mês que a tinha encontrado em um telefone público de Maui, arrasada e com a cabeça entre as mãos. Ele a suspendeu pela cintura e a levou de volta para o albergue, onde preparou um chá para ela e a ouviu falar sobre Harley.

Durante a viagem pela Austrália Ocidental ela se sentia como se fosse apenas uma sombra ao lado de Finn, ou uma presença silenciosa que à noite se mantinha acordada na barraca. Ele passava horas ajudando-a a rastrear a internet em busca de informações sobre o pai, ou dando o espaço que ela precisava para pensar – como se soubesse do que ela precisava antes dela mesma.

– Eu tenho sido uma lástima como companheira de viagem, não é?

– Se você não tivesse saltado, eu a teria empurrado.

Ela começou a rir, mas de repente as lágrimas rolaram pelo rosto.

– Oh, Deus – disse, desviando os olhos de constrangimento.

– Mia?

Ela enxugou o rosto com o dorso da mão, dizendo:

– Já estou bem. – Mas o fluxo de adrenalina liberou alguma coisa e as lágrimas não paravam.

– Você sabe que eu nunca a empurraria. O que eu faria de verdade era cortar as cordas sem testemunhas no caminho.

Ela hesitou entre o riso e o choro.

– Desculpe. Não me leve a sério. Minha cabeça está uma bagunça.

– Você passou por muita coisa.

Ela encolheu-se.

– Vamos lá, conte-me.

Ela olhou para o céu e piscou para espantar as lágrimas. Fechou os punhos.

– É tanta merda. Tudo está uma merda só.

– Está se referindo ao Harley?

Ela balançou a cabeça.

– Mamãe mentiu o tempo todo para nós. Não nos revelou a verdade nem quando soube que estava morrendo. E não paro de me perguntar, *por quê?* – Ela fungou e secou os olhos com a manga. – Talvez não quisesse que soubéssemos que tinha tido um caso, ou que Katie e eu éramos meias-irmãs. Ou talvez – acrescentou agora bem devagar – porque não quisesse que eu soubesse que Harley era o meu pai.

Finn se manteve à escuta.

— Enquanto Mick o descrevia, eu pensava, *parece que ele está me descrevendo*. Foi surreal. Havia tanta semelhança entre nós.

Finn continuou atento ouvindo a amiga, a cabeça inclinada em direção a ela.

— Mas ele se enforcou. — Ela engoliu em seco. — Meu pai se enforcou quando tinha a minha idade.

Outra aeronave decolou em meio a uma nuvem de poeira vermelha.

— Mia?

A voz dela soou fraca e sem raiva alguma.

— Estou com muito medo de ser igual a ele.

Finn chegou mais perto e a fez olhar nos olhos dele.

— Só vou lhe dizer uma vez e quero que nunca se esqueça.

Ela não desviou os olhos.

— Você não é Harley. Nem sua mãe. Nem Katie. Mia Greene, você é *você*.

— Mas eu não sei ao certo o que isso significa.

Ele a enlaçou pelos ombros sorrindo.

— Mas eu sei.

Eles retornaram ao albergue apenas para tomar uma ducha e trocar de roupa, e depois saíram para a taverna. Finn se embrenhou pelas dunas de areia seguido por Mia.

— A noite de hoje está me pedindo um bife — ele disse, com um bife suculento acompanhado de um molho de gorgonzola em mente.

— Já eu vou de cheeseburger com bastante bacon.

— Não tente me intimidar.

Quando as dunas se agigantaram, Mia saiu correndo e assumiu a dianteira aos gritos.

— O último a chegar lá em cima paga as bebidas!

Ele saiu atrás dela, levantando areia durante a corrida. Agarrou-a pelo bolso traseiro do short e puxou-a para trás. Ela riu enquanto se desvencilhava e logo deu os últimos passos até o topo.

Finn chegou atrás e se deu conta de que a praia lá embaixo estava cheia de gente. A música ecoava das caixas de som colocadas na traseira de uma camionete e uma multidão dançava ao redor de braços erguidos para o ar. Uma grande fogueira ardia alaranjada, e os que estavam sentados de pernas cruzadas em volta do fogo na areia batucavam bongôs e outros tambores. O ar estava impregnado do cheiro de madeira queimada e maconha.

– Quer dar uma espiada? – ele perguntou.

Eles desceram as dunas juntos, os tênis se enchendo de areia. Lá embaixo, misturaram-se a um grupo em torno de uma churrasqueira. Os faróis acesos de uma velha camionete Bedford estacionada à beira da areia iluminavam alguns surfistas nas ondas. Os dois saíram vagando no meio da multidão, Mia rebolando ao ritmo da música.

Pararam junto a um círculo iluminado pela fogueira, onde uma garota pintada de prateado girava um arco à cintura. Ela ergueu um braço com muita graça e fez o arco se enrolar e atingir a ponta dos dedos. Com um movimento do punho fez o arco descer, pulou para dentro e continuou girando-o à cintura como uma órbita.

– Ela é fantástica – disse Mia.

– Isso é pornô para hippies – retrucou Finn.

Ela sorriu e deu o braço a ele. Na mesma hora, o calor que irradiava do braço dela incendiou o corpo dele de cima a baixo, acelerando as batidas cardíacas.

– Mia. – Ele a puxou para fora da multidão. – Preciso falar uma coisa pra você. – Desde o início da viagem, ele queria contar para ela como se sentia, mas a oportunidade nunca surgia. E desde a conversa naquela tarde, ela parecia mais contente, mais aliviada, e essa era a oportunidade esperada.

– O que é? – ela disse, cutucando-o.

Ele respirou fundo.

– Ainda se lembra daquele show da banda Thaw, em Guildhall, quando tínhamos 16 anos? Aquele show que você surfou por cima da multidão?

Os olhos dela faiscaram.

– Foi uma noite e tanto! Que fim levou aquela banda?

– Você me beijou quando saiu do meio da multidão.

– Beijei?

Ela se deteve e se soltou do braço dele. O coração dele bateu descompassado. Será que ela desconfiava do que estava por vir? Será que a coisa tinha sido tão óbvia o tempo todo? Ele se deu um tempo, com o coração saindo pela boca.

Ela se manteve calada e ele a olhou de relance. Ela estava de olhos arregalados e parados, e ele então olhou para onde ela olhava. Olhava fixamente para um cara que vinha em direção a eles. Estava descalço e vestia um short e uma camiseta escura que deixava entrever a largura dos ombros. Parou em frente a eles.

– Mia?

Ela pôs a mão no peito.

– Noah? Meu Deus! O que está fazendo aqui?

– Uma onda gigantesca está a caminho. Nós vamos pegá-la lá no sul.

– Não acredito que seja você mesmo – ela disse, abrindo um sorriso.

– Vocês vão ficar por aqui?

– Faz alguns dias que estamos num albergue.

Finn, que não tinha sido apresentado, esticou a mão.

– Muito prazer, sou Finn. – Só então Noah tirou os olhos de Mia e cumprimentou Finn com um forte aperto de mão. – Então, vocês se conhecem?

– Nos conhecemos em Maui – respondeu Mia, abaixando os olhos.

Maui? Ela não tinha mencionado isso para Finn. À excitação apreensiva de alguns instantes antes se seguiu um tipo diferente de ansiedade.

– Para onde vão? Para o norte ou para o sul? – perguntou Noah para ele.

– Para o sul. Estamos vindo de Broome.

– Faz um calorão lá. Um calorão que só melhora quando se sai de lá.

– Você é da Austrália? – perguntou Finn, notando o sotaque.

– Da Costa Sul. Perto de Melbourne.

– Legal.

Ninguém disse mais nada, e Finn então disse:

– Estávamos indo pra taverna. A gente se vê mais tarde, Noah.

– Se importa de seguir na frente? – perguntou Mia de repente.

O que ele podia dizer? Que se importava? Que se sentira como se tivesse levado um soco na boca do estômago quando a viu de rosto iluminado para Noah? Isso o fez pensar que teria dito a Mia que a achava a mulher mais incrível que já tinha conhecido e que a conversa terminaria com um beijo.

– Tudo bem. Pedirei seu cheeseburger. Com bastante bacon, não é?

– É.

Ele continuou parado enquanto ela e Noah se afastavam quase juntinhos, separados por centímetros. Dois sujeitos de peitos nus irromperam da multidão aos urros e levantando areia enquanto corriam. Noah abraçou Mia por instinto e tirou-a do caminho, exatamente como Finn agiria – só que o braço que abraçava Mia era o de Noah.

Mia não se deixaria levar pelas recordações que vagavam em torno da noite em que conhecera Noah, a mesma noite que se viu arrebatada por algo profundo que brotou do peito. Mas o braço dele enlaçou-a pela cintura e ela se deixou levar pelas recordações: os olhos que a capturaram pelos olhos, os lábios que roçaram ao longo do colo dela, o gosto de sal da pele dele.

À medida que os dois caminhavam em silêncio pela extensão da praia, afastando-se da festa, a música soava cada vez mais distante. O luar era tão intenso que se ela olhasse de relance para trás as pegadas estariam marcadas na areia como um caminho.

– Acho que você quer seu moletom de volta, não quer? – ela perguntou, com um risinho. Lembrou que o casaco de moletom batia-lhe nas coxas enquanto voltava de madrugada para o Pineapple Hostel, e que as fibras do tecido cheiravam a fumaça e sal. Depois disso, só o tinha usado em uma das noites frias e insones de Geraldton. Foi quando saiu da barraca e sentou-se no chão enrolada no moletom desbotado e com os polegares enganchados nos pequenos rasgões da manga.

– Fique com ele. Fica melhor em você.

O brilho vermelho de um cigarro e a pálida silhueta de um homem nas dunas que ficaram para trás chamaram a atenção dela – talvez um folião desgarrado do rebanho. No mais, a praia estava deserta e isso era convidativo.

– Vai ficar quanto tempo na Costa Oeste? – ela perguntou.

– Algumas semanas. A baixa pressão está indo para Margaret River.

– A região do vinho?

– Sim. As ondas são incomuns nessa época do ano e vamos ver no que vai dar.

– Também estou indo com Finn pra lá.

– É mesmo? – Ele só disse isso, mas ela queria que ele se mostrasse feliz.

Continuaram zanzando pela praia, até que alguma coisa brilhou na areia. Ela abaixou-se e era uma concha. Uma concha oval e do tamanho de uma mão, com a face externa áspera e cheia de calosidades. Colocada contra a lua, a face interna era um leito iridescente de madrepérola. Ela apalpou a concha e sentiu um espiralado sob a ponta do dedo.

– O que vivia aqui dentro?

– Um abalone... uma espécie de caramujo do mar. Os australianos a chamam de *muttonfish*. Parece um pano de chão quando ingerido, mas é uma iguaria na Ásia.

– Verdade?

– A pesca do abalone tem sido abusiva, como tudo mais de valor. Às vezes os mergulhadores fazem uma fortuna em um único dia.

– A concha é linda.

– Você deu sorte de encontrar uma desse tamanho aqui.

Mia ergueu os olhos de relance e notou que a silhueta que estava nas dunas agora se dirigia pela beira da praia em direção a eles. Vestia roupas escuras que se confundiam com a noite e se deteve à beira da água para observá-los. Era um olhar fixo e desagradável. Logo levou um baseado à boca e puxou forte. O cheiro da maconha se propagou ao vento.

– Noite maravilhosa, não é?

Os dois pararam.

– Indo para algum lugar legal?

– Só caminhando – respondeu Noah, com uma tensão na voz que não passou despercebida a Mia. – Achei que você ainda estava na festa.

– Não estou em clima de festa.

O cara deu um passo em direção a Mia, o bastante para que ela sentisse o hálito de fumo. Ele não estava barbeado e tinha roupas desgrenhadas.

– E você quem é?

Ela apertou a concha na mão.

– Mia.

– E de onde você é, Mia?

– Inglaterra.

— Que bom. — Ele estendeu abruptamente o braço, como se importunado por um mosquito. — Já que Noah se esqueceu das boas maneiras, é melhor que me apresente eu mesmo. Muito prazer, Jez, irmão de Noah.

Irmão?

Ele pôs o baseado nos lábios e estendeu a mão ossuda e cheia de calos.

Ela tentou achar alguma semelhança entre os dois. Ele tinha um cabelo ralo com pequenos tufos louros e a boca era mais estreita do que a de Noah, mas a semelhança estava na proeminência das sobrancelhas.

— Então, você é *amiga* de Noah?

Ela hesitou um tanto insegura.

— Sim.

— E o que a trouxe à Austrália?

— Só estou viajando.

— Queima um fumo, Mia? Gosta de ficar chapada?

— Ela não fuma. — Noah deu um corte. — Nós temos que ir agora. Vejo você mais tarde — acrescentou enquanto se afastava.

Eles continuaram caminhando silenciosos. Mia rodava a concha entre os dedos, esperando que Noah dissesse alguma coisa. Passados alguns minutos, ele permanecia calado, e ela então perguntou:

— Esse é o irmão com quem você está viajando?

— Ele mesmo.

— É mais velho que você?

— Quase três anos.

— A mesma diferença de idade entre mim e Katie. Como ele é?

— Fuma muita maconha.

Ela olhou de soslaio para Noah. Estava um tanto perturbado. Ela estava prestes a fazer mais perguntas quando ele disse:

— Já é hora de levá-la de volta pra taverna.

Mia não queria que a noite terminasse assim. Em Maui, deixara Noah ao lado das cinzas de uma fogueira na praia, sem trocar números de telefones ou endereços eletrônicos, porque esse era o jeito dela. Só quando acordou no dia seguinte é que se flagrou usufruindo a suavidade do moletom no rosto e querendo saber mais sobre ele. Houve outros homens com quem ela também ficou por uma noite apenas, mas com Noah tinha sido diferente. Ele a olhava como se enxergasse exatamente quem era ela. Ela até saiu para correr na praia na esperança de vê-lo, mas não o encontrou. E depois pegou um avião com Finn.

E agora se dava conta de que não queria deixá-lo partir outra vez.

Ela parou de caminhar.

Ele a olhou e ela disse com o coração acelerado:

– Naquela noite em Maui. – Fez uma pausa. – Pra mim foi como... se houvesse uma conexão entre nós dois, ou algo assim.

Ele abaixou os olhos.

– Mia...

Um arrepio percorreu toda a pele dela, como se ele estivesse prestes a dizer alguma coisa que ela não queria ouvir. E antes que dissesse, deu um passo à frente e o beijou.

– Não – ele sussurrou com os lábios colados nos dela. – Você não quer isso.

Mas ela tocou-lhe a pele com os dedos, e cada célula do seu corpo dizia que ela queria.

13

Katie

(Austrália Ocidental, junho)

Ed dirigia com o cotovelo apoiado no parapeito da janela do carro e o antebraço se bronzeava com o sol da tarde. Katie observava os vinhedos de Margaret River que irrompiam em riscados opulentos de verde, enquanto uma brisa que cheirava a terra impregnava o carro e despenteava os cabelos.

– Uma vinícola daqui oferece uma visita por todas as etapas da fabricação do vinho. – Ele esticou o braço e pegou um livreto ao lado da alavanca de mudança. – Está marcada em algum lugar aí. – Estendeu o livreto para ela. – Como bebemos muito vinho, talvez seja interessante sabermos como é produzido. O que acha? Oferecem uma degustação no final da visita – acrescentou na expectativa. – Agendo ou não agendo?

O objetivo da viagem a Margaret River não era uma visita a uma vinícola: o objetivo era Mia. Mas Katie acabou aceitando.

– Sim, agende. – Ed só tinha mais três dias, e ela achou que poderiam aproveitá-los.

– Andei pensando a respeito dos vinhos para o casamento. O *sommelier* do Highdown Manor sugeriu um Pinot Grigio para o vinho branco. Californiano, se não me engano. Pedi uma garrafa enquanto você estava fora e posso garantir que é bem melhor do que eu esperava. Não dá ressaca.

– Perfeito – ela disse, olhando para um canguru que jazia de barriga inchada na estrada; um enxame de moscas zumbia ao redor dos olhos vítreos e negros.

– E a outra coisa é que Jess disse que o vestido de dama de honra chegou. Não precisou de ajustes. Ela se ofereceu para procurar os sapatos, se você achar que vai se atrasar.
– Ela era para ser uma das duas damas de honra.

Ed olhou para Katie. O comentário tinha sido feito em voz alta sem que ela própria percebesse.

– Ainda quer levar o casamento adiante?

Os pensamentos de Katie se dissiparam perante a súbita virada no rumo da conversa.

– Claro que sim.
– Mas?

Ela enrolou o livreto como um tubo e o desenrolou.

– É penoso pensar que Mia não estará presente. – No quadro que fazia, as duas se arrumavam juntas e Mia a provocava pelo meticuloso cronograma, dividindo o tempo entre o café da manhã, as manicures, o cabeleireiro e o maquiador. As antigas tensões seriam deixadas de lado diante da importância do dia e as duas ergueriam as taças de champanhe em um brinde para a mãe. Ela seria ajudada a vestir o vestido de noiva por Mia, que a elogiaria pela beleza e depois amaldiçoaria os trinta botões de marfim que teria que abotoar.

– Sei disso, querida. Por isso pensei muito se devíamos adiar o casamento. Se o adiássemos, digamos que por um ano, que diferença isso faria? Nem assim Mia estaria presente. Cheguei à conclusão de que devemos seguir em frente com nossos planos porque assim nos concentramos em coisas positivas. A vida não tem que seguir em frente? Nosso casamento pode ser a primeira etapa desse processo.

Esse era o problema: ela não estava pronta para seguir em frente. Não sem Mia junto.

Ed entrou num posto de gasolina.

– Preciso abastecer o carro. – Ele desligou o motor, inclinou-se e beijou-a no rosto, encerrando a conversa.

Sem o ar-condicionado, o calor tomou conta do carro. Ela ajeitou o vestido; o forro grudado nas costas a incomodava. Estava ansiosa para chegar ao hotel e entrar debaixo de uma ducha de água fria. As viagens de carro sempre a deixavam inquieta e pegajosa, talvez pelos assentos de couro sob as coxas ou pelos lanchinhos doces que ingeria no carro e que sujavam os dentes. Abaixou o vidro da janela e inalou o vapor da gasolina.

Uma camionete enferrujada estacionou do outro lado da bomba de gasolina, a música ecoou para fora das janelas abertas. Pranchas de surfe na traseira e, no banco do passageiro, uma garota que aparentava a mesma idade de Mia sentada com os pés sobre o painel. As unhas dos pés estavam pintadas de azul elétrico. Um homem saiu da camionete com sandálias de dedo e os calcanhares rachados e imundos. Abriu a tampa do combustível e introduziu a mangueira. Ela o observou e se perguntou se ele tinha alguma a coisa a ver com o enigmático Noah do diário de Mia, cujos relatos eram tecidos por toda parte.

Katie sentiu-se a própria intrusa por ter lido as descrições íntimas desse romance, mas na verdade não conseguiu desgrudar os olhos das páginas quando se deparou com os crescentes sentimentos da irmã. Já tinha lido que no dia seguinte ao reencontro Mia se sentara no banco do passageiro da camionete de Noah, que cheirava a neoprene e cera de prancha de surfe, e que eles tinham percorrido estradas esburacadas, deixado muita poeira para trás e chegado a uma praia vazia. De lá, nadaram até uma pequena ilha, onde se despiram dos trajes de banho e se deitaram numa rocha para secar ao sol. Noah falou de uma pesca de arpão durante a qual um cardume de cavalinhas espanholas nadou em círculos como redemoinhos prateados acima dele e que isso era bonito demais para ser atingido por um arpão. Mia, por sua vez, falou das viagens, do mar e dos livros de Hemingway que a tinham induzido às viagens e ao mar.

Ela escreveu páginas e páginas sobre Noah, ilustrando os relatos com intrincados arabescos nas margens. Narrou com detalhes como interagiam e transcreveu textualmente um diálogo que tiveram sobre música. Em outros relatos ofuscados pela dúvida, ora o questionava sobre a sua preferência de dormir sozinho à noite, ora interpretava o silêncio dele como frieza. Finn só aparecia em citações passageiras, e Katie lamentava suas poucas descrições.

Ed enfiou a cabeça pela janela.
– Quer alguma coisa?
– Não, obrigada.

Ele saiu andando até o quiosque, balançando as chaves do carro ao redor do dedo. Ela pegou o diário de Mia ao lado, colocou-o no colo e o abriu na última página que tinha lido. A data do relato chamou atenção: *"Dia de Natal"*.

Lembrou-se de que haviam conversado naquele dia. O telefone tocou na hora em que estava saindo do apartamento e a fez correr pelo saguão de entrada com a bolsa batendo no quadril. Ficou emocionada quando ouviu a voz de Mia, mas o que devia ser uma conversa agradável acabou azedando. O relato devia expor a opinião sincera de Mia a respeito da conversa, e isso atemorizou Katie. Ela mordeu o lábio inferior; sabia que essa chamada telefônica tinha sido o prelúdio da última discussão devastadora que tiveram algumas semanas depois.

Ed retornou e pôs um punhado de balas de menta entre eles.
– O cara disse que estamos a poucos quilômetros do hotel.
Ela balançou a cabeça.
Ele ligou o motor e desviou os olhos para o diário aberto.
– O que houve?
– Nada – ela respondeu, fechando o diário e deixando-o de lado.
– Katie?
Ela engoliu em seco.
– Acho que no próximo relato Mia descreve uma briga que tivemos. Lembro que ela me telefonou de Margaret River.

Ele saiu do posto de gasolina e acelerou drasticamente para passar por entre dois carros no tráfego movimentado. Retornou à faixa em que estava e perguntou:

– Acha que será difícil ler isso?
– Talvez.
– Que briga foi essa?

Ela hesitou.

– Coisas de irmãs.
– Quando foi isso?
– No Natal.

Ele arqueou as sobrancelhas.

– Logo depois que lhe pedi em casamento.
– Foi? – ela disse, mantendo um tom despreocupado.

Fizeram o resto do caminho em silêncio.

Ed parou o carro em frente a uma casa senhorial de grande altura, com uma porta verde pomposa e uma maçaneta de bronze. Certamente, sem dormitórios nem som de guitarras.

– Cuidarei do registro e das malas. Por que não dá uma volta pela cidade para clarear as ideias?

– Só estou pensando em tomar uma ducha. Para refrescar.

– Um passeio seria bom para você. E poderia dar uma checada nos restaurantes da cidade. Escolher um lugar bacana para o jantar.

– Tudo bem – ela disse, destravando o cinto de segurança.

– Se me permite ajudar, por que não lemos juntos o tal relato quando você voltar?

Katie sorriu, mas sem a menor intenção de ler o diário com Ed. Como poderia fazer isso quando a briga tinha sido por causa dele?

Katie perambulou pelo pequeno centro de Margaret River enquanto olhava as vitrines das lojas. O mormaço emanava das calçadas torradas pelo sol e das estruturas metálicas dos carros estacionados e a fazia transpirar atrás dos joelhos, que comichavam.

Passou por uma galeria de arte com uma fachada azul-marinho vibrante e telas de barcos brancos expostas na vitrine. Parou em frente à vitrine e apreciou as suaves curvas das altivas velas abertas ao vento e a criatividade do artista que reproduzira o brilho do anoitecer refletido na água.

Entrou na galeria anunciada por um sino que fez um homem ruivo tirar os olhos de um livro que estava lendo.

– Boa-tarde – ele disse sorrindo e retomou a leitura.

As paredes brancas estavam cobertas de quadros e ela observou o que estava debaixo do ar-condicionado, agradecendo por poder refrescar o pescoço. Era uma pintura abstrata da mão de uma mulher. Acompanhou as linhas finas que se estendiam pelas juntas dos dedos e as protuberâncias nas unhas curtas e concluiu que era a mão de uma mulher de uns 50 ou 60 anos. A mão segurava uma caneta barata com uma extremidade de plástico mastigada e rota, incompatível com a postura refinada com que pendia sobre uma folha de papel de qualidade. Em cima, palavras obscurecidas de maneira a que os olhos recaíssem em uma única frase: *"Quando éramos jovens."*

Mia era talentosa quando escrevia cartas; Katie lembrou que recebia muitas cartas da irmã nos tempos de universidade. As duas brigavam quando estavam cara a cara e eram desastrosas nos telefonemas, mas nas cartas partilhavam um diálogo franco. O estilo de Mia era coloquial, uma ideia puxava outra ideia, e as digressões divertidas eram lidas por Katie com avidez. Nas respostas, Katie fazia confidências sobre os homens por quem se apaixonava ou sobre as boates que frequentava, pintando um quadro colorido da universidade a fim de despertar a admiração de Mia. Mas quando se viam pessoalmente, mesmo depois de uma carta carinhosa e calorosa, brigavam por horas a fio.

Katie perambulou por entre os muitos quadros expostos na pequena galeria, e lá nos fundos acabou pegando um tubo de tinta acrílica sobre uma das três prateleiras repletas de materiais de arte à venda. Sentiu-se subitamente impelida a mergulhar um pincel na tinta para umas pinceladas em alguma tela em branco. Já havia demonstrado inclinação para a arte na escola, além de um talento nato para transmitir na tela uma ousadia que não transmitia pessoalmente. Sentia-se apaziguada em meio às mesas quadradas e ao cheiro forte de solvente da sala de arte. E deixou Mia furiosa quando desistiu da pintura porque isso não seria tão bem recebido pelo sistema de admissão da universidade como boas notas nos exames de história. Jogou o talento e as pinturas para o alto e nunca mais pensou nisso.

Ela pegou um estojo prateado com um conjunto de doze tubos de tinta acrílica, um mata-borrão e dois pincéis e se dirigiu ao caixa. O homem deixou o livro de lado por um instante e passou os itens pelo sensor do caixa. Ela retornou ao hotel com os itens debaixo do braço, como se guardando um segredo.

No balcão da recepção, recebeu a chave do quarto.

– Seu marido já subiu, madame.

Ela deu um passo para trás espantada.

– Perdão – disse o recepcionista. – Cometi algum engano?

– Não, não. Está tudo bem – ela disse, levando a mão ao colo. – Muito obrigada.

Uma porta pesada de madeira de carvalho abriu-se para o quarto. Era arejado, iluminado e com uma pomposa cama de metal ao centro. A mochila de Katie estava encostada na cama, com as fivelas abertas e uma blusa cor de pêssego para fora. Por que será que Ed começou a desempacotar a mochila? Ele estava de costas e de ombros encolhidos, como se estivesse segurando alguma coisa.

Ela entrou no quarto e fechou a porta atrás de si.

– Katie! – ele disse, girando o corpo.

Já de frente, tentou esconder o que tinha nas mãos. Ela percebeu de relance um borrão azul-marinho e se deu conta de que era o diário de Mia.

A cena entrou em foco; ele estava com o diário em uma das mãos e algumas folhas cor de creme na outra.

– Que diabo está fazendo?

Soou uma batida forte na porta. Ela abriu a porta assustada, como se os dois fatos estivessem interligados, e se viu diante de uma camareira com dois travesseiros brancos nas mãos.

– Travesseiros extras, madame.

Ela nem se mexeu para pegá-los nem se afastou do umbral da porta para que a camareira entrasse.

Alguns segundos depois, ouviu a voz de Ed.

– Sim. Muito obrigado. Poderia deixá-los aí fora?

O pedido deixou a camareira afrontada e a suave batida dos travesseiros no chão chegou aos ouvidos de Katie antes de a porta se fechar.

Ela se voltou para Ed. Agora, estava com as mãos para trás, como um ladrão de parques.

– Eu lhe fiz uma pergunta.

Ele abriu os lábios e os fechou, mas não disse nada.

Ela largou a sacola de papel com materiais de arte no chão e cruzou o quarto. Chegou à frente dele e estendeu a mão.

Ele balançou a cabeça.

– Não vou lhe dar.

– Não vai?

– Desculpe, sei que parece...

– Dê logo essa droga de diário, Ed.

Ele engoliu em seco.

– Você confia em mim, Katie?

Lá em Londres já o tinha flagrado bisbilhotando o diário de viagem de Mia. E, na ocasião, achou que ele só estava vendo se havia alguma coisa que a deixaria aborrecida. Mas agora já questionava os seus verdadeiros motivos.

– Confiei em você até entrar neste quarto. Mas agora? Agora, não. Não confio mais.

– Você já passou por muita coisa.

– Você está certo, já passei, sim. Mas só vou lhe pedir mais uma vez; dê o diário e as folhas que arrancou dele.

Ed hesitou.

– Agora!

Ele entregou o diário, com relutância.

Katie ficou com o coração partido quando viu as folhas do relato de Mia arrancadas. Era como se Ed tivesse arrancado os cabelos de Mia.

– O que você fez? – ela perguntou, com um fiapo de voz.

Ele não respondeu e ela se deixou cair na cama, pôs as folhas no colo e desamassou-as com todo cuidado.

– Por favor – ele suplicou. – Você não precisa ler isso.

14

Mia

(Austrália Ocidental,
dezembro do ano anterior)

— Feliz Natal! – disse Mia, ajeitando o telefone entre a orelha e o ombro.
— Mia! Graças a Deus que não perdi sua chamada! Eu já estava saindo. Só um segundo – disse Katie, gritando em seguida. – Ed! É minha irmã. Entre... preciso de alguns minutos. – Soaram passos e a batida de uma porta se fechando, seguidos pelo sussurro de Katie. – Pode avisar sua mãe que vamos nos atrasar? Não quero que ela pense que somos mal-educados.

Katie: atenciosa, organizada, pontual.

Mia ouviu os passos de Ed ao longo do corredor e da sala. Outra porta fechou-se. Talvez estivesse vestindo um casacão escuro sobre um suéter de gola em V de excelente qualidade, talvez Ralph Lauren ou John Smedley, especialmente para o almoço de Natal com os pais. Ela ainda não conhecia a casa da família de Ed, mas, baseada nos relatos de Katie, imaginou-a com uma guirlanda natalina verde pendurada numa sólida porta de carvalho e com uma mesa posta com baixela de prata, faqueiro completo e garrafas de vinho tinto aquecendo sobre a lareira.

— Onde você está? – perguntou Katie.
— Margaret River. Fica na Costa Oeste da Austrália.
— E onde está neste exato momento? Quero que descreva o lugar para mim.

— Numa cabine telefônica no lado de fora do albergue. Isso a faria rir... Trata-se de uma autêntica cabine telefônica inglesa vermelha. A mão firme da colonização ainda impera aqui.
— E o que está vendo?
Mia olhou pelos vidros das janelinhas.
— Céu azul. Eucaliptos. — Afastou-se do telefone, pôs a cabeça para fora e olhou em direção aos galhos das árvores. — E dois *kookaburras*.
— Aquele pássaro que ri?
— Esse mesmo.
— Nem consigo imaginar. Está se divertindo?

Mia tirou o cabelo de cima do rosto. Lembrou-se de Maui e da pancada da triste verdade que recebeu na boca do estômago e da apatia e inércia que a abateu no mês seguinte. Mas também se lembrou do salto de paraquedas e de ter nadado no Pacífico e de ter feito amor com Noah ao pé de uma fogueira na praia.

— Essa viagem tem sido muito mais divertida do que eu esperava.

— Bom. Isso é realmente muito bom. — E logo: — Oh, Mia, não acho certo estarmos separadas no Natal. Sinto tanta falta de você!

Mia sorriu de admiração pela maneira aberta com que os pensamentos sempre saíam de Katie. Quando era mais nova se encabulava com a sinceridade da irmã e agora a admirava.

— Também estou com saudades de você — ela retribuiu.

— Onde está aquela pilha de cartões-postais que me prometeu?

— Já comprei. Bem, só dois. Um na Califórnia e outro em Perth na semana passada. Mas ainda não escrevi nada.

— Está bem, então se apresse. Adoro receber cartões-postais de você.

Cada vez que Mia se sentava para escrever nos cartões, a caneta pairava sobre o espaço em branco sem que soubesse por onde começar. Pensava em contar mil coisas da viagem para Katie, mas eram coisas que esquentavam a cabeça e ela não podia contar.

– Que horas são na Austrália? Houve um almoço de Natal?

– São seis horas. O almoço foi um sanduíche de salsicha queimada.

– Não? Mia! Isso é inconcebível como Natal.

– E não é. – Isso era exatamente o que Mia queria. Natal era sempre um grande acontecimento na família. E o do ano anterior tinha sido o primeiro sem a presença da mãe. Katie renunciara a passá-lo com a família de Ed e ficara no apartamento com a irmã. E, com um avental e um ar determinado e otimista, fez o que pôde para manter uma atmosfera festiva. Mas apesar dos seus esforços, a dor se apoderou de ambas pela ação do vinho que beberam a fim de preencher os silêncios. E depois do almoço travaram uma discussão e passaram o resto do dia em quartos separados.

– Finn ainda insiste em trocar de meias – comentou Mia.

– E este ano as meias estão limpas?

– Ele garante que sim, mas só tem dois pares na mochila que não são lavadas há quinze dias.

Katie sorriu.

– E o que ele está carregando?

– Ele não conseguiu encontrar tangerina e enfiou bananas no fundo da mochila; ou seja, ganhei um pacote de cartões com gosto de banana, um livro sobre Samoa com gosto de banana e uma pulseira com gosto de banana. – Mia ergueu a mão e admirou o vistoso bracelete verde-mar que circulava no punho.

– E como vai ele?

Katie perguntava por Finn com sinceridade, mas talvez as coisas estivessem facilitadas pela distância.

– Vai bem. Fazendo amigos por todo canto que anda. Na quarta-feira fez todo mundo do albergue beber ponche caseiro e passar debaixo de uma cinta que ele próprio amarrou em duas varas. – Ela havia chegado depois que todos se dispersaram e se sentiu péssima por ter perdido a brincadeira. Finn lhe perguntou onde tinha estado e ela respondeu com um rubor subindo pelo pescoço: "Com Noah."

– Não posso continuar conversando porque Ed está esperando – disse Katie –, mas tenho uma novidade!

– Tudo bem...

– Na sexta-feira fui jantar com Ed no Oxo Tower. Lembra do lugar? Fomos lá com mamãe quando ela fez 50 anos.

– E tinha um garçom que pensou que nós três éramos irmãs.

– Por isso mamãe deixou vinte por cento de gorjeta.

– Provavelmente ele sempre joga a mesma conversa fiada.

Katie soltou uma risada.

– Dessa vez foi outro garçom, mas que também ganhou uma baita gorjeta.

– Por quê? Por acaso disse que você era parecida com a Scarlett Johansson?

– Melhor que isso; serviu meu prato de sobremesa decorado com lindas espirais de chocolate derretido, com um anel guardado dentro de uma caixinha ao centro. Ed me pediu em casamento, Mia! Colocou-se de joelhos e me pediu em casamento!

A luz do sol que atravessava o vidro das janelinhas da cabine telefônica incidiu nos dedos de Mia, que apertaram os lábios. Katie e Ed estavam noivos. Ela quis se coçar toda de tanto calor. Empurrou a porta com o pé para deixar o ar entrar.

Era importante responder – cada momento de hesitação seria contado. O silêncio estendeu-se. Um vazio sem palavras abriu-se entre elas.

Katie falou primeiro.

– Mia?

– Sim.

– Eu estou noiva.

– Sim.

Uma pausa.

— Isso é tudo que tem para me dizer?
— Não, desculpe... Só estava pensando no que dizer.
— "Parabéns" é o que sempre se diz.
— Claro! Parabéns!
— Quero que você seja a dama de honra.

Mia engoliu em seco.

— Bárbaro...
— Não está feliz por mim?
— Estou... Claro que estou.
— Que estranho, soou como se estivesse desapontada.
— Desculpe. Fui pega de surpresa. Nem me dei conta de que isso era sério.
— E nem podia, já que faz sete semanas que não me telefona
— Katie replicava, como uma chicotada rápida e afiada.

Mia empurrou ainda mais a porta e escorou-a com o joelho.

— Você nunca gostou dele, não é? — Katie sussurrou baixinho, como se estivesse com os lábios colados no fone.
— O que penso não tem importância.
— Pelo visto tem quando o assunto é o meu último namorado.

Foi dura a chicotada da observação.

— Aquilo foi completamente diferente!
— Como?
— Você deliberadamente tentou me magoar.

Katie suspirou.

— Tudo sempre gira em torno de *você*.
— Não...
— Só quero que fique feliz por mim. Será que você consegue?

Ela queria compartilhar a felicidade da irmã e dizer que a amava, mas a lembrança do que tinha feito estava presa na garganta e bloqueou as palavras.

— Feliz Natal — disse Katie no final da ligação.

* * *

Mia permaneceu na cabine telefônica. Sentia um aperto familiar no estômago e uma onda fria de culpa. Casar era o sonho de Katie – e ela agora estava noiva. Para qualquer outra irmã, isso seria motivo de celebração e de uma chuva de perguntas ansiosas sobre o anel de noivado, a data do casamento e os planos da festa. Acontece que Mia não estava com cabeça para isso; só pensava no que tinha acontecido em certo corredor escuro enquanto amargava um gosto de vodca grudado na garganta.

Um ruidoso grupo de mochileiros bronzeados passou ao lado da cabine telefônica. Finn estava no centro, o pompom branco do chapéu de Papai Noel balançava quando ele ria.

– Finn! – ela chamou da porta da cabine.

Ele se deteve de imediato.

– O que foi? Você está bem?

O grupo também se deteve e se voltou para ela. De repente, ela se sentiu tola e a urgência de um momento antes arrefeceu face aos olhares curiosos.

– É que acabei de falar com Katie.

– Ela está bem?

– Está muito bem. Ela e Ed estão noivos.

Ele arqueou a sobrancelha.

– Legal. É uma baita notícia. Não é?

Ela balançou a cabeça.

– E quando vai ser o casamento?

– Oh, não perguntei.

Ele a observou por um instante.

– Você tem certeza que está bem?

– Claro.

– Nós vamos jantar no pub. Você vem? Vamos celebrar com rodadas de drinques.

Ela adoraria se perder em meio aos sorrisos sinceros dos mochileiros, bebendo canecos e canecos de cerveja, caindo na pisci-

na e dançando rock dos anos oitenta de uma *jukebox*, mas sabia que não estava com coração para isso.
— Não acho...
— Vamos lá, é Natal! Já faz tempo que não bebemos juntos.

Era uma crítica implícita. O tempo dela era todo absorvido por Noah. Ela esfregou o braço e a luz do sol incidiu na curvatura do novo bracelete e o fez brilhar como o mar.
— Adoraria beber com você, mas não estou em clima de pub.
— Talvez ele entendesse que ela queria ficar com ele. Mas só com ele.
— Tudo bem. — Ele deu de ombros. — A gente se vê depois.

Mia retornou ao quarto, pôs o diário e um pequeno embrulho na bolsa e saiu à procura de Noah. Cruzou com Zani, uma garota do grupo que viajava com ele e Jez e que estava sentada em posição de lótus no lado de fora do albergue, queimando um baseado. Seus cabelos eram curtos e louros e ela vestia uma calça larga e estampada nas cores do arco-íris cuja barra entrava por baixo dos calcanhares.
— Sabe se o Noah está na praia?
— Todos eles estão surfando na Reds. — A garota estendeu o baseado.
— Já estou numa boa, obrigada — disse Mia, saindo em seguida.

Grilos e cigarras cantavam na trilha ladeada de mato que levava a Reds. A praia tinha esse nome por causa do platô de pedras vermelhas dispersas como baleias encalhadas e queimadas ao sol. Ela tirou as sandálias de dedo e atravessou as pedras. O vapor úmido levantado pela água impregnava o ar. Grandes linhas de ondas quebravam com uma espuma que batia em ondas menores nas pedras.

No mesmo segundo em que avistou Noah, a conversa que tinha tido com Katie se apagou. Ele estava em pé, a poucos passos de distância da ponta das pedras, e tinha a prancha de surfe debaixo do braço. O sol submergia ao oeste e fios dourados de luz acentuavam a silhueta de Noah. Seu corpo era moldado por uma estrutura enxuta de músculos pelos muitos anos de prática de surfe. Sem poder enxergá-lo, ela o imaginou sério e de olhos fixos na água. A essa altura já tinha chegado à conclusão de que, para ele, o surfe era uma necessidade tão básica quanto a fome e a sede.

Será que essa paixão que nutria pelo mar era o que a atraía irresistivelmente para ele? Embora já tivesse tido muitos outros namoros, geralmente curtos e passageiros como as estações, nunca tinha vivido um romance como aquele.

– Oi – disse, anunciando a própria chegada.

Ele se virou e sorriu.

– Saí atrás de você só para lhe desejar um feliz Natal.

Ele afrouxou o braço que apertava a prancha, mas sem soltá-la.

– Feliz Natal, Mia.

Eles não tinham se visto o dia inteiro, e tudo o que ela queria era beijar-lhe o peito nu e sentir o calor da sua pele.

– Tenho um presente pra você – disse, procurando o embrulho dentro da bolsa. Percebeu que ele não tinha onde guardar o presente e acrescentou: – Darei pra você mais tarde.

– Desculpe. Não tenho nada pra você, não pensei...

– Isso não é um presente de Natal; é algo que achei. – Era um livro de Hemingway. *O velho e o mar*. Ela o adorava e o tinha encontrado na estante do último albergue onde se hospedara. Deixou em troca o *Planeta solitário*, e escreveu uma dedicatória na primeira página no livro de Hemingway: "*Para Noah, doces palavras sobre o mar... com amor, Mia xx.*" E depois o embrulhou na folha de uma revista e o amarrou com barbante.

– Está bem, mais tarde pego com você. – Ele se inclinou e beijou-a. Afastou-se e de novo voltou-se para o mar, onde as ondas quebravam suaves e poderosas.

— É melhor sair daí.

Ele caminhou até a beira das rochas para esperar por uma calmaria. Quando isso aconteceu, jogou a prancha na água, mergulhou e saiu atrás furando uma onda. Depois de algumas braçadas firmes, subiu à prancha e atravessou a rebentação.

Mia prendeu o cabelo num coque à base da nuca e sentou-se abraçada aos joelhos. Gostava de vê-lo surfar. Com as muitas horas passadas nas praias da Cornualha, tornara-se capaz de reconhecer um surfista talentoso. Noah tinha um estilo simples e solto e se mantinha a distância dos outros surfistas que se agitavam como focas alinhadas. Ele esperava e pegava a onda quando quebrava na crista mais alta, e dispensava muitas ondas que os outros surfistas pegavam. Sabia dos riscos que corria, mas era muito bem treinado. Segundo ele próprio, a agilidade que tinha se devia muito à pesca com arpão, mas também fazia outros exercícios como pegar rochas debaixo da água para incrementar a capacidade e a força pulmonares. Isso a fez pintar uma imagem onde ele deslizava pela superfície do mar, com uma rocha nas mãos e uma cascata de bolhas de ar prateadas pingando dos lábios.

Enquanto ele remava com as mãos, ela se lembrava de como tinha sido montada por ele na noite anterior, os punhos friccionavam o lençol branco da cama e as veias dos braços se sobressaíam. Ela virara a cabeça e lambera a delicada pele por dentro do cotovelo dele. Ao toque dela, os braços dele inclinaram e ele tombou o corpo sobre ela, cobrindo com o próprio corpo cada centímetro dela.

Mia se viu coberta por uma sombra e, quando olhou para cima, Jez a observava, com uma sobrancelha enigmaticamente arqueada.

— Tudo bem?

Ela ruborizou, fantasiando que seus pensamentos estavam muito transparentes.

Ele se abaixou na pedra onde ela estava sentada, posicionando-se alguns centímetros atrás. Ela achou que isso de alguma maneira a colocava em desvantagem; tirava-lhe a chance de se virar para encará-lo por inteiro.

Jez tinha a pele castigada pelo tempo; sulcos profundos e incompatíveis com a idade que tinha cortavam a testa, e do nariz brotavam inúmeras lesões solares. Era mais magro que Noah, mas eles tinham quase a mesma altura. Desde a noite em que tinham sido apresentados, só o tinha cumprimentado algumas vezes no albergue, e sorria de alívio quando o via passar direto. Jez tinha uma maneira desconcertante de segui-la com os olhos, como se sempre estivesse a observá-la.

– Recebeu tudo que queria de Papai Noel? – ele perguntou.

– Ele não sabe o meu endereço. E você?

– O que eu quero não vem embrulhado para presente. – Ele tirou um pacote de tabaco do bolso e começou a enrolar um cigarro. Suas unhas estavam sujas por dentro e as juntas dos dedos tinham cicatrizes rosadas. – Para onde vai depois?

– Para a Nova Zelândia. Daqui a quinze dias. Já esteve lá? – quis saber Mia.

– Eu tenho viajado como um aviãozinho de papel. Noah é o dono do avião. – Ele acendeu o cigarro e soprou a fumaça doce no rosto dela.

Por um minuto, talvez dois, não disseram mais nada enquanto observavam o surfe. Noah pegou uma onda ainda em formação, atingiu a crista e cavalgou-a para frente e para trás em meio a uma nuvem de espuma.

– Incrível, não é?

– Sim, ele é incrível – ela disse, com os olhos cravados no mar. – Ele nunca competiu?

Jez olhou fixamente para ela.

– Foi profissional durante cinco anos. Era pago para surfar as melhores ondas do mundo.

— Ele nunca disse...
— Ele nunca diz muitas coisas.
— Quer dizer que ele recebia patrocínio?
— Sim. Era patrocinado pela Quiksilver. Até que largou o circuito.
— Por quê?
— Isso você terá que perguntar para o próprio Noah.

Ela o olhou de soslaio, sem saber ao certo o que ele queria dizer. Noah já tinha dito que surfava muito com Jez quando criança. E que eles eram muito unidos e aproveitavam toda folga na escola para pegar ondas.

— E você nunca se interessou em surfar profissionalmente?

Ele soltou a fumaça sorrindo.

— Digamos que nunca tive oportunidade para isso.
— Que bom que agora vocês podem viajar juntos.
— É bom não ter compromissos. Podemos ir para onde bem quisermos. Noah adora isso — disse Jez, olhando nos olhos dela.
— Sem amarras.

Ele deixou as palavras suspensas no ar e levantou-se.

— Até logo, Mia. — Jogou a guimba do cigarro acompanhada de uma fumaça tênue numa fenda por entre as rochas.

Natal na praia não era bem o plano, e ela então se viu submetida à solidão. Fechou os olhos e se perguntou o que Katie estaria fazendo naquele momento. Será que já estava almoçando com a família de Ed, com músicas natalinas tocando discretamente ao fundo? Será que ainda estavam nos drinques e Katie segurava uma taça de champanhe, com o anel de noivado brilhando à luz de um candelabro? Claro que tinha comprado roupa nova para a ocasião e talvez estivesse com o cabelo puxado para trás e com uma delicada gargantilha de prata no pescoço. E depois imaginou que Ed acariciava Katie e se arrepiou de frio. Será que devia deixar a irmã se casar com ele?

Mia tirou o diário da bolsa e o pôs em cima dos joelhos. Começou a escrever em uma página em branco, a princípio com a caneta se movendo hesitante e logo ganhando velocidade.

As palavras preencheram a página como uma bebida derramando dentro de uma xícara. A verdade verteu crua e feia enquanto confidenciava para o diário aquilo que a fraqueza não lhe permitia dizer para Katie: *"Você não pode se casar com um homem que a traiu. E muito menos com um homem que a traiu comigo."*

15

Katie

(Austrália Ocidental, junho)

Katie mantinha as páginas do diário entre os dedos trêmulos. Logo que terminou a leitura ergueu os olhos.

Ed ancorava-se com a palma das mãos apoiadas na superfície polida da penteadeira. Estava de cabeça pendida e o espelho acima refletia uma falha no cocuruto, onde o cabelo começava a rarear. Ele sabia disso, e quando acordava pela manhã embaralhava aquele ponto com os dedos, um gesto que, além de cativar, também deixava Katie feliz, já que se abria uma brecha de fragilidade naquela armadura tão segura de si.

– Você se deitou com minha irmã?

Ed girou o corpo. O rosto empalidecido contrastava com os lábios escuros.

– Eu sinto muito. – Ele passou a mão no queixo. – Aquilo foi um baita erro.

– Como aconteceu? – Agora, ela era um jogador de pôquer sem nada a perder.

– O quê? Eu... – Ele despencou.

Nas seis páginas arrancadas Mia escavava uma peça enterrada na história de Ed, o relato colocava em questão tudo o que Katie pensava conhecer. Acabava de ler que a irmã e o noivo tinham feito sexo no corredor escuro de um bar em Camden, colidindo com um quadro que se espatifou na parede e espalhou cacos de vidro por todos os lados, cortando o tornozelo de Mia.

– Aquilo foi um erro. Você precisa entender que nós estávamos totalmente bêbados.

– Você não me contou.

– Não contei. – Ele repetiu. – Não contei. É que me arrependi tanto daquilo que nunca contei a ninguém. Eu não queria magoar você, Katie.

– Mesmo assim, apareceu no bar onde minha irmã trabalhava, pagou um drinque atrás do outro para ela e depois fez sexo com ela no corredor.

– O que você leu – ele explicou – é a versão dela.

– Diga então a sua. – Ela cruzou os braços para esconder as mãos trêmulas.

Ele respirou fundo.

– Lembra que no aniversário de Freddie eu falei que me reuniria com os rapazes depois do trabalho? Começamos a beber no Embankment e terminamos... só Deus sabe como, numa adega em Camden. Nem passou pela minha cabeça que Mia trabalhava lá; ela não parava de sair de um trabalho para outro; nunca prestei atenção nisso. – Ele sacudiu a mão no ar, um gesto para definir Mia: inconstante e inquieta. – Só reparei nela porque estava usando o seu vestido. Aí me vi forçado a olhar de novo.

Katie se reprimiu para não deixar transparecer que não estava disposta a ouvir o resto da história. Mas continuou ouvindo sem dizer nada.

– E depois que Mia terminou o serviço, eu a convidei para tomar um drinque conosco. Embora possa soar ridículo agora, lembro perfeitamente que pensei: *Katie vai ficar feliz quando contar pra ela.* Eu sabia que você se incomodava porque não nos dávamos bem.

Nisso ele estava certo. Ed e Mia pertenciam a mundos diferentes, e Katie se sentia com braços curtos para abraçar a ambos. Toda vez que Ed falava de negócios, Mia chamava a atenção de Katie, com uma elaborada mímica onde fingia cochilar e aqui e ali sacudia a cabeça, como se acordando, e lançava um sorrisinho encorajador para ele. Uma vez ele a flagrou no meio da representação e disse: "Será que a conversa ficará mais agradável se na próxima vez eu falar de trabalho em bares e de débito estudantil?" Mia fez um gesto com o dedo para ele e saiu fora.

Ed continuou:

– Eu e os rapazes já estávamos altos quando Mia se juntou a nós. Ela se empenhou em se igualar a nós, e Freddie, como você pode imaginar, encorajou-a. Todos nós bebemos além da conta. Quando o bar fechou me ofereci para colocá-la no táxi porque sabia que você se preocupava quando ela insistia em andar pelas ruas. Não consigo me lembrar claramente do que aconteceu depois, mas antes de pegarmos um táxi, sei lá como, acabamos... – Ele limpou a garganta. – Foi ridículo, sem nenhuma premeditação, sem nenhuma convicção. E me envergonho profundamente de mim mesmo.

Katie havia aprendido algumas coisas sobre o poder da pausa num seminário de negócios. Limitou-se então a esperar que a explicação de Ed se engolfasse em silêncio enquanto ele descruzava as pernas, empertigava-se e enfiava as mãos nos bolsos.

– Que interessante – disse por fim –, o relato de Mia no diário é um pouco diferente. Na pressa em arrancar as páginas, imagino que não tenha tido tempo de lê-lo por inteiro, por isso vou refrescar sua memória com alguns detalhes.

A cor voltou ao pescoço de Ed e subiu até o rosto.

– Segundo o relato no diário, você começou a flertar desde o momento em que Mia se juntou à mesa, e insistiu em pagar um drinque atrás do outro para ela. E quando saiu para colocá-la no táxi – Katie folheou as páginas soltas para encontrar o trecho que queria –, Mia anotou, *Ed pôs a mão na base da minha coluna e sussurrou: "Você está tão sexy neste vestido. Mas o que será que está usando debaixo dele?" Estremeci e disse: "Dê uma olhada." E foi o que ele fez.*

Katie parou de ler e olhou para Ed, que enlaçou a nuca com as mãos, deixando os cotovelos abertos no ar.

– Preciso dizer que na verdade essa imagem é maravilhosa para mim. Uma lembrança e tanto.

– O que importa na verdade é o fato; traí sua confiança. A bebedeira não é desculpa. O fato aconteceu e estou fazendo de tudo para consertar as coisas.

Ela abaixou os olhos com as mãos trêmulas e ainda segurando as páginas arrancadas. A posição de jogador de pôquer se desmoronava. Ed era o noivo dela. Ela o amava. Ele era tudo o que restara agora que a mãe e Mia não estavam mais presentes. As lágrimas rolaram pelo seu rosto.

– Querida – disse Ed, caminhando até ela. – Por favor, não chore.

Soaram passos no corredor lá fora, seguidos pelo ruído das rodinhas de uma mala e de uma chave abrindo uma fechadura; ela queria ser aquele hóspede, queria estar em outro quarto, queria uma outra vida.

Ele sentou-se ao lado dela, abaixando o colchão da cama com o peso e deslocando-a de encontro ao corpo dele. Não tocou nela, mas disse baixinho:

– Amo você, mais do que tudo na vida. Já tivemos muitos momentos maravilhosos juntos, e não estou preparado para jogar nosso futuro pela janela por um erro atroz. Minha família toda adora você. Sei muito bem que se estragar tudo, eu serei renegado por eles. Você sabe que a amo demais... Cruzei o mundo para ficar com você... Eu imploro que me perdoe.

Ela não parou de chorar. Será que lhe perdoaria? Ele estava pedindo demais. Claro que eles tinham desfrutado momentos maravilhosos, mas um relacionamento não se reduz a uma tabela de experiências boas *versus* experiências más. Um relacionamento tem a ver com confiança e honestidade. Mas talvez também tivesse a ver com perdão e compreensão.

– Vou pegar alguns lenços de papel pra você – ele disse.

Enquanto ele se dirigia ao banheiro, ela o observava e evocava a imagem de Mia deitada no piso preto e branco de azulejos do banheiro em Londres, como um peão tombado no tabuleiro de xadrez. Mia estava com o vestido em tom jade da irmã enrolado à cintura. E quando Katie surgiu no umbral da porta, ela ergueu a cabeça e desviou os olhos, sem coragem para encará-la. Tudo tinha acontecido naquela noite.

Ed retornou com uma caixa de lenços.

– Na noite que você transou com Mia – o tom de Katie tornou-se mortalmente sereno –, ela dormiu no piso do nosso banheiro. Encontrei-a na manhã seguinte.

Ed petrificou.

– Ela estava muito bêbada?

– Nós dois estávamos muito bêbados.

Katie olhou para a janela. Não se extasiou nem com a paisagem do lago banhado pelo sol do crepúsculo nem com as prístinas vinhas que se espraiavam ao longe; lembrou-se de algo mais daquele dia. Estava preparando um risoto na cozinha quando Mia entrou em trajes de corrida. Perguntou se Mia estava bem de cabeça e se precisava de um curativo para o ferimento no tornozelo. Foi quando Mia anunciou a viagem.

Ela voltou-se para Ed.

– Depois de ter trepado com você, Mia marcou uma viagem de merda ao redor do mundo só pra ficar longe!

Ele não se espantou com a linguagem; talvez já estivesse se acostumando com a nova Katie, a que saía das lágrimas à raiva com espantosa rapidez.

– Eu o procurei quando soube que Mia sairia de viagem. – Uma panela de cebolas queimadas que deixara esfriando fez o apartamento cheirar a cebolas queimadas durante dias. – Eu estava aborrecida porque ficaria sozinha, e você se lembra do que me disse? Você me disse que "uma mudança de cenário será bom para Mia". E eu que pensei que você estava sendo compreensivo... A verdade é que estava aliviado por vê-la partir.

– Katie...

Ela já tinha encontrado o próprio ritmo e não estava disposta a mudá-lo.

– Se não fosse por você – disse, elevando a voz aos poucos –, ela nunca partiria daquela maneira. Bem que desconfiei de que houvesse alguma coisa por trás. Até tentei tocar no assunto com você no funeral, mas você me disse que Mia era apenas uma *jovem impulsiva e entediada*. – A raiva queimou na garganta e a fez trincar os dentes. – Mia nunca viajaria se você não tivesse trepado com ela. Não teria perdido a vida em Bali. Não teria pulado do alto daquele penhasco. Foi sua culpa, Ed. Sua!

– Espere aí! Eu não obriguei Mia a fazer sexo comigo. Assim como não a obriguei a viajar e muito menos a pular de um penhasco.

Katie arregalou os olhos.

– O que foi que você disse?

– Eu disse aquilo que a polícia, o legista e as testemunhas, todos eles, acreditam. Isso é suficiente para mim.

– Era a minha irmã! E quer saber no que *eu* acredito? Ninguém a conhecia mais do que eu!

– Você nem sabia que ela estava em Bali.

A observação atingiu-a como um soco na boca do estômago.

– Cristo, você não vê que essa sua obsessão se tornou doentia? Você tem corrido de um lado para outro pelo mundo afora, agarrada a um diário como se fosse uma tábua de salvação. Mia está morta. Cometeu suicídio. Sinceramente, sinto muito por isso, de verdade, mas é preciso aceitar os fatos.

Katie agarrou o objeto mais próximo que surgiu à vista: o laptop dele.

– Que diabo está fazendo?

Ela ergueu o laptop acima da cabeça.

– Vai com calma, Katie! Você precisa se acalmar.

O computador pesou nos dedos e nos punhos dela.

– Todos os meus contatos estão nesse computador. Isso é muito importante para mim.

Ela olhou para as páginas do diário espalhadas em cima da cama.

— Da mesma forma que o diário da minha irmã é importante para mim. — Lembrou-se do olhar de surpresa de Ed quando soube que Mia escrevia um diário. E de que flagrara Ed folheando o diário um dia após tê-lo encontrado, *só checando para que não haja nada que possa aborrecê-la*, ele se justificou. — Você mentiu esse tempo todo na tentativa de apagar as pistas...
— Eu estava protegendo você.
— Me protegendo? — Só então ela se deu conta de que Ed quis pegar o diário de qualquer maneira para ver se Mia o tinha implicado. Mas ela tomara o cuidado de mantê-lo sempre à vista. Até aquele dia. — Você me convenceu a dar um passeio pela cidade só para ficar sozinho com minha bagagem no quarto...
— Eu precisava fazer isso, Katie! Precisava acabar com isso antes que você fizesse algo de que se arrependesse.

Talvez impelida pelo tom dele ou pelo fato de que ela própria não estava no controle, ela inclinou os braços para trás. E depois arremessou o laptop pelo quarto com toda força.

Ouviu quando Ed prendeu o fôlego e quando o computador se espatifou contra a parede, com um delicioso estrondo. Cacos de vidro e de plástico prateado choveram no carpete e a tela separou-se do teclado, deixando para trás uma depressão na pintura.

— Jesus Cristo!

Ela pegou o diário com toda calma e o enfiou na mochila. Ed olhou fixamente para ela.

— Você não é a mulher por quem já me apaixonei um dia.

Ela se olhou de relance no espelho. Estava com o cabelo solto ao redor do rosto e a maquiagem já tinha ido com o dia. Os olhos dançavam de raiva. A mochila desbotada com alças desgastadas e promessas de aventura já não parecia tão incongruente às costas.

— Você está certo, Ed. Não sou mesmo.

***

Katie seguiu os sinais que levavam ao setor de informações turísticas e chegou à frente. Uma funcionária fez um círculo com uma caneta alaranjada em torno de um albergue no mapa e disse.

– É uma caminhada de quinze minutos.

Dez minutos depois Katie estava lá. Foi levada a um dormitório onde três garotas trocavam de roupa. O chão tinha botas de caminhada e meias suadas e o ar cheirava a desodorante. Desesperada para não parar, para não pensar, desandou a falar freneticamente e acabou descobrindo que fazia dez dias que as garotas, duas da Nova Zelândia e uma de Quebec, caminhavam ao ar livre e que elas só tinham feito uma parte da trilha. Também contaram que o litoral era amplo e que os grilos emergiam da terra como fogos de artifício e saltavam para as canelas dos caminhantes.

Meia hora depois elas se encontraram em um bar que servia pizzas gigantescas. As garotas comeram com avidez, mas o estômago de Katie estava fechado para comida, e ela então só bebeu vinho, o líquido desceu garganta abaixo como um raio de sol. No bar seguinte todas beberam e jogaram pôquer, e as garotas disseram que Katie era uma profissional porque as tinha vencido, utilizando truques que elas também utilizavam.

E agora elas chegavam a um bar lotado, onde uma banda de rock tocava num palco improvisado e as fez gritar para se ouvirem. Elas arranjaram um jeito de sentar em volta de uma mesa manchada e riscada. Katie pôs o copo vazio na mesa, sentindo a cabeça leve e remotamente ligada ao corpo.

– Já cheguei – disse Jenny, uma das peregrinas de coxas musculosas e sorriso perverso.

– Sem chance, esse cara não é solteiro – retrucou a garota de Quebec, inclinando-se para frente a fim de que todas ouvissem.

– Ele faz pelo menos, digamos... dez a vinte expedições por ano? Provavelmente ensacou alguma garota sensual em uma dessas expedições.

– E vai ensacar outra nessa viagem. – Jenny soltou uma piscadela e todas riram.

O anel de noivado de Katie projetou um cardume de luz sobre a mesa, e ela mexeu os dedos e fez a luz sair nadando. E pensar que entrara em êxtase com o brilho que saiu de dentro da caixinha de couro preta quando Ed a presenteou. Era um diamante de lapidação princesa, acoplado em aro de platina. Apaixonara-se pela elegância discreta e o simbolismo do anel.

– Continuará usando? – perguntou Jenny.

– Livre-se desse treco – disse a garota canadense. – Faça uma cerimônia... jogue-o no trilho de um trem... um gesto final de *foda-se*.

– Nada disso! Vende! – gritou Jenny. – E gaste a grana com alguma coisa que ele odeia. Drogas, bebida, *strippers* masculinos.

Katie soltou uma risada. Já estava com os lábios anestesiados. Tirou o anel e o enfiou no fundo da bolsa.

– Minha rodada.

As estridentes guitarras da banda ainda soavam quando ela se acotovelou no balcão, agora quatro vezes mais entupido de gente. Uma *bartender* se debruçou para frente com a mão em concha no ouvido para ouvir o pedido da freguesa, que depois de uma segunda tentativa aos gritos simplesmente apontou para a bebida e ergueu quatro dedos.

Era essa a zoeira na sua adega suja, Mia? Você também se debruçou e se aconchegou em Ed para ser ouvida melhor? Ele notou que você cheirava a jasmim e estava com bafo de álcool? Por acaso você olhou para ele com aqueles olhos duros que tanto o enfureciam? Só que dessa vez você abriu os lábios com um sorriso insinuante e sedutor: "Bem, e então?"

Você estava usando o meu vestido. Você nunca me pediu esse vestido emprestado. Ficava muito curto no seu corpo. Nunca disse para você, mas aquele vestido era vulgar. E talvez por isso Ed tenha gostado. Claro que aquele grupelho de amigos ficou impressionado, uns engravatados embasbacados com uma bartender *que olhava como uma patroa e seduzia enquanto dançava.*

Talvez você estivesse bêbada... Mais do que estou agora? Mas você sabia o que estava fazendo quando se deixou agarrar pelo meu noivo. Chego a vê-lo abaixando as alças finas do meu vestido nos seus ombros. Ele a beijou em seguida ou foi mais íntimo com você? E você não pensou em mim nem sequer uma vez? Sua irmã! O noivo dela! Não pensou nos meus sentimentos nem sequer por um segundo?

Katie se viu espremida e empurrada por corpos pegajosos e suados, e isso a fez pintar um quadro de Mia e Ed juntinhos: os lábios dele colados no pescoço dela, o piercing no umbigo dela, o vão entre as coxas dela. Será que ele preferia as pernas longas e a barriga sarada de Mia? Será que a achava mais bonita? Ou só queria provar o lado selvagem de Mia, apenas um prato diferente?

Como é que você se tornou o que era, Mia? Sem amarras, sem limites e sem expectativas em relação a você? Uma vez você disse que eu era a irmã solar de cabelos cor de sol que prendia os amigos com laços de margaridas. E definiu a si própria como a de cabelos negros e espírito sombrio que vagava solitária pelas praias. Mas nunca nos vi dessa maneira. Eu a via como a própria liberdade, como um mar aberto. E a invejava por isso.

Katie desabotoou os botões de cima do vestido com dificuldade e ajeitou o sutiã de maneira que os seios se sobressaíssem. Arrumou o cabelo atrás das orelhas e lambeu os lábios.

Um cara de braços bronzeados com uma camiseta de mangas cortadas piscou para ela ao lado. Ela sorriu de olhos entreabertos. Uma pessoa que estava sentada à frente dele se afastou do bar e ele acenou para que ela se sentasse ali. Ela se esgueirou por um vão e logo outros corpos se fecharam em volta enquanto o corpo dele se encostava atrás dela.

– Qual é seu nome? – ele perguntou, soltando um hálito quente na orelha dela.

– Mia – ela respondeu, sentindo que alguma coisa se soltava por dentro dela.

– Você é muito sensual, Mia.
– Quem sabe a gente se encontra mais tarde.
Ela pediu doses duplas para a mesa e levou-as em uma bandeja prateada com bebida derramada. Ela e as garotas entornaram os drinques de uma só vez e bateram os copos sobre a mesa. Em seguida, ajeitaram-se na pista de dança que cheirava a suor e cerveja. Katie saiu rebolando os quadris ao ritmo da banda, pulsando álcool e música pelo corpo todo. As outras garotas riram, trocaram piadinhas e saíram dançando, mas a essa altura Katie já se sentia bem longe dali. As vozes cruzavam o ar e os corpos giravam e se contorciam brilhantes ao redor. Ela também se contorcia com sensualidade e não saiu da pista quando as outras garotas saíram.

Até que ela passou a ser o centro das atenções enquanto dançava de olhos fechados e com as mãos girando no ar. *Foi assim que você dançou naquela noite? Foi assim que Ed quis você?*

Ela incrementou ainda mais os movimentos da dança, sem se preocupar com o que os outros pensavam nem com o fato de que estava bêbada.

O cara de camiseta de mangas cortadas pôs-se à frente e segurou-a pela cintura.

– Olá, Mia.

Ela sorriu ao ouvir o nome da irmã e jogou a cabeça para trás. Uma bola de espelhos que girava lá no alto refletiu a imagem dela em milhares de fragmentos.

Ele empurrou os joelhos por entre as pernas dela. Já de quadris colados, ela o abraçou pela cintura para se equilibrar, e logo sentiu o gosto de sal e uísque de lábios molhados e sedentos nos lábios dela.

Eles saíram dançando; ele a fez girar até que as luzes da pista de dança se tornaram um borrão. Ela suava por baixo do vestido e a cabeça já estava doendo.

– Preciso ir ao banheiro – disse, afastando-se.

– Eu vou com você – ele disse, e ela se deixou pegar pela mão e ser levada ao banheiro. Ele esperou do lado de fora.

O cubículo cheirava a urina e vômito. Ela fechou a porta com dificuldade, tropeçou ao tirar a calcinha e apoiou-se no porta-papel higiênico para não cair.

— Tudo bem aí, querida? — gritou uma mulher no cubículo ao lado.

— Tudo bem — ela respondeu, com a cabeça girando.

Só quando lavava as mãos numa pia entupida de toalhas de papel é que se deu conta de que o cara a esperava. Faria sexo com aquele estranho de braços musculosos e beijos ávidos. Faria isso porque estava muito bêbada para recusar. Faria isso porque não era a mulher por quem Ed se apaixonara. Faria isso porque não estava nem aí para dizer não.

Saiu do banheiro com as mãos ainda molhadas. Foi enlaçada pelo pulso com um aperto forte e, depois, puxada para longe.

Soaram vozes distantes do lugar onde Katie estava deitada. Ela abriu e moveu uma fração de olhos, trazendo o mundo ao foco. Levou a mão à frente do rosto para tapar o sol que entrava no quarto. Onde estava?

Engoliu em seco e sentiu a boca inchada e ressecada. Era a bebida. Reprimiu a imagem de Ed segurando um punhado de páginas. Eles tinham brigado e rompido o noivado. Abaixou os olhos e o anel não estava no dedo.

Levantou-se com muito esforço e os beliches vazios ao lado a fizeram perceber que aquilo era um albergue. As caminhantes. Saíra para beber com as caminhantes. Lembrou-se de um homem aproximando a boca. Saiu da cama nauseada e atordoada. Respirou fundo diversas vezes, com a cabeça latejante.

Que diabo tinha acontecido? Será que tinha feito sexo com aquele cara? Eles tinham ficado juntos no bar, disso estava certa. E tinha dito a ele que se chamava Mia. Mais tarde, eles tinham dançado. E depois tinha ido ao banheiro... Com ele?

Katie se deu conta de que ainda estava com o vestido da noite anterior, enrolado à altura da barriga e com manchas de cerveja por todo lado. O coração bateu descompassado. Ela quis se arrastar pelo chão. *É assim então que é ser você?* Desabotoou os botões do vestido e o tirou pela cabeça. Jogou no chão e ficou de calcinha e sutiã. *O que foi que eu fiz?* Tropeçou numa mesa e derrubou uma garrafa de plástico com água. A garrafa rolou e parou ao lado de um bilhete com o nome dela. Ela o pegou.

Katie,

Achei que você poderia precisar disso. [Duas setas em forma de mão apontavam para a água e para um envelope de comprimidos para dor de cabeça]. Espero que não se importe por ter sido trazida de volta. Ele não fazia o seu tipo!

Com amor, Jenny

P.S. Não se esqueça de vender o anel! Compre uma passagem para Nova Zelândia e aproveite!

Jenny a tinha agarrado pelo braço e a levado para fora do banheiro do pub. Só agora se lembrava do sujeito que protestara com ar ameaçador e uma veia pulsando furiosa no pescoço porque queria levá-la para casa e não conseguia o seu intento.

O alívio a inundou. Logo engoliu dois comprimidos, enrolou-se numa toalha e saiu em direção aos chuveiros. Encontrou um cubículo vazio, pôs o chuveiro no modo quente e entrou debaixo. Com a água escaldante queimando o couro cabeludo e avermelhando a pele do peito, encheu os pulmões com o vapor que a engolfava, lavou o cabelo, passou sabonete pelo corpo e se deixou enxaguar pela água.

As lágrimas rolaram pelo rosto sem avisar. Sacudida por soluços intensos que eram abafados pelo chuveiro, apertou os olhos e a cabeça latejou pela dimensão do ocorrido. O casamento seria cancelado; os convidados seriam avisados, e os contratos, também cancelados. Mas não era só isso. Não era só o noivo que perdia, também perdia uma vida que planejaram juntos – A casa dos sonhos e as brincadeiras dos filhos nessa casa.

Olhe o que você fez comigo, Mia! Estou sozinha na Austrália e soluçando debaixo de um chuveiro de albergue. Meu noivado acabou. E não tenho mais ninguém. Você arruinou tudo! E para quê? Para uma foda apressada naquele corredor?

Com um movimento repentino, passou o chuveiro para o modo frio. Engasgou de olhos arregalados. A água fria escorreu pela cabeça e espinha abaixo. Colocou-se em alerta, com a pele formigando. Fechou o chuveiro, recuperou o fôlego e a raiva desvaneceu.

Enquanto a água fria escorria pelo corpo, Katie evocava o relato de Mia. *Você encheu seis páginas com detalhes daquela noite. E no final se perguntou: "Por que fui me meter com ele?"*

E respondeu com uma única frase no rodapé da página: "Porque sou uma puta."

Mas agora posso entendê-la melhor, Mia. Não acho que você era a garota de cabelos negros e espírito sombrio que pensava ser. E sei por que você transou com Ed. Você queria tirar de mim a pessoa mais importante de minha vida.

Da mesma forma que tirei Finn de você.

16

Mia

(Austrália Ocidental, fevereiro)

Ela mergulhou novamente. O corpo, uma deslizante seta subaquática; os dedos dos pés, apontados; os dedos da mão, unidos; e o cabelo, uma suave trilha negra. Atravessou o mar como um peixe, os olhos abertos, a ferroada do azul embaçado da água salgada e os ouvidos entupidos de zumbidos e ecos marinhos. Depois, posicionou os braços nos lados, arqueou as costas e impulsionou o corpo para cima, emergindo com o sol no rosto.

Em volta, o mar sem brisa era sereno; a praia, vazia, e a floresta de eucaliptos ao longe, sossegada. Ela então boiou de costas e de olhos fechados. Com o ar espesso podia sentir o peso do calor circundante. Seria tão bom se estivesse boiando ao lado de Katie, ambas totalmente sem peso pela ação do mar. Foi pega de surpresa por esse pensamento. Fazia anos que não nadavam juntas, e ela se perguntou com uma pontada de dor por que ainda sentia tanta falta disso.

Girou o corpo na água e nadou de volta. Caminhou pela areia, com a água escorrendo pelo corpo. Depois de torcer o cabelo, sacudiu a areia da toalha de praia e enrolou-se nela.

Caminhou de volta ao albergue e deixou um rastro de areia no corredor em direção ao dormitório de Noah. Não havia previsão de ondas, talvez pudesse passar o dia inteiro com ele. Zani comentara sobre uma enseada deserta a vinte quilômetros da costa que era regularmente visitada pelos golfinhos. Mia achara um link na internet com orientações do percurso até a enseada e planejava fazê-lo com Noah.

Ao bater na porta se imaginou desenrolando a toalha e deitando na cama ao lado do corpo quente dele. Sem resposta, girou a maçaneta e entrou.

O quarto estava vazio e sem os pertences dele, e a cama, desfeita. O sangue pulsou no pescoço dela.

Saiu correndo pelo corredor em direção ao dormitório de Jez. Bateu duas vezes na porta e entrou. Uma fileira de beliches desfeitos emoldurava o ambiente. Engoliu em seco, pensando que haveria uma explicação.

Apertou a toalha no peito, foi para o lado de fora e seguiu o perímetro do albergue que levava à garagem. Entrou em meio à penumbra mofada e se deu um tempo para adaptar os olhos. O galpão estaria vazio se não fosse pela enorme prancha comunitária sem barbatana do albergue.

Mia saiu atrás da caminhonete que estaria na vaga de cascalho debaixo dos eucaliptos.

A camionete de Noah não estava lá.

Saiu correndo de volta em direção ao balcão de recepção.

– Olá, o que aconteceu? – perguntou Karin, a metade alemã do casal que dirigia o lugar.

– Cadê o Noah? Ele estava no quarto 4.

Karin fechou um olho e olhou para o teto com o outro.

– Fechou a conta – disse, abrindo os dois olhos. – E os caras do dormitório 7 também.

– O quê? E quando saíram?

– De manhã cedinho.

– E para onde foram?

– Não faço a menor ideia – respondeu Karin, pegando uma caneca de café e soprando-a para esfriar. – Falaram alguma coisa sobre uma boa previsão. Não estão sempre à procura disso?

— E eles vão voltar?
— Já teriam feito reservas se estivessem pensando em voltar.
— Karin puxou um livro de reservas azul com uma das mãos e folheou as páginas casualmente. — Não, o mês que vem está vago.
Ele não podia ter partido. Dois dias antes estavam deitados na relva enquanto ele descrevia os lugares por onde já tinha passado: ilhas sem estradas, ondas que quebravam em florestas, peixes alados, baleias cantantes. E ela se empolgara com essas aventuras e projetara outras em praias franjadas com as pegadas de ambos.
— Alguma mensagem pra mim?
Karin abriu a palma das mãos.
— Sinto muito, querida. Não deixaram nada comigo.
— Mia!
Ela girou o corpo, com renovada esperança. Mas era Finn que chegava, segurando uma torrada que escorria geleia pelo dedo polegar.
— Foi bom o mergulho? — perguntou, lambendo os lados do dedo.
— Noah fechou a conta — ela disse. — Ele foi embora.

Finn olhou fixamente para Mia, que estava com o cabelo molhado e puxado para trás e com os cílios colados em triângulos negros. Ela puxou a ponta da toalha do peito e deixou entrever um rastro seco de água salgada que percorria o colo e o punho.
Até parecia aquela Mia dos anos de adolescência que ele aguardou do lado de fora da sala de aula de matemática para dizer que a BMX dela tinha sido roubada. Ainda se lembrava daquele dia. Ele a viu tão perturbada que depois da escola gastou as economias que tinha para comprar uma velha bicicleta com o aro da roda amassado em uma loja de bicicletas usadas. Passou o fim de semana consertando-a. Raspou a ferrugem, substituiu os grampos dos freios e repintou-a de azul-celeste — a cor que ela

mais gostava. Ela chorou de tanto rir quando ganhou a bicicleta de presente no anoitecer do domingo. Resolver aquele problema o tinha gratificado demais, mas não fazia a menor ideia de como resolver esse novo problema.

— Vocês se encontraram? Ele disse alguma coisa pra você?

Uma pequena nota de esperança na voz de Mia arranhou o coração de Finn. Mas o que poderia dizer para ela? Que Noah entrara na cozinha enquanto ele estava fazendo café e disse que estava partindo para Bali? Será que devia contar para ela que ele perguntou "Mia já sabe?", e que Noah respondeu, "não a encontrei. Pode dizer a ela por mim?".

A indiferença daquele cara era um insulto. Isso não podia ser dito. Finn preferiu dizer o que acabou dizendo:

— Sinto muito, também não o vi.

Abaixou os olhos.

Antes, porém, olhou as sardas delgadas marcadas no nariz de Mia pelo sol. Morreu de vontade de tomá-la nos braços, mas sabia que não era ele que ela queria.

— Noah partiu para surfar.

Ela mordeu o lábio inferior. Finn não suportaria se ela chorasse.

— Ele devia ter me contado. Não consigo acreditar que fez isso comigo.

Nem eu, Finn pensou.

Fazia semanas que trilhavam a mesma rota de Noah, e observava de longe o romance entre os dois. De noite, mantinha-se acordado no quarto e ouvia o movimento dos outros mochileiros enquanto esperava por ela. Ouvia o clique da porta que se abria e mirava o triângulo de luz que banhava o quarto, até que soavam passadas suaves que atravessavam o linóleo. A silhueta da sombra de Mia subia a escada do beliche e depois ela se mexia na cama de cima, ajeitava travesseiros e lençóis e se acomodava. E a cada noite que ela voltava para o quarto, ele se fazia a mesma pergunta, *como é que esse cara a deixa de lado?*

Finn se distraía com um grupo de europeus que passava uma temporada em Margaret River. Juntou-se a eles para uma empreitada de quinze dias de colheita de uvas numa vinha local e dobrou o dinheiro em jogos de pôquer com eles à noite. Não era difícil evitar Noah – o cara passava o dia inteiro na água e não saía da praia antes de escurecer.

Certa tarde, Finn se deteve no meio de uma caminhada pela península para assistir às grandes ondas que se quebravam no pontal. Uma camionete estacionou e Noah saiu de dentro. Ele o cumprimentou com um aceno de cabeça e depois pegou a prancha e mergulhou do pontal da península. Finn o observou por alguns minutos. O talento de Noah com as ondas era notório, mas o que o tornava excepcional era o destemor. Finn o admirou por isso enquanto o observava pegando uma onda atrás da outra, e se deu conta de que nunca iria gostar dele. E não simplesmente porque Noah era amado por Mia, mas porque ele não tinha o menor carinho por ela. O cara não conseguia enxergar que era o sujeito mais sortudo do mundo quando retornava da água e a encontrava esperando na praia de braços enlaçados nos joelhos bronzeados e sorrindo para ele. Quando entrava no quarto e ela o olhava, ele nem a beijava nem a abraçava. E quando empacotou a prancha e se mandou para Bali, nem se deu conta do que estava deixando para trás.

Mia deitou-se de barriga para baixo no colchão do beliche e escreveu:

Seis dias. Nenhuma palavra ainda. Amanhã voaremos para Nova Zelândia. Uma parte minha está desesperada para partir, mas a outra parte quer ficar porque a patética verdade é que quero estar aqui se por acaso ele voltar.

Outro casal se mudou para o quarto 4. O sujeito pendura shorts insípidos no parapeito da varanda onde a roupa de Noah secava, e minha vontade é tirá-los dali e esfregá-los na

poeira. A namorada me provoca ainda mais raiva: é ela que agora deita na cama de casal e sente o rangido e o movimento das molas debaixo do corpo quando faz amor. Quero jogá-la para fora daquela cama, selar o quarto e impedi-los de atropelar minhas lembranças.
Talvez seja hora de ir para a Nova Zelândia.

Fechou o diário, colocou-o debaixo do travesseiro e depois deitou de barriga para cima, com os olhos perdidos nas rachaduras da pintura do teto. Aos 7 anos costumava descer a escada do beliche para se deitar na cama de baixo, a de Katie, cujo cintilante dossel a fazia se imaginar uma princesa. Mas isso nunca parecia real. Faltavam-lhe os passos graciosos, as inclinações corteses e os trajes maravilhosos, de modo que ela voltava para a cama de cima feliz em ser a exploradora de um céu de estrelas inteirinho para navegar.

A porta abriu-se. Soou um arrastar animado de sandálias de dedo, seguido pelo rangido da armação do beliche enquanto Finn subia os dois lances da escada. Ele inclinou a cabeça pelo lado do beliche e sorriu com os olhos faiscantes.

– Eu tenho um plano.

Mia piscou e precisou de um instante para encontrar a frase certa.

– Do que preciso?

– Só de um saco de dormir.

Ela respirou profundamente e sentou-se na cama.

– Você quer fazer isso?

– Está bem. – Ela se sacudiu para entrar em ação e desceu a escada com um saco de dormir.

Eles saíram do albergue em direção a Reds. Finn seguiu à frente e Mia sentiu-se aliviada sob o sopro da brisa ao ar livre. Os grilos cantavam nas moitas e o ar cheirava a eucalipto. Chegaram ao rochedo ao anoitecer, com uma lanterna iluminando o caminho e os pés descalços grudados nas curvas de giz das rochas.

O vento que soprava na costa enrolou o vestido de verão nas coxas de Mia. Ela soltou o casaco de moletom amarrado à cintura e o vestiu. Eles seguiram em frente até que Finn localizou uma rocha onde cabiam os dois sacos de dormir.

– Ainda não contemplamos o céu da Austrália até agora. Achei que poderíamos fazer isso em nossa última noite aqui.

– Ótimo plano – ela disse, acomodando-se em cima do saco de dormir.

Finn tirou uma garrafa de rum da mochila que tilintou em cima da rocha.

– Realmente, um ótimo plano.

Começaram a beber e a ouvir o estrondo das ondas que quebravam no mar, e de vez em quando contemplavam o amplo céu estrelado. Mia agradecia pelo doce líquido escuro que descia pela garganta e lavava as arestas da tristeza.

Passado algum tempo, ela se deitou de costas na rocha e as costelas se sobressaíram quando fez dos braços travesseiro. Lá no alto, as estrelas piscavam e cintilavam.

– Quantas terão lá em cima?

Finn sorveu um gole de rum e deitou-se ao lado dela.

– Li em algum lugar que há mais estrelas no universo que grãos de areia na Terra.

– Em Londres nunca reparei nas estrelas. São obscurecidas pelas luzes das ruas, pelos faróis dos carros, pela excessiva iluminação dos prédios comerciais e pelo brilho de milhões de casas.

– Katie estava em algum lugar de Londres. Lá devia ser de manhã, e ela devia estar à escrivaninha, de cara séria e colada ao computador. – Gostaria que minha irmã visse isso.

Finn apoiou-se nos cotovelos.

– Sente falta dela?

– Às vezes – respondeu Mia, surpreendida por um aperto no coração.

– Vai contar o que soube de Harley para ela?

Mia balançou a cabeça e se deu conta de que já estava tonta com o rum.

— Não quero que saiba que somos meias-irmãs.
— Por quê?
— Isso nos diluiria.
— Como assim?
O álcool sempre encontrava um jeito de romper o canal fechado das emoções, e com isso os sentimentos escoavam em palavras com mais facilidade.
— Mamãe teve um caso. Acha que Katie ficará feliz em saber disso? Isso significa que temos pais diferentes. Isso poderia dividir o que restou da família. — Ela suspirou. — Além do mais, Katie me bombardearia com perguntas sobre Harley.
— E aí?
— E aí eu teria que contar tudo para ela... que ele bebia, que consumia drogas, que às vezes era incomunicável e outras vezes era selvagem e sem controle algum, e que acabou perdendo a confiança dos amigos e da família. E ela acabaria me identificando demais com ele.
— Você precisa esquecer tudo isso, Mia. Você não tem nada a ver com ele.
— Não tenho? — Ela pensou em outra semelhança sombria que partilhava com o pai. — Harley teve um caso com a mulher do irmão.
— Exatamente! E você...
— Transei com Ed.
— O quê? — Finn se pôs de pé. — Quando?
— Um mês e pouco antes de partirmos.
— Você... tomou cuidado com...
— Não!
— Katie sabe?
Mia balançou a cabeça em negativa.
— Vai contar pra ela?
Mia levantou-se; a cabeça girou e ela apertou a testa como se para segurar os pensamentos.
— Ela o ama.
Fez-se uma pausa.

— E por que você fez isso?
— Por raiva.
— Raiva?
— De Katie. De você.
— Mia?
A raiva ferveu dentro dela e borbulhou na garganta.
— Você faz alguma ideia do que significa ter Katie como irmã mais velha? É como estar perpetuamente à sombra. Tudo quanto é cara da escola era apaixonado por Katie. Ela era a popular, a inteligente e a que sempre fazia as escolhas certas.
— Espere aí, isso não é...
— Lembra-se do Frank Hayes dos tempos de escola? Aquele que estava dois anos à nossa frente e que ganhou uma bolsa desportiva para a Ranford Manor?
— Lembro.
— Ficou comigo durante quatro semanas, até que foi lá em casa e ficou babando por Katie. E eu deixei.
Finn não disse nada.
— Você era o único que olhava pra mim antes de olhar pra qualquer outra pessoa quando entrava em algum lugar. — O vento serpenteou do mar e as pontas do cabelo de Mia ondularam.
— E de repente lá estava você com minha irmã.
Ele abaixou os olhos até as mãos.
— O meu melhor amigo. A minha irmã. E nenhum dos dois me contou nada. Ficaram calados durante um mês.
— Desculpe, nós não...
— Odiei Katie por isso. Essa é a verdade.
Mia lembrou-se do dia em que se sentou no sofá xadrez da casa depois de receber a notícia de que a mãe estava com câncer. Enquanto ela estava de olhos enxutos, Katie entregava-se a um mar de lágrimas e as enxugava com os lenços de papel que carregava na bolsa. Depois, Finn chegou e se manteve de pé ao lado da lareira, um terceiro canto de um estranho triângulo; ele mexeu o pé para cima e para baixo enquanto ouvia o diagnóstico, e em meio ao silêncio absoluto passeou com os olhos pelas duas irmãs

sem saber a quem daria conforto primeiro: se a Katie, com os olhos lacrimejantes, ou a Mia, com os olhos de pedra.

No final, Finn nem precisou escolher: Mia saiu de casa e bateu a porta com tanta força que os quadros tremeram nas paredes.

E agora ele se defrontava de novo com ela.

– Mia, a primeira pessoa que enxergo quando entro em qualquer lugar é sempre você.

O tom da voz era sério e ela podia jurar que ele queria dizer algo mais. Algo bem maior do que ela se permitia ver.

Não era Katie que ele via primeiro. Era ela. Mia então se deu conta de que ele só tinha olhos para ela.

Ela o olhou com um estonteante sentimento de nostalgia, como se ainda estivessem em plena infância e isso pudesse ser alcançado e tocado – como se ela pudesse acariciar os anos de lembranças compartilhadas e usufruir a felicidade simples de outrora.

Ela ouviu o quebrar das ondas e olhou para as estrelas que brilhavam mais acima. O mundo girou e resvalou ao longe, e ela estendeu a mão e o pegou pelo braço, como se para se agarrar em algo sólido e firme. E depois se curvou e colou os lábios nos lábios dele.

– Mia...

O tom da voz dizia tudo por si mesmo – ele queria e sempre imaginara esse beijo. Ela o beijou novamente e dessa vez com mais intensidade, como se quisesse se afundar dentro dele para se conhecer melhor.

Eles se deitaram no saco de dormir com as estrelas como pano de fundo. O cabelo dela se espraiou e roçou nos ombros e no rosto dele. Ela tocou no cós do short dele e ele entrelaçou os dedos com os dela para detê-la.

– Não, Mia. Só se você tiver certeza disso.

Claro que havia o calor do rum por dentro do corpo, mas ela sabia que também havia algo mais entre eles. Ela não sabia o que era; só sabia que queria isso.

17

Katie

(Austrália Ocidental, junho)

Katie lia de cabeça inclinada sobre o diário, com a mão direita pressionada à boca e a esquerda agarrada à mesa. Já tinha lido o episódio entre Mia e Finn em cima de uma rocha vermelha plana, onde as ondas rugiam ao longo da noite e as estrelas oscilavam em órbitas douradas pelo céu. E agora lia a respeito de uma intimidade partilhada no saco de dormir que mudaria os contornos de uma amizade.

Levantou os olhos e se deu conta de que a cafeteria estaria vazia se não fosse pela presença de uma garçonete que observava um celular sorrindo consigo mesma. O cappuccino já estava frio, a máquina de café com uma reluzente armação prateada já não estava funcionando e o ritmo do tráfego do outro lado da vitrine da cafeteria já não era tão intenso; tudo parecia mudado. Abaixou os olhos para o diário novamente, agora entendendo a raiva que Mia sentia por ela. Mas isso não a fez se arrepender do caso que tivera com Finn. Até porque aqueles poucos meses com ele tinham sido os momentos mais felizes de sua vida.

Apoiou as costas no encosto da cadeira e se perguntou: *será que fui feliz com Ed?* Fazia três semanas que ele retornara para a Inglaterra, de onde telefonara diversas vezes por dia, deixando mensagens apologéticas para ela. Embora tivesse digitado o número dele por duas vezes, já que se sentia solitária e o queria de volta, nas duas vezes acabou desistindo e, em vez de telefonar para ele, telefonou para Jess, que não hesitou em fazê-la lembrar por que o noivado tinha sido desfeito.

Katie achava que era apaixonada por Ed, mas agora se perguntava se o que realmente amava não era a ideia de manter um relacionamento. Ed era inteligente, charmoso e bem-sucedido, mas nunca a surpreendia e tampouco a desafiava. Além do mais, nunca tinha passado uma noite inteira conversando com ela e nunca a tinha feito rir a ponto de fazer a barriga doer.

Assim, se deu conta de que apenas uma pessoa tinha feito isso.

O que Mia relatava no diário sobre a intimidade que desfrutava com Finn também abriu as lembranças de Katie, lembranças que até então guardava trancadas no coração. E ela resvalou de volta no tempo e se permitiu relembrar...

Katie abriu a tampa da churrasqueira que já estava fria e jogou alguns pacotes de alumínio chamuscados no prato com sobras. Abriu a extremidade de um pacote e lá estava uma espiga de milho brilhante e dourada. Estendeu-a para a mãe.

– Não posso – disse a mãe, colocando a palma da mão em cima do estômago.

– Mia?

Sentada de pernas cruzadas, com os óculos escuros que a protegiam do sol e as mãos ao redor de uma caneca de chá, Mia balançou a cabeça negativamente. Aquele chá desagradava Katie. A mesa do jardim ainda estava cheia de hambúrgueres caseiros apimentados, galinha e *kebabs* de tomate-cereja, batatas crocantes com alecrim e uma jarra de Pimm's pela metade. A mãe cozinhara durante a manhã para festejar a presença das duas filhas naquele fim de semana na casa. E se o fato de Mia não ter trocado de roupa e ainda estar de pijamas a desapontava, isso ela não demonstrava.

Katie espalhou um naco de manteiga na espiga de milho, que depois de mordida deixou na boca um gosto adocicado e amanteigado.

– Como está sua cabeça? – perguntou a mãe para Mia.

– Ainda no lugar.

– Aonde você foi com Finn?

– Na antiga pedreira. Foi uma festa no penhasco.

– Ah. – A mãe balançou a cabeça. As festas no penhasco sempre envolviam centenas de pessoas, geradores e plataformas, caixas de cerveja e uma caminhada pela praia de madrugada. – Gostaria que minha dor de cabeça fosse por causa de uma festa de penhasco, mas acho que estou gripando. Vou me deitar.

Katie só comeu metade da espiga de milho e limpou a manteiga dos lábios com um guardanapo.

Mia se debruçou na mesa, pegou-a pela mão esquerda e puxou-a para inspecionar as unhas dela.

– Você tem ido à manicure?

– Ganhei um certificado.

– Combina com você – disse Mia, ocultando-se da irmã atrás dos óculos escuros.

Ela descruzou as pernas, dobrou as pernas do pijama e esticou suas longas pernas em cima do banco de piquenique.

– Deus, como é bom poder enfim sentir o sol.

Katie subitamente se viu impelida a se livrar da roupa de cima e ficar apenas com as de baixo para se deitar sob o sol da primavera e se embebedar de coquetéis com a irmã. Era como se tivessem precisado de meses para encontrar tempo para conversar.

Ela pegou uma toalha de piquenique na varanda e estendeu-a sobre a grama.

– Que tal eu preparar uns *mojitos*? Mamãe tem uma garrafa de rum branco e na geladeira tem hortelã fresca.

– Preciso voltar logo para a universidade.

— Já está indo? Você chegou ontem à noite. Amanhã é feriado bancário. Achei que passaria o fim de semana inteiro aqui.

— Eu tenho que estudar para as provas finais.

— Está voltando para estudar? Numa noite de domingo?

— Estou voltando para um show.

Desapontada, Katie começou a limpar os pratos, passando as sobras para uma tigela e empilhando a louça suja.

Aparentemente perturbada com o barulho e a atividade, Mia saiu da mesa e se deitou na toalha recém-estendida. Enrolou a camiseta para cima e esticou os braços.

— Seria bom se me ajudasse a limpar.

— Mais tarde eu seco a louça.

— Mais tarde você não estará mais aqui.

— Posso secar antes de sair.

— Não, faça isso agora.

Mia se levantou.

— Qual é seu problema?

— Mamãe cozinhou a manhã toda e não estava se sentindo...

— Não pedi para que ela fizesse isso.

— Seria bom se você oferecesse ajuda uma vez ou outra.

— Posso lhe dar um crachá com a frase FILHA PERFEITA. Será que isso ajuda?

— Talvez pudesse ganhar um desconto se também pegasse um para você com a frase IRMÃ DE MERDA.

Elas se encararam. E não passou despercebido para Katie que os cantos dos lábios da irmã se levantaram.

— Você está com milho grudado nos dentes — disse Mia, e as duas caíram na risada.

Katie deixou os pratos de lado e caminhou até a toalha. Mia se mexeu um pouco, abrindo espaço para a irmã. Katie rolou de lado com o cheiro de lã e de terra úmida no nariz e mostrou os dentes.

— Saiu?

— Saiu.

As nuvens irromperam na vasta extensão do azul e Katie pensou que a qualquer hora o sol seria engolido.

— Você virá pra casa no verão depois das provas finais?

— Alguns colegas farão mestrado. Talvez fique por lá pra fazer um também.

— Mestrado de quê?

— Drogas. Prostituição. Roubo. — Mia suspirou. — Sei lá, Katie. Não tenho um plano mestre. — Ela passou os dedos nos cabelos, que exalaram um cheiro de fumaça de madeira.

— Posso ver se há vagas no sistema daqui, se você quiser. Embora estejam todas na cidade.

— Cristo, só de pensar em Londres no verão... Ternos, quarteirões de escritórios e metrô entupido... Isso me enlouquece.

— Sete milhões de londrinos aguentam.

— Talvez eu passe o verão na Europa.

Katie riu.

— O que foi?

— Como vai pagar isso? Você já ultrapassou o limite e ainda me deve 500 libras.

— Muito obrigada pela consultoria financeira.

— Estou falando sério, Mia. Gostaria de reaver meu dinheiro o mais rápido possível.

— Não me diga que seu polpudo salário não consegue mantê-la nos calendários e em evidência?

Uma nuvem cruzou o céu e bloqueou o sol.

— Às vezes você consegue ser mordaz.

— E você consegue ser bem previsível.

Katie se levantou, alisou o vestido e atravessou o gramado. Ajeitou uma pilha de pratos e travessas em um dos braços e segurou uma travessa de batatas com o outro.

— E agora você vai limpar tudo pra que eu fique com cara de babaca.

De ressaca, Mia geralmente ficava de péssimo humor, mas ocasionalmente perversa. Katie não se importou com isso e entrou na casa, adaptando os olhos à escuridão. A cozinha cheirava a alho e alecrim e do rádio soava uma música. Ela raspou os restos de comida para dentro da composteira e depois procurou o detergente debaixo da pia.

Mia entrou logo atrás e pôs uma bandeja em cima da pia, que tiniu. Depois de tirar os óculos escuros, abriu a máquina de lavar louça e começou a enfiar os pratos lá dentro.

– Isso já está limpo. É só tirar.

Ela suspirou, puxou os pratos e os deixou de lado com uma barulheira.

– Mamãe está dormindo.

– Lá vou eu, de novo fodida.

Katie abriu a torneira de água quente da pia e acrescentou um pouco de detergente.

– Já estamos velhas demais pra isso, Mia.

– Pra quê?

– Pra isso... brigas por nada. Só ficamos juntas algumas vezes por ano. Simplesmente não preciso mais disso.

– E eu não preciso que você me diga o que devo fazer com meu dinheiro e como devo viver minha vida.

Katie sorriu e balançou a cabeça, um gesto que só serviu para enfurecer ainda mais a irmã.

– Você se acha muito superior, não é?

Soou uma batida na porta dos fundos e Finn entrou de maneira calorosa.

– Olá!

Isso não deteve Mia, que explodiu em seguida:

– Talvez você queira ouvir sobre os meus furos bancários e o meu futuro "sem perspectivas". Mas foda-se, Katie, e sabe por quê? Porque dispenso o seu emprego burocrático de merda, o seu salário polpudo e os seus jantares pretensiosos em Londres. Não quero me parecer em nada com você porque quando olho pra você só penso em uma coisa: *segurança*.

A palavra feriu as conotações de cautela, previsibilidade e conservadorismo de Katie.

— Você não vai reagir? — Mia provocou com olhos irrequietos. — Não vai dizer que sou uma puta?

Katie fechou a torneira e encarou a irmã.

— Não precisa me dizer o que você é.

Mia fuzilou a irmã com os olhos e saiu pela porta dos fundos, deixando-a bater atrás de si.

As lágrimas começaram a picar as pálpebras de Katie, que se virou para a pia e passou as mãos na água ensaboada.

— Sinto muito — disse Finn atrás dela. — Ela não queria dizer o que disse.

— Não? — Soou no extremo da cozinha o clique de rotação da máquina de lavar ou, quem sabe, de algum botão ou de outra coisa qualquer que batia num tambor em cada rotação. — Eu a amo — disse Katie baixinho —, mas às vezes acho que não a conheço. Isso é terrível de se admitir, mas é verdade. Honestamente, não conheço a minha própria irmã. — Ela olhou para o teto, mas não deteve as lágrimas que escorriam pelo rosto.

Finn pôs a mão em seu ombro e delicadamente a fez girar e enlaçou-a com os braços.

Ela o conhecia desde que ele tinha 11 anos; eles haviam se escondido no armário da caldeira, onde se agacharam sobre um monte de toalhas quentes para não serem encontrados por Mia; ele a tinha carregado nas costas até em casa quando ela torceu o tornozelo enquanto perseguia uma pipa que escapara das mãos de Mia, e eles já haviam se beijado no rosto no aniversário de 21 anos de Mia. Mas ele nunca a tinha segurado nos braços como naquele momento. Até então o via como um garoto, um amigo da irmã caçula, mas essa percepção começou a mudar quando encostou a cabeça no peito dele e fechou as mãos ensaboadas nos músculos rígidos das suas costas.

Katie sentiu o coração dele batendo contra o dela e se perguntou se ele estava atraído por ela. Talvez a irmã pudesse entrar na cozinha e testemunhar aquele momento — a ideia a deixou excitada. Ela absorveu o calor do corpo dele e lentamente levantou o rosto em direção ao dele.

Foi um beijo suave, a exploração de uma perspectiva nova, os lábios se roçaram levemente e logo submergiram na suavidade das bocas.

No dia seguinte, Katie encostou a cabeça na janela do trem de volta para Londres enquanto a Cornualha desaparecia em feixes de verdes e azuis, mas a lembrança do beijo viajava junto.

Naquela mesma semana telefonou para Finn e eles se encontraram depois do trabalho para um drinque. Era um dia escaldante e sentaram-se em uma mesa de calçada no Covent Garden. Ela bebeu vinho branco e degustou azeitonas que pegava com os dedos, e ele se afogou em cerveja gelada. O brilho do verão se espraiava pelo peito de Katie, que sorria de maneira honesta e verdadeira enquanto observavam os trabalhadores que arregaçavam as mangas das camisas e afrouxavam as gravatas. Pediram frango grelhado e batata-doce assada, e se deslocaram para dentro quando o sol mergulhou atrás dos edifícios.

No mês seguinte passaram a se encontrar com regularidade. Ela conheceu com ele algumas áreas de Londres que ainda não conhecia. Fizeram um piquenique debaixo de uma araucária no Battersea Park; juntaram-se a um passeio gratuito por prédios assombrados; comeram sushi num restaurante de porão em Bank. Fizeram amor no apartamento alugado de Finn, que arqueava o corpo de uma maneira que a surpreendia e a fazia ansiar pelo seu toque.

Mas havia Mia. Ainda não tinha procurado nem Katie nem Finn desde a última briga. Isso não era de espantar; ela sempre relutava em fazer pedidos de desculpas. Mas dessa vez Katie agradecia pelo silêncio da irmã porque não precisava enfrentar o que estava acontecendo entre ela e Finn.

Certa tarde de domingo, ela estava passeando de mãos dadas no Hyde Park com ele. Resolviam o que fazer para o jantar quando Mia telefonou para ele.

– Oi – disse Finn casualmente, soltando a mão de Katie. – Que bom saber de você... Ótimo, obrigado... Desculpe, tenho estado ocupado... Não, claro que não... Passeando no Hyde Park... Sim, está quente. Estou de short... Ninguém desmaiou, ainda... Não, estou com Katie.

Finn olhou em volta, com o pescoço avermelhando.

– Não, já arrumamos isso. – Ele pôs a mão no ouvido para bloquear a zoeira de um grupo de estudantes que passou por perto. – Já estamos nos conhecendo um pouco mais... Tipo... Estou falando sério... Cerca de um mês e pouco... Bem, sim... Acho que estamos.

Depois, Mia falou por longo tempo enquanto Finn se limitava a balançar a cabeça.

– Não é bem assim... – ele disse por fim. – Dê um tempo, Mia... Isso não é justo... – Em seguida ele estendeu o telefone para Katie. – Sua vez.

Ela levou o aparelho ao ouvido e a voz de Mia soou baixinha e mortal, e cheia de indignação:

– Isso é uma piada?

– Não – disse Katie em perfeito equilíbrio. – Não é.

– O que você e Finn são... um casal?

– Sim. – A palavra de Katie soou excitada.

– Não acredito nisso!

Katie olhou por cima do ombro e notou que Finn tinha se afastado um pouco para lhe dar espaço.

– Nós só... sei lá, só estamos deixando que as coisas aconteçam.

– Ele é o meu melhor amigo.

– Então, fique feliz por ele.

– Nós duas sabemos que você só está fazendo isso para me dar o troco.

A bem da verdade, no início ela se sentiu triunfante em relação a Mia, mas já não se sentia mais assim.

– Eu tenho carinho por ele – ela disse, escolhendo as palavras.

– Mentira. Você passou a adolescência me dizendo que ele era um panaca.

Isso também era verdade. Ele tinha sido o bode expiatório para tudo que havia de errado no relacionamento entre Katie e Mia.

– Nós éramos crianças. Agora, tudo mudou.

– Isso não é justo!

Passaram-se seis semanas sem que ela tivesse notícia de Mia. E foram as más notícias que as reuniram novamente. A mãe chamou as duas em casa para dizer que a tontura e as dores de cabeça que a exauriam eram realmente câncer.

Mia lutou para lidar com a doença da mãe. Passou a visitar a casa cada vez menos, bebia e festejava com uma energia renovada, e a raiva que abastecia a ajudava a recusar todas as chamadas de Katie. Finn também perdeu o acesso a Mia; Katie sabia que ele enviava e-mails semanalmente para ela e que nunca recebia qualquer resposta. Sem ele, Mia era como uma bússola que perdia o campo magnético e girava sem rumo.

Até que Katie se deu conta de que não havia outra escolha. Mia era a irmã dela. E teria que vir em primeiro lugar. Rompeu o relacionamento com Finn quatro meses e oito dias após ter começado. Fez isso num bar em Clapham, de modo que ele nem percebeu que ela vacilou e mentiu.

– Tem sido muito divertido, mas acho que o ciclo está cumprido.

Finn se levantou da mesa e saiu do bar magoado. Na mesma hora Katie se deu conta de que tinha cometido um terrível engano. Ela o amava. Ele a fazia feliz. Era um sacrifício grande demais para ser feito. Ela pegou o casaco e saiu correndo do bar atrás dele. Mas ele já tinha sumido quando ela chegou à rua.

A amizade entre Finn e Mia rapidamente voltou à antiga forma e, com o tempo, Katie e Mia chegaram a um tipo próprio

de trégua – embora a raiva só tenha descongelado durante o funeral da mãe. Depois da chegada do carro funerário, Katie encontrou Mia pairando no patamar da escada no andar de cima, com os dedos agarrados pela beira de uma foto emoldurada. Na foto, a mãe usava um vestido de verão rosa salmão com a bainha levantada pela brisa à altura dos joelhos. Sorria por cima do ombro e protegia o rosto do sol com as mãos. Duas linhas suaves do sorriso faziam covinhas no rosto.
– Ela era linda – disse Katie.
Mia girou o corpo. Seu rosto repuxado pelos cabelos negros que descaíam atrás do vestido negro parecia assombrado.
– Eu devia ter perguntado onde mamãe tirou esta foto. E para quem estava sorrindo. Eu devia ter perguntado.
Foi nesse momento que Katie estendeu os braços e Mia abraçou-a. E assim ficaram até que ouviram o motorista do carro funerário pigarreando lá embaixo.

– Só para sua informação – disse a garçonete, retirando Katie das lembranças. – Fechamos em poucos minutos.
– Sim. Claro. Desculpe – ela disse, fechando o diário e levantando-se. Vasculhou a bolsa, encontrou uma nota de 5 dólares e deixou-a como gorjeta e desculpa por ter atrasado a garçonete.
Lá fora a noite estava pesada e quente, uma pequena surpresa após o frescor do ar-condicionado do café. Ela caminhou ao longo da rua, com o diário enfiado debaixo do braço e os pensamentos ainda circulando em torno de Finn.
Só depois de alguns meses, ao levar Mia ao aeroporto de Heathrow, é que ela se reencontrara com ele. Até então fazia de tudo para evitá-lo, e qualquer coisa a fazia se lembrar dele. Ela deixou de ouvir a Rádio Capital, onde o ajudara a ser contratado como produtor júnior, e já não caminhava pela North Carriage Drive, no Battersea Park, por onde eles passavam para chegar debaixo da araucária onde ficavam.

Embora se congratulando em silêncio pelo sucesso dos esforços que fazia, só no momento em que o viu no aeroporto, caminhando com a mochila dependurada no ombro em direção a Mia, é que se deu conta de que o caso ainda não tinha terminado para ela. Foram pequenos detalhes que apontaram isso: as rugas finas que se abriram como raios de sol pelos cantos dos olhos quando ele sorriu; a leveza da voz quando ele perguntou: "Vai com a gente?", e o perfume de sabonete que exalou do corpo dele quando a beijou em despedida.

Ela dirigia de volta do aeroporto, com o banco do passageiro vazio, quando o celular tocou. Por um momento absurdo chegou a pensar que Mia ou Finn lhe pediriam para dar meia-volta com o carro para partir junto com eles. Mas era Ed. Ela empurrou o telefone para dentro do porta-luvas e concentrou-se na música. Em vez de retornar para o apartamento, de repente se viu fora da M25 e seguindo as placas rumo OESTE.

Seguiu dirigindo por cinco horas e chegou a Cornualha, já com os braços duros e a cabeça começando a doer pela tensão. Estacionou no lado externo da antiga casa da família e sentiu-se aliviada porque os novos proprietários não estavam lá e ninguém a veria perambulando pelas imediações e passando os dedos nos pés de lavanda plantados pela mãe.

Depois disso, dirigiu até Porthcray e caminhou incomodada pelos sapatos de salto alto através de uma trilha esburacada que levava a um precipício. Foi lá que chorou. Soluços espessos, ofegantes, dispersados pela brisa e soprados para o mar.

Passado algum tempo enxugou os olhos, abasteceu o carro de gasolina e dirigiu direto até Londres.

Agora, parada na rua, descansando encostada em um muro baixo de tijolinhos, Katie se perguntava onde estaria Finn agora? Em Londres? Na Cornualha? Em outro país? Será que encontrou um novo emprego? Será que pensa todo dia em Mia, da mesma forma que eu? Será que pensa em mim?

Lamentou-se pela maneira como agiu com ele durante o funeral. Foi imperdoável. Além de atacá-lo, deu-lhe uma bofetada; não porque ele retornara para a Inglaterra sem Mia, mas porque, antes de tudo, partira com ela.

18

Mia

(Austrália Ocidental, fevereiro)

Mia aquecia-se ao sol, o mar soava ao longe e a maresia era trazida pela brisa. Abriu uma pontinha dos olhos e um espectro de cor dançou na beirada das pestanas. Levantou uma das mãos para proteger os olhos do sol e pestanejou enquanto o mundo entrava em foco. Céu azul. Mar. Horizonte vazio. Lajes vermelhas de rocha.

Ela dormira sobre as rochas.

Com Finn.

Girou a cabeça para um lado e os músculos do pescoço enrijeceram. Finn estava encolhido no saco de dormir ao lado, com um braço estendido para fora, os lábios entreabertos e a respiração lenta e superficial. O sol iluminava os poros claros do seu nariz e a sutil pelugem do seu queixo se acastanhava clara com um toque de âmbar quando se aproximava dos lábios.

De repente, ela estremeceu com uma lembrança: os lábios dele na parte interna de seu braço. Seguiram-se outras imagens: os lábios dela cobrindo os dele; as costas dele debaixo das mãos dela; um vislumbre da língua dele lambendo os mamilos dela, e seus dentes mordiscando a carne macia do ombro dele.

Ela abriu o saco de dormir, nua. O ar estava frio. Com uma presteza silenciosa, vestiu a calcinha e enfiou o vestido por cima da cabeça, sem se importar se estava ou não do lado do avesso. Curvou-se para pegar as sandálias de dedo e esbarrou o pé na

garrafa de rum vazia. Ficou paralisada. A garrafa rodopiou e despencou intacta por entre uma fenda nas pedras.
Finn se mexeu. Rolou de costas e passou um braço por cima do rosto, mas não acordou. Ela observou-o por um momento e depois girou o corpo e pegou um caminho pelas rochas, com as sandálias de dedo na mão. Pulou para a areia e saiu correndo. A cabeça latejava, mas ela seguiu em frente para se livrar do mal-estar profundo que embrulhava o estômago.
Correu pela beira da praia, a água molhava suas pernas desnudas e a parte de trás do seu vestido. Correu tanto que a cabeça parecia explodir de dor. Em dado momento fez uma curva em direção oposta à da costa e pegou um tórrido caminho de areia que terminava na cidade.
Machucou os pés na areia irregular e se viu forçada a calçar as sandálias de dedo. Depois de aprumar o corpo, desviou os olhos para as rochas e agora a sombra de Finn adormecido era apenas um pontinho na paisagem vazia. Foi um erro tê-lo deixado sozinho; ficaria preocupado quando não a visse ao lado depois de acordar. Mas como ela poderia ficar?
Lembrou-se da noite que tinham passado juntos, dos firmes contornos da rocha contra as costas, das palavras que se soltavam e saíam. Finn a ouvia tão de perto que ela só conseguia ouvir a própria voz e as ondas. Até que ele lhe disse:
– Mia, a primeira pessoa que enxergo quando entro em qualquer lugar é sempre você.
Não Katie. E sim ela.
Foi irresistível a gana de beijá-lo e de ser amada. Lembrou-se de como ele movia as mãos suavemente sobre o seu corpo, explorando cada parte como se para memorizar e como se ela fosse uma miragem que podia desaparecer. Foi beijada com tanta ternura que acabou se dando conta de que era ela quem ele sempre quis.
Mas ele era o que ela queria?
Mia continuou caminhando pelo solo quente até que o sol emergiu por cima das copas das árvores e uma bolha vermelha

formou-se entre os dedos dos pés. Algum tempo depois chegou à periferia da cidade e seguiu o caminho até o centro, onde as fachadas das lojas estavam sendo abertas, e as cadeiras, colocadas para fora. Pensou em voltar até o albergue para dormir, mas Finn logo estaria de volta. Eles voariam para a Nova Zelândia mais tarde e ela precisava de tempo para pensar.

A placa de uma lan house surgiu e ela entrou ansiosa para sentar e descansar à sombra. Era um lugar estranho com luz fria, telas que piscavam e o estúpido cheiro de aparelhos elétricos aquecidos. Cartazes cinzentos ao longo da sala retangular exibiam listas de preços e instruções para o uso da internet digitadas em folhas de papel amarelecidas. Ainda era cedo, mas já havia uma dúzia de pessoas com os olhos fixos nas telas e os dedos nadando pelos teclados.

Ela enfiou a mão no bolso e pegou algumas moedas para pagar dez minutos de tempo na internet e o café expresso de uma máquina de café. Sentou-se em uma cabine vazia, conectou-se e abriu a caixa de correio eletrônico. Cinquenta e duas novas mensagens inundavam a caixa de entrada.

Olhou com desinteresse, a maior parte era de *forwards* ou mensagens de grupos. Esperava que houvesse uma mensagem de Katie e ficou desapontada porque não havia. Clicou em "Todos" e depois clicou em "Excluir". Uma fração de segundo antes de a tela apagar os e-mails, avistou um nome: "*Noah*".

Será que ele tinha enviado um e-mail para ela? Como poderia ter feito isso se não tinha o seu endereço eletrônico? O coração dela disparou. Talvez houvesse um jeito de recuperá-lo. Tentou se lembrar do comando que desfazia as ações – alguma coisa a ver com pressionar a tecla "Control" seguida de outra tecla. Fez algumas investidas e combinações sobre o teclado, mas a tela se manteve inalterada.

– Por favor – disse para um adolescente na cabine ao lado. Ele se inclinou para trás na cadeira e levantou um dos fones de ouvido. – Acabei de deletar um e-mail superimportante. Existe algum jeito de recuperá-lo?

— Talvez o encontre na pasta de "Excluídos" — respondeu o garoto de sobrancelha arqueada, recolocando o fone no ouvido e retomando a tarefa.

— Idiota — ela disse entre os dentes.

Olhou novamente para a tela, agora atenta à sequência de pastas: "Caixa de Entrada", "Enviados", "Rascunhos", "Excluídos".

— Excluídos! — Clicou na pasta e as 52 mensagens apareceram na tela em negrito. Rolou a barra para baixo até encontrar o e-mail de Noah. A linha de "assunto" estava vazia e ela prendeu a respiração enquanto abria o e-mail.

Mia, consegui o seu e-mail com Zani. Desculpe, não tive a chance de lhe dizer que partiríamos para Bali. Sinto-me péssimo por isso. Foi uma decisão de última hora, como talvez Finn tenha lhe dito. Ficamos num albergue que é um buraco, mas que está a poucos minutos da praia de Nyang. A previsão parece ótima — as ondas chegam daqui a dois dias. Avise-me se Bali estiver na sua rota. Acho que você adoraria essa ilha. Noah.

Ele estava em Bali.

Ela observou a mensagem novamente e se deteve em uma frase: *"Foi uma decisão de última hora, como talvez Finn tenha lhe dito."*

Leu mais duas vezes para ter certeza.

Finn sabia onde Noah estava.

Engoliu o café expresso, levantou-se da cadeira e saiu da lan house, deixando a mensagem ainda piscando na tela.

Mia empurrou a porta do dormitório com a palma da mão. Lá dentro estava quente, abafado e sem ninguém. O saco de dormir estava enrolado ao lado da mochila. Pegou a toalha e o biquíni que secavam atrás da porta e os enfiou na mochila e fez força para fechá-la.

Finn estava na cozinha comunitária. Segurava um sanduíche quente entre os dedos que logo deixou cair no prato, cortando-o ao meio com uma faca que fez o queijo derretido verter de dentro.

Ficou com o rosto iluminado quando a viu.

– Por onde esteve?

– Caminhando.

– Quer a metade? – Ele levantou o prato.

Ela balançou a cabeça em negativa.

– Precisamos conversar.

– Claro.

Os dois voltaram para o dormitório e Mia fechou a porta atrás de si. Finn sentou-se na beira do beliche, curvou a cabeça para frente e mordeu o sanduíche crocante com satisfação. Um pedaço de tomate caiu no prato e a pele vermelha soltou-se da polpa. Ele pegou o tomate entre os dedos e o enfiou na boca.

– Reparou que seu vestido está pelo avesso? – Ele sorriu, mas com um nervosismo por trás.

Mia se achatou contra a parede no lado oposto.

– Noah lhe disse que partiria para Bali?

Finn parou de mastigar. Começou a agitar o pé de um modo que a sandália de dedo batia levemente no calcanhar. Engoliu o que tinha dentro da boca e disse:

– Eu o vi na manhã que ele partiu. Você estava nadando.

– O que ele disse?

– Que estava voando para Bali com os outros. Que havia uma boa previsão. E que era para avisar você.

– Por que diabos então você não me avisou? – disse Mia, elevando o tom.

Finn empurrou o prato para o lado.

– Porque eu sabia que Noah a tinha machucado. – Ele balançou a cabeça e acrescentou em tom amável: – Mia, ele não

a procurou. Eu estava na cozinha por acaso quando ele estava saindo. Perguntei para onde estava indo e ele me disse.
– Mas você não me disse nada.
– Pois é.
– Eu já estava perdendo a cabeça, Finn.
– Sinto muito.
Ela ficou com as mãos trêmulas.
– Não posso acreditar que você mentiu pra mim.
Ele se levantou e caminhou até ela.
– Mia, para ele foi muito fácil partir.
– E pra você foi muito fácil pegar o lugar dele.
Finn arregalou os olhos.
– Que oportunidade perfeita... Mia é abandonada, como de costume, e Finn oferece um ombro para chorar.
– Como você pode sequer sugerir...
A porta do dormitório se abriu e um jovem casal europeu entrou. Disseram olá e se livraram da bagagem alheios à tensão que impregnava o ar.
– Vamos lá pra fora – sugeriu Finn.
Eles cruzaram com algumas garotas que se bronzeavam no gramado seco e se dirigiram à cerca parcialmente sombreada por árvores *karri*. Ele pôs as mãos com os dedos cruzados atrás do pescoço.
– Mia, o que você disse antes está errado. Totalmente errado. Nunca me aproveitaria de você.
Uma das garotas levantou a cabeça e olhou por cima dos óculos de sol. Finn abaixou a voz.
– Mia, que merda, está me tratando como se eu fosse um desses idiotas que você conhece. O que aconteceu ontem à noite não foi premeditado, e você sabe disso.
Ela não respondeu. Apanhara muito sol no alto da cabeça e agora o couro cabeludo formigava debaixo de um calor seco. Sem falar que ela não tinha bebido água e agora a ressaca estava no apogeu.

– Sinto muito por não ter transmitido o recado dele. Sempre fomos honestos um com o outro e lamento muito, lamento muito mesmo. Mas ontem à noite não teve nada a ver com Noah. – Ele soltou as mãos para os lados. – Ontem à noite só teve a ver com o que sinto por você. Essa viagem me fez perceber que gosto demais de você, Mia.

– Não faça isso, Finn.

– Você queria honestidade, então lá vai... Estou apaixonado por você.

– Não. – Ela balançou a cabeça e fez menção de tapar os ouvidos para não ouvir nada. O coração martelou dentro do peito e o café expresso amargou no estômago.

– Estou apaixonado por você – ele repetiu, com um rosto aberto e sincero. – Faz muito tempo que eu estou apaixonado por você.

Ela desviou os olhos. Era verdade, mas era insuportável de ouvir porque isso mudaria tudo.

– Sei que isso é demais pra você, Mia. Essa merda também me assusta. Odeio pensar que isso poderia abalar nossa amizade, mas é assim que me sinto e não posso fazer nada sobre isso. A noite passada...

– ... Foi um erro!

Ele arregalou os olhos.

– Você mentiu sobre Noah. Como posso confiar em você?

– Você me conhece.

– Eu preciso ir – ela disse, virando de costas.

– Dê um tempo, não fuja.

– Eu preciso.

– Mia! – ele a chamou.

Ela se deteve.

– Lembre-se, duas horas.

Ela se virou e olhou para ele, com os olhos vazios.

– Nosso voo. Nova Zelândia.

Será que conseguiria sentar ao lado dele por algumas horas, como se nada tivesse acontecido? Será que conseguiriam viajar um ao lado do outro e chegar a um novo país depois de tudo aquilo?
– Você estará lá?
– Não sei. – Ela foi sincera.
– Eu estraguei tudo, sei disso. Mas você não pode me abandonar. Ainda temos coisas a fazer. Você queria conhecer a Nova Zelândia, e podemos conhecê-la juntos. Vamos conhecê-la juntos.
A cabeça de Mia latejou. Ela precisava de água. De sombra. De espaço para pensar.
– Estarei no aeroporto com nossas passagens. Duas horas – ele gritou, mas ela não respondeu.
Retornou ao dormitório, recolheu a mochila e saiu do albergue sem saber para onde ia.

Finn esperou, com as mãos penduradas nos bolsos e a mochila apoiada nas pernas. As pessoas acotoveladas ao redor empurravam carrinhos de bagagem, puxavam crianças pelas mãos e checavam os quadros de partida de queixo levantado. Ele estava posicionado no centro do conjunto de portas giratórias que propiciava uma visão abrangente do aeroporto. Até que desistiu de olhar para o relógio. Fazia cinco minutos que soara a última chamada para o voo.
Ele enxugou o suor da testa.
– Vamos lá – disse entre dentes.
A noite passada foi um erro, como tinha dito Mia mais cedo. Mas ele já sabia disso. E soube no mesmo instante em que acordou sozinho nas rochas. Ouviu quando a garrafa de rum rolou, mas ficou de olhos fechados. Fingiu que estava dormindo para que ela tivesse a opção de sair. Ele a conhecia melhor que qualquer outro e sabia que Mia sempre dava um passo atrás

quando a vida acenava de muito perto. Mas não devia ter deixado que as coisas chegassem tão longe. Preferiu se convencer de que ela queria tanto quanto ele, mas ele estava errado. Da mesma forma que errara ao mentir sobre Noah. E agora ela estava com raiva e com medo, e tudo o que ele podia fazer era esperar.

Só então Mia atravessou as portas de entrada à extrema direita, com a mochila nos ombros e o cabelo preso no alto da cabeça.

Ela olhou em volta, à procura dele. Parecia perdida no amplo espaço do aeroporto. Ele pegou a mochila e saiu abrindo caminho por entre a multidão em direção a ela. Se eles fossem rápidos o bastante, ainda daria tempo para entrar no avião.

Ela ainda não o tinha visto e se moveu na direção oposta, rumo ao balcão de *check-in*.

– Mia! – ele a chamou, mas ela estava longe demais para ouvir.

Ele olhou de relance para o relógio. Quatro minutos. Ainda tinham quatro minutos.

Ele saiu correndo pelo aeroporto e gritava "desculpe" quando esbarrava em outros passageiros. Espremido no meio de um grupo em excursão, avistou-a colocando a própria mochila na esteira do *check-in*. Isso não fazia o menor sentido: ele estava com a passagem dela e ela não estava na área de embarque para a Nova Zelândia.

Ele então se aproximou, olhou para cima e leu a tela: VOO JQ110. PERTH PARA DENPASAR.

Foi quando entendeu tudo. Mia estava voando para Bali a fim de encontrar Noah.

Ela o estava abandonando.

Em seguida ela pegou o cartão de embarque e se dirigiu ao setor de checagem da segurança. A barulheira pareceu aumentar e ele ouviu o chacoalhar das rodinhas das malas, o ruído dos tênis riscando o piso, o estalido estrondoso de um anúncio e a buzina de um veículo que atravessou o aeroporto. Assistiu atônito

quando ela entregou o passaporte para um funcionário que olhou para o documento, balançou a cabeça e a deixou passar.
– Mia! – ele gritou acenando.
Ela se virou.
Uma mecha de cabelo soltou-se sobre o rosto dela. Ela usava o mesmo vestido verde de quando tinha feito amor com ele algumas horas antes. Ele se perguntou se o vestido ainda cheirava a jasmim.
Ela o viu, levou uma das mãos ao coração e ajeitou o bracelete no pulso.
Depois, sorriu. Foi um sorriso pungente e triste. Um sorriso que não estava nos olhos, mas que dizia que estava ciente da magnitude da decisão que tomava. E depois se virou de costas e saiu.
Finn reviveria esse momento ao longo dos anos seguintes, culpando-se por ter deixado Mia partir. Mas naquele dia, naquele aeroporto lotado, achou que aquele era o momento mais doloroso de sua vida – sem fazer a menor ideia de que o pior estava por vir.

19

Katie

(Bali, julho)

O ar cheirava a cigarros de cravo, peixe-frito e fumaça de motocicleta. Os ocidentais que enchiam as calçadas eram cortejados pelos balineses com sorrisos de vitória. Katie infiltrou-se pela multidão debaixo de uma mochila tão pesada quanto o fluxo do tráfego, os táxis manobravam e buzinavam com cordões de miçangas e flores dependurados nos espelhos retrovisores.

Ela se deteve à sombra de uma porta para verificar o mapa: o albergue estava próximo, apenas a duas ruas de distância. Embora tivesse pedido ao motorista do táxi para ser deixada nas imediações do albergue, lamentava-se pela decisão à medida que o cansaço e calor se espraiavam pelo corpo em meio a um tráfego engarrafado e com janelas traseiras fechadas.

Ela guardou o mapa e levantou a base da mochila para aliviar os ombros do aperto das correias. Depois continuou andando, espremendo-se em meio a turistas barulhentos que discutiam sobre joias de prata. Mais à frente virou à direita e logo à esquerda, e isso a levou para uma rua estreita ladeada por sacos de lixo inchados.

A placa que sinalizava o Nyang Palace era um pedaço de compensado pintado com letras amarelas e desbotadas. Ficava apoiada em uma cadeira de plástico ao lado de uma porta. Katie entrou no saguão de entrada escuro e passou por cima de um cesto de vime com flores de laranjeira secas e grãos de arroz.

Lá dentro, o cheiro de óleo de cozinha pendurava-se densamente no ar. Um grupo de viajantes gravitava em torno de um sofá velho, comunicando-se em uma língua ininteligível. Uma mulher gorda sentada num banco comia arroz com os dedos atrás do balcão de recepção. A certa distância, um homem de óculos escuros assistia televisão esparramado sobre um colchão.
– Olá – disse a mulher, chupando os dedos para limpá-los.
– Você quer um quarto?
– Sim, por favor. – Katie continuou com a mochila dependurada, torcendo para que fosse uma operação rápida; não sabia se teria energia para pegar a mochila novamente.
– Dormitório? Quarto individual? Quarto de casal?
– Individual, por favor.
– Quinze dólares.

Ela já tinha trocado metade do dinheiro em rúpias no aeroporto, aconselhada a pagar em moeda balinesa para negociar melhor.
– Em rúpia, por favor.
– Não. Não. Só dólar. Dólar.
Ela entregou os 15 dólares, cansada demais para pechinchar.

A mulher saiu se arrastando por trás do balcão, com sandálias escandalosas e unhas dos pés pintadas de um esmalte cintilante de cor violeta intenso. Katie olhou para as unhas grossas, roídas e estriadas das mãos da mulher e se perguntou que prazer ela sentia em vestir seus pés de maneira tão peculiar.

A mulher a conduziu ao longo de um conjunto de escadas e de um corredor em cujas paredes a pintura já estava descascada e rachada. Depois, abriu uma porta e entregou a chave amarrada num pedaço de fita cinzenta.

A orientação a respeito do albergue foi breve.
– Banheiro. – A mulher apontou para uma porta verde sem nenhuma maçaneta visível. Em seguida, apontou para o teto e disse: – Terraço para fumar lá no alto. É proibido fumar no quarto. – Os saltos das sandálias martelaram ao longo do corredor enquanto ela saía.

O quarto estava à sombra através de finas cortinas marrons desgastadas na barra. Ela abriu as cortinas e isso perturbou um mosquito que zumbiu grogue em direção ao teto. A janela de vidros riscados ficava de frente para um prédio em ruínas do outro lado. Uma fatia do sol de fim de tarde surgiu lá no alto.

Ela tirou a mochila dos ombros e afundou na cama, sem pensar em como muitas outras pessoas teriam dormido naquele colchão velho.

Na quietude calorenta daquele quarto se deu conta de que os lugares visitados ao longo dos últimos meses a tinham guiado até aquele lugar em particular, a parada final de Mia.

Katie então pegou a mochila e tirou o diário. Folheando-o com o polegar, concluiu que poderia ler as sessenta páginas restantes de uma única vez. E que poderia lê-las naquele momento, em questão de horas. As páginas estavam debaixo dos dedos e só precisavam ser lidas.

Mas não poderia lê-las dessa maneira, de uma única vez. Ainda não. Já tinha percorrido a mesma jornada de Mia por meses a fio, e agora podia entendê-la por intermédio das suas palavras. Se lesse as últimas páginas naquele momento, tudo estaria terminado. E teria que abandonar a irmã de uma vez por todas.

Deixou o diário de lado, decidida a não ler mais nada até a manhã seguinte. Naquela noite só havia uma coisa a fazer, uma coisa que fazia tempo estava sendo adiada.

Alisou o cabelo atrás das orelhas, pegou a bolsa e saiu do quarto.

O celular estava sem sinal e ela acabou encontrando um telefone público a duas ruas de distância do albergue. Ficava perto de um bar animado, apinhado de viajantes que riam e bebiam em grupos, como bandos de animais atraídos por uma nascente de água. O ritmo da música ecoou pela rua afora e atraiu um jovem casal. A garota começou a rebolar debaixo de um sarongue e o rapaz esboçou alguns passos e se embaralhou nas sandálias de dedo, provocando uma risada da garota. Eles deram as mãos de dedos entrelaçados para que os corações das palmas se tocassem. Katie se voltou para a cabine telefônica e hesitou. *Foi neste telefone que você ligou pra mim um dia antes de morrer, Mia? Você estava nervosa porque me telefonava pra pedir dinheiro? Ou não pensou duas vezes porque prontamente eu sempre dizia sim pra você? Ainda ouço cada palavra daquela conversa – a última que teríamos. E isso me assombra. Sempre me assombro com o que acabei dizendo pra você.*

Ela respirou profundamente e discou o número dos pais de Finn para pedir o número atual` de telefone dele. Esperava que o pai atendesse; se fosse a mãe, haveria muitas perguntas. Limpou a garganta sem tirar o telefone do ouvido.

– Sim, alô?

O choque da voz propagou uma onda de calor pelo rosto dela.

– Finn?

Uma pausa e logo uma resposta:

– Quem é?

Ela captou uma inconfundível nota de esperança na voz dele. O tom próprio de uma discagem do exterior, o ligeiro atraso na linha e a voz que soava como a de Mia. Será que lá no fundo cogitou que poderia ser Mia?

– Sou eu, Katie.

Ela identificou a decepção alojada no suspiro dele.

– Katie.

Será que seria sempre assim, lendo os suspiros, os tons e as pausas do homem que ela amava a fim de saber se ele amava mais a irmã? Ela apertou os lábios e se deu alguns segundos para se recompor.

– Katie – ele repetiu, agora com um tom mais animado. – Fico feliz por você ter ligado.

– Não esperava que você atendesse. Liguei para pedir o seu número aos seus pais.

— Pretendo ficar na Cornualha por um tempo.

— Ah. Entendo. — Ela estava surpresa por ele não ter retornado para Londres. — O que está fazendo aí?

— Estou trabalhando novamente no Smugglers'Inn. Fui promovido a cervejeiro.

Ela sorriu. O tal lugar era um pub próximo ao porto, onde Finn trabalhava recolhendo copos e enxugando mesas nos tempos de graduação escolar.

— Cervejeiro? Que grande salto. Tem certeza que está pronto para isso?

— O jarro vazio de gorjetas sugere que não.

— Será que ainda são os mesmos frequentadores?

— A maioria. E todos perguntam por você. Spinney Jackson pediu seu endereço para escrever para você.

— Que gentileza.

— Fiquei sem saber o que dizer para ele. — Fez-se uma pausa. — Katie, onde é que você está?

Ela brincou com o fecho da bolsa, puxando-o para trás e para frente com uma das mãos.

— Em Bali.

— Bali? Você está mesmo aí? Ouvi alguns rumores sobre o que você está fazendo... seguindo o diário de viagem de Mia.

— Como soube disso?

— Faz alguns meses que eu estava em Londres e tentei me comunicar. O número do seu telefone mudou?

— Sim, faz algum tempo.

— Fiquei preocupado. Fui até o seu escritório.

Ele estava preocupado comigo? Ela sentiu-se absurdamente feliz com a imagem de Finn perguntando por ela no escritório. Ele já estivera lá uma vez, antes de levá-la para um almoço, e ficou conversando com o guarda da segurança na recepção enquanto ela retocava o batom no reflexo da tela do computador, antes de ir ao encontro dele.

— Uma de suas colegas disse que você tinha se demitido e me deu o número de Jess. E ela me contou o resto.

Katie nem lembrava que Finn e Jess se davam muito bem. A imagem dos dois conversando até que era aprazível.
— Sinto muito. Eu devia ter contado pra você. Saí de supetão, no ímpeto, nem eu mesma acreditava que estava indo, até que me flagrei dentro de um avião.
— Eu não sabia que Katie Greene entrava em aviões.
— Nem ela sabia.
— Ed foi encontrá-la?
— Na Austrália. — Ela hesitou, apertando os lábios. — Na verdade, nos separamos. Fiquei sabendo do caso entre ele e Mia.
— Oh...
— Mia não falou sobre isso com você?
— Falou, apenas uma vez. — Ele suspirou. — Sinto muito. Você viveu um inferno.
— Não foi o melhor ano pra mim.
— E como está se sentindo? De verdade.
Ela considerou a pergunta. No início, sentiu-se arrasada pelo rompimento com Ed. Mas àquela altura já não sentia mais a dor forte no peito quando pensava nele. Na verdade, à medida que as semanas passavam, sentia uma estranha sensação de alívio.
— Acho que estou bem. Talvez minha irmã tenha feito um favor pra mim.
— O que quer dizer?
— Ed e eu não fomos feitos um para o outro — ela disse abertamente. — O que aconteceu me forçou a chegar a essa conclusão.
— Esse favor foi então uma espécie de terapia de choque?
Ela sorriu.
— Exatamente.
— E agora você está em Bali sozinha?
Uma moto disparou pela rua, deixando um fedor de fumaça para trás.
— Sim.
— Está tomando cuidado? Cuidando de si mesma?
— Estou.

— E como está sendo a viagem?
— Dura. Solitária. Estimulante. — Ela quase disse que sentia saudade dele, mas não disse. Em vez disso, disse: — Tem sido interessante ir aos mesmos lugares onde você e Mia estiveram.
— O que achou da Austrália Ocidental?
— Linda. Estéril, é claro, mas ainda assim incrivelmente bela. Que amplidão esmagadora! Ficamos horas no ônibus sem avistar outro veículo. É um lugar quase fantasmagórico.
— E quanto a Bali?

Ela olhou para o alto. Anoitecia e um débil esgar de ansiedade a incomodou. Bali talvez viesse a ser um mapa das últimas semanas de Mia.

— Ainda não tenho opinião formada — disse, alisando o cabelo com a outra mão. — Mas fale-me sobre você. Como tem passado?

— Sinceramente? Não muito bem. Há certos dias que não consigo acreditar que ela se foi. Caminho até Porthcray pensando que a qualquer momento ela virá correndo atrás de mim.

Katie lembrou-se do dia surreal de março do enterro de Mia, e do vento cortante por baixo do casaco quando saiu da igreja. Lembrou-se de Finn com um terno azul-marinho e um rosto bronzeado, mas arrasado.

O telefone emitiu três sinais sonoros que avisavam que o dinheiro estava se esgotando. Ela procurou moedas na bolsa, mas só encontrou notas.

— Finn, minhas moedas acabaram. Liguei porque queria dizer uma coisa...

— Diga, então.

Ela queria dizer tantas coisas, mas não sabia por onde começar.

— O diário de Mia me ajudou a entender algumas coisas.

— O quê?

— Já sei por que Mia foi para Bali. — Ela fez uma pausa. — Não foi você que a deixou.

– Não. Ela é que me deixou.
 – Não lhe dei a chance de se explicar. Sinto muito pelo que aconteceu no funeral...
 – Não há nada para se desculpar – ele disse em tom firme, e a leveza do tom anterior ficou por um fio. – Mia era minha responsabilidade. Eu é que devia ter dito pra você por que ela estava em Bali.
 – Não, Finn...
 – Ela nunca deveria ter ido pra lá sozinha.
 – Não foi culpa sua.
 A voz dele tornou-se plana, sem tom.
 – Não foi?
 Os sinais sonoros atingiram uma única nota alta.

Katie encontrou um restaurante tranquilo, onde pediu macarrão oriental, apoiou os cotovelos na mesa e observou o prato esfriar. Vez por outra mexia o macarrão com o garfo e os fios da massa se contorciam brilhantes e inchados.

Finn preenchia os pensamentos, lembranças aconchegantes do passado plantadas como beijos: o reflexo da luz das bolhas de sabão nos dedos quando se beijaram pela primeira vez; os murmúrios que ele emitia quando cozinhava; o toque dos lábios dele na testa dela quando ele a deixou dormir na cama dele. Mas logo irromperam outras imagens: o corpo de Mia por cima dele quando fizeram amor sobre as rochas; os sorrisos que trocaram quando do se abraçaram na poeira vermelha, com um paraquedas como pano de fundo lá no céu; o balanço do cabelo de Mia quando se virou e avistou Finn que a esperava no Aeroporto Perth.

Um garçom se aproximou da mesa se arrastando em velhos sapatos pretos há muito não polidos. Olhou para o prato e perguntou:
 – Está tudo bem para a madame?

Ela não queria ofender e engoliu alguns bocados, as especiarias fortes que pinicaram na garganta a apressaram a pagar a conta e sair.

Caminhou com passos confiantes e decididos, como sempre fazia em Londres depois que escurecia. Chegou ao caminho de entrada para o albergue e cruzou com um velho de olhos azuis leitosos que arrastava um carrinho por uma corda amarrada à cintura. Projetava-se para frente com os ombros curvados e os passos curtos e ofegantes. No carrinho iluminado por duas lanternas, uma pilha com itens feitos de conchas de moluscos: tigelas polidas, espelhos orlados de conchas, candelabros perolados e sinos de vento com fios de conchas.

Um colar chamou a atenção e Katie se deteve para olhar. Centenas de pequenas conchas brancas perfuradas e enfiadas num fio. No centro do colar, uma única pérola. Ela sentiu um arrepio nos pelos da nuca; o colar era quase idêntico ao que Mia usava quando morreu. *Será que você está aqui, como eu? Será que esse colar a fez lembrar as horas que passamos juntas, procurando conchas nas praias da Cornualha? Noah estava com você? Vocês eram mesmo felizes?*

Pagou pelo colar e o colocou no pescoço. As conchas esfriaram a pele e ela apertou suavemente a pérola com os dedos e se aqueceu.

Depois de entrar no albergue, ela contornou a multidão barulhenta na área de recepção e subiu a escada. Pelas paredes finas do corredor soaram palavrões seguidos por um baque agudo, como se uma mesa tivesse sido chutada. Ela decidiu que trancaria a porta por dentro naquela noite, e sentiu-se aliviada por ter optado por um quarto próprio e não por um dormitório compartilhado.

De repente, se deteve. Uma das portas do corredor estava aberta e uma fenda escura se sobressaía na madeira abaixo da fechadura. Girou o corpo, achando que tinha tomado o caminho errado, mas não tinha tomado o caminho errado. Era o quarto dela.

Cautelosamente, com o coração disparado, deu um passo à frente.
— Olá?
Sem resposta, estendeu a mão na lateral do basculante da porta e saiu tateando ao longo da parede até encontrar o interruptor. Acendeu a luz. Uma brisa sacudiu a cortina e uma barata se escondeu num canto.
Esquadrinhou o piso, a cama, a mesa. Vazio.
A mochila tinha desaparecido.
Um único pensamento ressaltou acima de tudo mais: o diário de Mia.
Uma porta bateu atrás e a fez girar rapidamente. Um rapaz de cabeça raspada olhou para ela e disse com um áspero sotaque nortista:
— Você também? Esses filhos da puta!
O corredor tremeu enquanto ele o atravessava.
Ela voltou para o quarto, esfregando os olhos como se para apagar o que tinha visto. Mas a cena continuava igual: alguém a tinha roubado.
Ela atravessou a porta, fez uma curva e desceu as escadas com o colar balançando no peito.
— Minha mochila! Desapareceu! — disse aos gritos.
A mulher atrás do balcão da recepção sugou profundamente as próprias bochechas.
— Sim. Sim. A polícia já vem. Arrombaram seis quartos. — Apontou para algumas pessoas em volta na recepção. Duas garotas de olhos inchados e com as mãos à cintura, um homem gesticulando ao celular e uma mulher mais velha de bochechas magras escrevendo uma lista em um livro encapado. — Nós lamentamos e estamos muito, muito sentidos. Peço desculpas a todos. Mas a culpa não é do albergue.
— Quem fez isso? A polícia já os encontrou?
— Muita gente entra aqui. É difícil guardar cada rosto. A polícia vai encontrar os culpados. — Ela bateu em cima de um pedaço de papel que estava na mesa. — Número da polícia, sim?

Katie olhou para o pedaço de papel com sete dígitos escritos.

— Isso é tudo? Isso é tudo que tenho?

A mulher deu de ombros e se virou.

Não, pensou Katie. *Não! Não posso perder o diário. Seria como perder você outra vez.*

O ar ambiente pesou ainda mais. Ela lutou para recuperar a respiração, a garganta se fechou. A visão foi se apagando... E de repente ela abriu caminho em meio às pessoas com dificuldade e saiu cambaleando do albergue. Prendeu o pé em alguma coisa, perdeu o equilíbrio e caiu de frente na rua escura. Os joelhos arderam quando bateram na calçada.

Soou um leve tilintar, como o da chuva caindo, e ela abaixou os olhos; o colar se espatifara e as minúsculas conchas ainda giravam junto com a pérola e se esparramavam para longe.

20

Mia

(Bali, fevereiro)

O táxi rugiu ao longo da rua escura e parou em seguida.
– Chegamos – disse o motorista, puxando o freio de mão. – Único albergue de Nyang. A dois minutos de caminhada até as ondas.
A placa que sinalizava o Nyang Palace apoiava-se em uma cadeira de plástico. A pintura descascada e rachada da parede externa e a luz fluorescente que cintilava acima da porta atraíam uma nuvem de mosquitos. Mia esperava que Noah estivesse naquele lugar. Pagou a corrida, saiu para a calçada e puxou a mochila para um dos ombros.
O mormaço do dia agarrado às paredes altas dos prédios circundantes deixava o ar pesado e abafado. Exalou um aroma de especiarias e de alguma coisa doce, talvez mel queimado. Soaram passos atrás dela que a fizeram girar o corpo. Um idoso puxava um carrinho com bijuterias e diversos itens decorados com conchas. Ele percebeu o interesse dela e parou.
Ela se aproximou do carrinho, atraída por um colar de conchas brancas com uma única pérola. Pegou o colar. Era leve e delicado nas mãos.
– Foi o senhor que fez?
– Sim.
– É muito bonito.
Ele abriu um sorriso cheio de dentes.

— Sim, muito bonito. Obrigado. São conchas das praias de Bali.

Ela se lembrou de quando catava conchas e vidro do mar nas praias junto com Katie nos tempos de infância. O outono era a melhor época para isso, as grandes tempestades revolviam o fundo do mar e as ondas rolavam junto com troncos e pedras polidas embranquecidas. Nas noites frias, a luz era engolida por volta das quatro horas, e elas se sentavam de pernas cruzadas em frente à lareira para fazer colares com as conchas coletadas. Toda vez que usava um desses colares, mesmo enfiado debaixo de uma echarpe e de um casaco, era como se carregasse o mar junto.

— Quanto é?

— Quinze mil rúpias. — Ele sorriu de novo e balançou a cabeça.

O preço equivalia a 1 libra.

— Adorei o colar. — Ela pôs o dobro da quantia nas palmas enrugadas das mãos do velho e disse: — Tenha uma boa noite. — Entrou no albergue balançando o colar na mão.

O balcão de recepção era uma mesa de madeira riscada em frente à entrada da sala do proprietário.

— Olá? — ela gritou.

Uma porta lateral se abriu e surgiu uma mulher com uma camisola velha.

— Desculpe pela hora. Você tem um quarto?

Mia foi conduzida até um pequeno quarto mobiliado apenas com uma cama, um mosquiteiro e uma frágil mesa de bambu.

— Um homem chamado Noah está hospedado aqui? — perguntou antes que a mulher se retirasse.

— Terraço. — A mulher apontou o dedo para o teto. — Estão fazendo uma festa no terraço. Ou na praia. Muitas fogueiras na praia para os viajantes.

Mia jogou a mochila em cima da cama. Sem espelho, passou os dedos na cabeça para desembaraçar os cabelos. Sem qualquer maquiagem, lambeu os lábios e piscou algumas vezes para umedecer os olhos, que estavam como papel seco por causa do voo.

Saiu do quarto e seguiu até o final de um corredor sem janelas, onde uma pesada porta de incêndio levava a uma escada externa. Subiu os degraus de metal que balançaram e a fizeram se agarrar com força no corrimão.

Soaram música e risos no terraço e ela fez uma pausa para ouvir. Foi difícil sintonizar a torrente de vozes, mas certamente sotaques australianos estavam entre essas vozes. Talvez Noah estivesse ali, e isso a deixou de coração acelerado. Se por um lado estava sentida pela maneira com que tinha sido deixada para trás – *Mia, para ele foi muito fácil partir* –, por outro esperava que ele se mostrasse feliz ao vê-la.

Embora tivesse apagado a imagem de Finn dos pensamentos, a cena em que ele a esperava no aeroporto surgiu-lhe à mente. Ela o ouvira quando ele a chamou pelo nome, e se virou e o viu de pé, acenando com uma das mãos erguida. Claro que devia ter dito alguma coisa ou pelo menos tentado explicar, mas tudo o que sentia estava amarrado de tal maneira que acabou cravando e prendendo as palavras na garganta. Ela então preferiu sorrir de lábios apertados e com os olhos ardendo de lágrimas. Ao longo dos anos já tinham aberto milhares de sorrisos – de alegria, de cumplicidade, de incentivo, de alívio – um para o outro, e ela sabia que ele tinha entendido o significado daquele sorriso: era um pedido de desculpas para o que estava prestes a fazer.

Claro que Mia percebera quando os músculos do rosto de Finn afrouxaram e despencaram em descrença, e mesmo assim girou o corpo e saiu andando. Se olhasse para trás, mesmo que por um segundo, nunca o abandonaria.

E agora ela respirava profundamente enquanto subia os últimos degraus que a levariam à entrada de um terraço apertado. O ar cheirava a óleo de coco e maconha. Um velho aparelho de som que se equilibrava sobre uma caixa virada para cima tocava Bob Marley pela noite adentro. Um grupo se amontoava em volta de uma mesa baixinha, com garrafas de cerveja, um baralho de cartas aberto, velas e um cinzeiro abarrotado. Pranchas apoiadas em grades de metal e, nas ruas ao longe, faróis de carros. Se ela girasse o corpo, o mar estaria escuro e vigilante lá atrás.

– Eles estão apertando o cerco. Kiwi pegou três meses; sem brincadeira, por porte de maconha – disse um cara com cabelo rastafári.

Em frente, uma garota com a barriga de fora arqueou para trás e riu de alguma coisa que tinha sido dita ao seu lado. Só quando se empertigou é que Mia viu que era Zani.

Uma voz chamou a atenção de Mia para a beira do terraço:

– Olhe só quem chegou aqui. – Jez estava encostado à grade, com os tornozelos cruzados um sobre o outro. Segurava uma garrafa de cerveja à altura do pescoço. – Veio se encontrar com seu namoradinho? – perguntou, e deu um passo à frente, chamando a atenção de todos para Mia.

Um rubor subiu pelo pescoço dela, e isso a forçou a olhar nos olhos dele para perguntar:

– Noah está aqui?

Ele olhou ao redor do terraço.

– Não o vejo.

O rubor se espalhou e deixou o rosto dela com um tom vermelho profundo, o que talvez pudesse ser mascarado pela escuridão.

– Ele está *hospedado* aqui?

– Que tal se levá-la até o quarto dele? – disse Jez, atravessando o terraço em direção a ela. Entreolharam-se enquanto ele se aproximava e, por um segundo, ela se desarmou porque se deu conta de que ele tinha olhos escuros parecidos com os de Noah. Ainda tentava ler a expressão dele – ressentimento? raiva? – quando ele passou ao lado e continuou andando.

Ela relutou por um segundo em acompanhá-lo, mas a ideia de se encontrar com Noah falou mais alto.

Jez arrastou a garrafa de cerveja ao longo do corrimão enquanto descia os degraus da escada. Lá embaixo, se deteve e se virou para Mia. Dali eles não recebiam a luz do terraço e não havia espaço para ultrapassá-lo.

– Diz pra mim, Mia. – Ele prolongou as últimas letras do nome, como se beijando com a palavra. – Por que você está aqui?

– Para ver Noah.

Ele tomou um gole de cerveja.

– Está aqui por quê? Tipo, apaixonada por ele?

– Isso não é de sua conta. – A música no terraço terminou e o silêncio se propagou ao redor.

– Vou lhe dar um conselho porque gosto de você. – Ele se aproximou do ouvido dela com um bafo de cerveja. – Cai fora.

– É o que quero fazer se você sair do meio do caminho.

Ele soltou uma risada.

Soou uma nova canção no terraço, fazendo a noite pulsar.

– Se você não fizer isso, Noah fará. Talvez não agora e não por alguns meses, mas cedo ou tarde ele vai cair fora. Ele é bom quando se trata de abandonos.

Sim, ela pensou. *Sei disso*.

Jez abriu a porta que levava ao corredor e de novo eles se viram iluminados e terminaram a conversa. Ela imaginou Noah e Jez ainda meninos, jogando futebol na praia e atirando pedras deslizantes na crista das ondas. Um simples jogo de futebol ou um arremesso de pedrinha poderia despertar tanta raiva?

Ela não entendia o relacionamento entre eles. Aparentemente, não queriam viajar juntos, mesmo que estivessem ligados por alguma coisa.

– Acho que ele não sabe que você veio – disse Jez por cima do ombro.

– Não sabe, não.

– Que merda ter de voltar se ele não gostar da surpresa.

– Ele vai gostar – ela retrucou, aparentando uma convicção que não tinha.

– Você vai descobrir isso agora mesmo. – Ele se deteve diante de uma porta e tamborilou firme com as juntas dos dedos. – Entrega especial.
Afastou-se e sussurrou:
– Eu te avisei, Mia.

Mia já tinha se esquecido do impacto que a presença física de Noah lhe causava. Era mais alto do que ela se lembrava e a estrutura corporal dele ocupou quase toda a extensão da porta. O rosto incrivelmente bronzeado contrastava com a camiseta branca puída na gola. Se dependesse dela, mergulhava de boca naquele pescoço e saboreava aquela pele.
– Mia? – Ele levou a mão ao queixo e a tatuagem negra alongou-se nas veias da parte interna do antebraço. – O que está fazendo aqui?
– Eu estava em Bali e pensei em procurá-lo. – Ela sorriu casualmente, mas o estômago dançava de tanto nervosismo.
– Onde está o Finn?
Ela se agitou no corredor.
– Vim por conta própria.
Ele mexeu o pomo de adão enquanto se dava conta do tamanho do ato que ela assumia: estava ali por causa dele.
Afastou-se para que ela entrasse e se esquivou para não tocá-la. Ela sentiu o calor do corpo dele enquanto passava.
Um pequeno abajur iluminava o quarto e um ventilador de teto girava com ar quente. Ela reconheceu os pertences dele: um velho saco verde desbotado ao pé da cama, um par de shorts pretos secando no trilho da cortina e uma prancha de surfe com uma correia amarrada em torno das barbatanas encostada ao canto. E também a marca do corpo dele nos vincos da cama, e um livro sobre o travesseiro. Ela curvou a cabeça para ler o título: *O velho e o mar*. Ele estava lendo.
Sem nenhum lugar para sentar, a não ser a cama, ela se dirigiu à janela e olhou para o beco escuro lá embaixo. Ouviu o cli-

que da porta fechando e depois o baque surdo das costas dele contra a porta.
— Isto é um erro — ele disse baixinho.
Ela se virou.
— Não diga isso.
— Finn sabe. É por isso que ele não está com você, não é?
Lágrimas picaram no fundo da garganta de Mia. Era insuportável pensar no que deixara para trás, já que só conseguia se concentrar naquilo que a levara até aquele lugar. Ela ergueu o queixo.
— Você me enviou um e-mail, Noah.
— E não devia ter enviado.
— Você acha mesmo que é certo simplesmente desaparecer numa bela manhã, sem sequer dizer adeus para a garota com quem vem fazendo amor nas últimas dez semanas?
— Nós ficamos juntos. Dormimos juntos. Não éramos um casal.
— Foi mais que isso.
— Não para mim.
— Não se fixe nas palavras de maneira tão casual. Você é melhor que isso.
Ele mostrou um olhar sombrio.
— Sou mesmo?
— Sim, é. — Ela deu um passo em direção a ele. — Por que me enviou aquele e-mail?
Ele balançou a cabeça.
— Eu não devia ter enviado.
— Mas enviou. — Ela deu mais alguns passos e ficou frente a frente com ele, o bastante para tocá-lo e pôr os dedos no rosto dele. O ventilador agitou o cabelo dela e espalhou as mechas pelos ombros. — Por que me enviou aquele e-mail?
— Por favor — ele disse, com um fiapo de voz. — É melhor você sair.
Eles estavam separados por alguns poucos centímetros.

— Por que me enviou aquele e-mail?
Noah olhou fixamente para ela. E disse claramente:
— Porque esperava que você viesse.
Mia sabia disso desde o momento em que tinha lido o e-mail. Havia algo mais entre eles, uma conexão que sentia desde a primeira noite em Maui e que sabia que ele também sentia.
Lentamente, levou a palma da mão até o rosto dele, até a sua barba áspera. Sentiu uma pulsação na ponta dos dedos onde as duas peles se tocaram. E também sentiu a tristeza que ele sempre sentia e que até então não entendia. Depois, pousou os lábios nos lábios dele e o beijou. Irradiou uma onda de desejo tão intensa que ela engasgou.
Ele a tomou nos braços, como se jamais quisesse soltá-la.

O desejo que brotava em algum lugar dentro de Mia irrompeu à superfície. O suor que brilhava nas costas deles deslizou até as coxas de ambos. A respiração dele acelerou. Os dentes dela grudaram no ombro dele. Ela estremeceu.
Ele soltou um gemido longo e baixo e afundou nela, enterrando o rosto nos cabelos dela.
Ela se deitou, ouvindo a respiração dele e o zumbido do ventilador de teto. Sentiu as batidas do coração dele no próprio peito. *Valeu a pena por alguma coisa*, ela pensou, *mesmo que só por isso*.
Noah apoiou-se em um cotovelo e a olhou com tanta intensidade que a fez se sentir como se estivesse procurando o próprio rosto perdido. E com o polegar alisou uma das mechas úmidas do cabelo dela e afastou-a da testa.
— Sinto muito, Mia, pela maneira como parti.
Ele calou-se por um tempo, mas ela esperou porque sentiu que ele queria continuar.
— A previsão parecia boa. Jez conseguiu algumas passagens de avião e partimos. Eu devia ter procurado você. Contado pra

você. Mas não sabia o que dizer. – Ele desviou os olhos. – E eu também não sabia o que queria.

Ela engoliu em seco.

– E agora você sabe?

Ele rolou de costas e se esticou de barriga achatada. Fez um travesseiro com os braços e disse:

– O que há entre nós... É muito pra mim.

Ela entendeu. No voo para Bali folheara o diário, relendo algumas letras de canções do pai. Muitas canções se remetiam à impotência de se estar apaixonado, e ela se viu arrebatada pelas letras, como se tivessem aberto uma porta em sua mente, mostrando exatamente o que ela sentia. Não eram baladas bobas e românticas, eram canções impregnadas de imagens de ternura e de clausura emocional. Ficavam gravadas na mente e a fizeram ver que eles tinham vidas que corriam como trilhos paralelos.

– É muito pra mim também – ela disse. Apesar de tudo, lá estavam eles. Nos momentos de silêncio, ela imaginava timidamente um futuro junto com Noah: viajariam juntos pela Indonésia, caminhariam de dedos entrelaçados por praias vazias e, mais tarde, viajariam até a Inglaterra e ela lhe mostraria o mar da Cornualha.

– Tudo que sei – ele disse – é que estou feliz por você estar aqui.

Ela sorriu e guardou o comentário à parte, já que era o suficiente por ora.

Girou o corpo na cama e deitou-se com a nuca sobre a barriga dele. E enquanto observava o giro das hélices do ventilador, ouviu para além do redemoinho de ar o ruído de um gerador e a batida de um baixo que ecoava do terraço.

– Fale-me então de Bali – disse.

Ele respirou fundo, e o movimento da barriga fez a cabeça dela se levantar.

– A água é incrível, clara e vítrea, e as ondas se erguem direto do oceano Índico. E agora estão muito agitadas. As principais

arrebentações estão superlotadas e com uma grande carga de manobras.
— Já esteve aqui antes?
— Morei aqui durante um ano.
— Quando?
— Aos 16.
— Com sua família?
— Não. Sozinho.

Ela se imaginou com 16 anos e vivendo sozinha em um país estrangeiro.
— Por quê?
— Eu queria espaço. Eu queria surfar — disse Noah.
— Isso foi corajoso.
— Nem deu pra sentir dessa maneira.
— Como se sentiu então?
— Foi há muito tempo — ele disse. Só isso.
— Bali mudou muito de lá pra cá? — Ela estava ansiosa para manter a conversa.

— Quando cheguei aqui o cenário do surfe ainda não estava completamente montado. As praias ainda eram tranquilas. Mas há uma arrebentação chamada Seven Point que é muito conhecida... Aparece em tudo quanto é filme de surfe e todo mundo quer surfar lá. Uma década atrás só se chegava lá pagando um cara da região para levá-lo na carroceria de uma camionete por uma estrada de terra batida. Você tinha que descer por uma escada de corda precária, e o cara tinha que esperar enquanto você descia com o equipamento até entrar na água. Agora, uma estrada de asfalto o leva direto ao pontal e tem até um café que vende os DVDs mais badalados de surfe e sorvete.

— Os moradores devem odiar isso.
— Alguns gostam. Ganham um dinheirinho rápido com o turismo. Mas claro que muitos se ressentem com as mudanças. É uma ilha tão bonita, mas desfigurada pelo progresso.
— Quanto tempo acha que vai ficar desta vez?

– Não tenho certeza. Depende de um monte de coisas. – Ele não entrou em detalhes sobre o que seriam essas coisas e perguntou: – E você? Tem planos?

– A essa altura já devia estar viajando para Nova Zelândia – ela respondeu, pensando se Finn tinha pegado o voo. – Finn e eu estávamos pensando em trabalhar lá durante alguns meses para juntar alguma grana. Mas agora tudo está um pouco no ar entre nós.

Ela notou que Noah respirou profundamente, como se prestes a dizer alguma coisa. Logo o ar saiu dos pulmões e não foi seguido por palavras.

Ele pôs a mão na mão dela. Ela puxou a mão dele até os lábios e beijou a parte da tatuagem no punho. Observou o traçado da onda, intrigada com os números tatuados debaixo do lábio da onda. Era uma data, isso era claro ao se traçar o dedo sobre os números.

– O que isso significa?

– É uma data de aniversário – ele disse, puxando a mão e levantando-se, obrigando-a a tirar a cabeça de cima da barriga e sentar-se. – É a data da morte do meu irmão.

– Você tinha outro irmão? – Ela manteve o mesmo tom, dissimulando a surpresa.

– Johnny.

– Quantos anos ele tinha quando morreu?

– Vinte e dois.

De acordo com a data na tatuagem, fazia onze meses que tinha morrido.

Noah pulou para fora da cama e vestiu um short desbotado pelo sol.

Voltou-se para ela com o semblante agora tenso e um músculo da mandíbula contraído.

– Noah? Está tudo bem com você?

Ele abriu os lábios com um sorriso.

– Claro.

Mas essa aparente tranquilidade só serviu para intrigá-la porque era um gesto que ela reconhecia em si mesma.

— Você está em algum quarto aqui? — ele perguntou.

— Estou.

— Talvez seja melhor voltar pra lá, agora. É muito tarde.

Ela já esperava por isso: nunca tinha passado uma noite inteira com ele e não era hora de perguntar novamente por quê.

Ela então se vestiu e se dirigiu até a porta, seguida por ele, que pegou a chave do quarto.

— Você está saindo? — ela perguntou, se virando.

— Vou tomar um pouco de ar fresco.

Noah já não estava com o brilho nos olhos, e Mia achou que isso se devia à menção ao outro irmão. Ela então hesitou no corredor à procura da coisa certa para dizer.

Ele trancou a porta e enfiou a chave no bolso.

Ela não achou nada para dizer.

— Boa-noite — ele disse.

Ela ficou observando os traços da onda negra no braço que balançava enquanto ele se afastava, com as palavras de Jez zumbindo nos ouvidos: *Ele é bom em abandonos.*

21

Katie

(Bali, agosto)

— Chegou alguma mensagem? — perguntou Katie, estendendo as palmas das mãos na madeira fria e polida do balcão de recepção do hotel Khama Heights.

— Chegou — respondeu Ketut. — Uma mensagem para a senhorita.

Por favor, ela pensou quando ele ergueu um pedaço de papel, *diga-me que encontraram a minha mochila*.

— É do Serviço de Passaporte. Um passaporte provisório lhe será enviado até o fim da semana.

— Ah. E não há outras mensagens?

— Isso é tudo por hoje, srta. Katie. Sinto muito. Quem sabe amanhã encontram sua bagagem?

Ela deslizou as mãos pela mesa, deixando para trás um pequeno rastro de condensação.

— Há quanto tempo estou aqui, Ketut?

— Doze dias — ele respondeu, sem nem mesmo verificar.

Isso significava que fazia doze noites que a mochila tinha sido roubada. Felizmente, estava com a bolsa e pôde pagar um táxi que a levou a um "hotel seguro". Lembrou-se do momento que chegou sem bagagem ao saguão de entrada do Hotel Khama Heights. Ketut estava atrás do balcão de recepção com um blazer cor de vinho e o cabelo muito bem penteado. Sorriu calorosamente e perguntou como poderia ajudar. Ele fez chamadas em nome dela para a polícia e para a embaixada britânica enquanto ela esperava na mesa ao lado, remexendo um fio solto do vestido até que desfez a bainha.

Depois disso, ela esteve três vezes na delegacia de polícia, onde esperou num saguão de entrada escaldante que cheirava a metal e a desinfetante, ouvindo saltos e cliques de homens que explicavam em balinês atrás de um balcão de madeira altíssimo. E o pior é que sempre diziam a mesma coisa: entrariam em contato se houvesse qualquer notícia.

Ela perdera tudo – roupas, peças íntimas, uma bolsa de maquiagem Chanel, um estojo novo de tintas acrílicas, dois vestidos de Mia, o anel de noivado, o passaporte. Mas apenas a perda do diário de Mia é que a preocupava. Só lhe restava então fantasiar um encontro com o ladrão que a tinha roubado. Agarrava-o pelos ombros e gritava na cara do miserável para fazê-lo entender o dano que causara.

– Srta. Katie? – disse Ketut. – Srta. Katie, está se sentindo mal?

Ela pôs a mão na testa e o calor úmido da pele grudou na palma. Não estava dormindo nem se alimentando direito.

– Estou bem. Só preciso de um pouco de ar fresco.

Katie atravessou o saguão de entrada em direção ao jardim, concentrada em não parar de respirar. Chegou aos degraus de azulejos, olhou de relance o reflexo do próprio rosto no espelho emoldurado de madeira pendurado na parede e fez uma pausa. Seu cabelo estava longo, sem corte e ralo, o louro estava mais escuro nas raízes porque não tinham sido descoloradas. Ela também tinha perdido peso, o que era evidente nas faces cavadas e na proeminência recente do esterno. Não estava usando maquiagem e pouco se importava em substituir o que se perdera na mochila, a não ser alguns poucos vestidos de algodão baratos que encontrara numa barraca do mercado.

Abaixou a cabeça e seguiu ao longo do bem cuidado jardim do hotel, onde uma brisa leve levantava a doce fragrância da

plumeria. Mais à frente uma velha mulher inclinou-se para agarrar o chapéu de sol levantado pela brisa. O chapéu rolou para fora do alcance e a fez saltitar atrás, com os seios pesados escondidos debaixo de um vistoso sarongue cor de laranja. O chapéu esbarrou em Katie que se abaixou e o tirou do gramado.
— Obrigada! — disse a mulher ao recebê-lo de volta. — Faço de tudo para mantê-lo no lugar.

Katie sorriu e fez menção de sair.
— Outra bela tarde. Será que não a estamos desperdiçando? Ouvi dizer que está prevista uma chuvarada para uma semana dentro de casa. Você *é* inglesa?

Katie assentiu com a cabeça. Até então evitava interagir com os outros hóspedes, afastando-se do bar e do restaurante e fazendo as refeições no próprio quarto, onde ninguém poderia vê-la.
— Eu sabia! — O rosto da mulher estava rosado pelo calor e uma rede de capilares intensificava a cor. — Não me recordo de tê-la visto acompanhada. Está sozinha aqui?
— Sim.

Ela se aproximou mais e pôs a mão quente no braço de Katie.
— Por causa de um homem, não é?
— Perdão?
— É por isso que está aqui. Para remendar um coração quebrado. Estou certa?

Katie balançou a cabeça em negativa.
— Oh. Normalmente tenho um bom instinto para esse tipo de coisa. Talvez esteja perdendo o meu dom! — A mulher sorriu, apertando o chapéu contra o peito. — O que a traz a Bali, então?

Katie engoliu em seco.
— Minha irmã morreu aqui recentemente.
— Oh, meu Deus! Que terrível. Sinto muito. Era aquela pobre menina nos jornais? A que caiu da motocicleta?
— Não — disse Katie, já impaciente para sair dali.
— Uma menina tão bonita, mas sem capacete! Poderia ter sobrevivido com o capacete! Trágico. Mas a morte de qualquer

jovem é sempre trágica porque ainda há muita vida para ser vivida, não é mesmo? Como perdeu sua irmã?

— Ela cometeu suicídio — disse Katie, com naturalidade e surpreendendo-se a si mesma por querer chocar a mulher, mas ainda mais surpreendida por expor essa ideia em voz alta para ver se havia se tornado mais plausível.

A mulher abriu a boca, mas as palavras não saíram.

Estendeu-se um terrível silêncio entre elas, a ponto de Katie poder ouvir o tênue gotejar da água e o vento agitando as folhas das palmeiras.

— Sinto muito — disse por fim a mulher, desviando os olhos.

Katie saiu do jardim do hotel, com o coração disparado. Caminhou ao longo da praia e cruzou com espreguiçadeiras posicionadas em discretos intervalos ao longo do litoral, onde casais em trajes de banho liam ou cochilavam. Seguiu caminhando por algum tempo sem observá-los e com as sandálias repletas de uma areia quente e dourada.

Com o sol tórrido na cabeça, pensou vagamente que devia ter aplicado um filtro solar. Já bem distante do *resort*, afundou-se à sombra de uma palmeira e abraçou os joelhos. A garganta estava seca e ela já não se lembrava mais de quando ingerira algum líquido. E agora estava literalmente esgotada e arrependida de ter deixado o frescor do quarto.

Apoiou o queixo nos joelhos. *Estou perdendo, Mia? Parece que eu não me conheço mais. Isso a surpreende? Logo eu, a respeito de quem você escreveu um dia: "Katie sabe quem ela é e avança confiante pelo mundo." Bem, eis agora a verdade: sinto-me como se estivesse na ponta dos pés.*

Não posso me dar ao luxo de ficar aqui por muito tempo, e não sei o que fazer depois. A ideia de voltar para a Inglaterra me aterroriza. Honestamente, acho que não terei forças. Seu diário era a razão que dava sentido aos meus dias, e sem ele me sinto... à deriva. As horas parecem se estender indefinidamente e, por Deus, Mia, é tão solitário. Estou desesperadamente sozinha.

De noite é pior. Continuo sonhando com você. Sonho que você está no topo do penhasco e que estou ao seu lado. Nós estamos discutindo. Você acabou de descobrir que andei lendo seu diário e está furiosa comigo. O vento afasta o cabelo do seu rosto e vejo que seus olhos brilham de raiva. Você exige que lhe entregue o diário, mas não respondo e de repente ouvimos as ondas que quebram lá embaixo. Você pede o diário pela segunda vez e lhe digo que o perdi... que o deixei descuidadamente no albergue e saí para jantar sem pensar duas vezes. Aquelas maravilhosas páginas cor de creme e aquelas palavras escritas e perdidas, completamente perdidas, lhe vêm à cabeça e você fica tão furiosa que começa a se agitar e não vê onde está pondo os pés. Você anda de um lado para o outro à beira do precipício e me aproximo porque estou com medo que você acabe caindo. Mas em vez de puxá-la em segurança, eu a empurro. Sonho isso, Mia. Toda noite.

As lágrimas rolaram pelo rosto, pingaram nos joelhos e molharam a bainha solta do vestido dela.

– Katie?

A voz soou como um choque elétrico e a fez erguer a cabeça abruptamente.

Ele estava de pé, bem à frente, e tapava os olhos do sol com uma das mãos. Estava pálido e com o cabelo cortado.

– Finn?

Ele tentou dissimular o choque perante a aparência dela. Estampava o sofrimento claramente: olheiras escuras sob os olhos e braços esquálidos abraçados aos joelhos contra o peito. O cabelo estava mais escuro e, por um insólito momento, ele achou que estava olhando para Mia.

– Finn? – Ela se levantou. – Oh, Deus! É você mesmo! – Cambaleou para frente e jogou os braços em volta dele.

Ele fechou os olhos e o perfume do cabelo de Katie trouxe-lhe as lembranças de volta.

Depois de alguns instantes ela se afastou, enxugou o rosto e ajeitou o cabelo atrás das orelhas. Parecia pequena e frágil, como uma flor murcha carente de água.

Olhou para ele, balançando a cabeça como se não acreditando.

– O que está fazendo aqui?

– Achei que você podia estar precisando de um pouco de companhia – ele disse suavemente. Não podia dizer que a voz dela tão plana e sem vida ao telefone o tinha assustado. Já tinha deixado uma das irmãs Greene naquela terra por conta própria, e seria um miserável se cometesse o mesmo erro duas vezes.

– Como soube onde eu estava hospedada?

– Falei com Jess.

– Ela não me contou que você estava vindo.

– Pelo visto você não tem sido tão eficiente em verificar os e-mails – ele disse sorrindo. – Nós conversamos e não gostamos da ideia de você aqui sozinha.

Ela ficou com os olhos vítreos e perguntou em seguida:

– E quando chegou?

– Algumas horas atrás. Peguei um táxi direto pra cá. O cara da recepção me disse que você estaria na praia.

Ela sorriu pela primeira vez.

– Não consigo acreditar que você está aqui.

– Vamos caminhar?

Caminharam ao longo da costa. Uma brisa suave encrespava a superfície do mar e ondas pequenas quebravam na praia. O ar úmido cheirava a maresia e também a alguma coisa cítrica que Finn não identificava.

– Jess contou o caso da mochila – ele acabou dizendo.

– O diário da Mia estava dentro.

– Eu sei. – Ele olhou de relance e ela estava mordendo o lábio inferior.

– É como se a tivesse perdido de novo.

– Ei! – ele exclamou, empurrando-a com o ombro. – O que são algumas páginas de divagações de Mia quando você me tem aqui para contar todas as histórias da viagem?

Katie sorriu.

– De qualquer forma, me parece que você já é uma intrépida viajante.

– Não de todo.

– Já encarou algum acampamento?

– Não. Mas fiquei em alguns albergues.

– Katie Greene no albergue? Eu teria que fazer força para acreditar nisso.

– E também saltei de paraquedas.

– Não! Na Austrália? No Plains Slade?

– Isso mesmo.

– Quem diria que a garota que não saltava do trampolim da piscina sem antes fazer uma análise de risco... Estou impressionado.

– Pois não fique. Eu odiei.

Ele soltou uma risada.

– Mia, por outro lado, adorou, não adorou?

– Juro que a vi sorrindo a mil metros de altura! – Ele se lembrou de quando ela saiu correndo em seu macacão e empurrou os óculos para o alto da cabeça, com um sorriso aberto que se estendia até os olhos.

– Vocês dois se divertiram muito.

– Pois é – ele disse.

– E o que fez depois que Mia partiu para Bali?

– Perdi o voo para Nova Zelândia e me hospedei em Aus. Aluguei um carro e me dirigi para a Costa Leste.

– Uma longa viagem.

– Pois é – disse Finn, pensando nas estradas quentes empoeiradas e nas noites amenas que dormiu no banco de trás do carro. – Nunca tinha feito isso.

– Onde você estava – perguntou Katie com ar sério –, quando soube o que aconteceu com Mia?
– Num posto de gasolina. No meio do nada. Eles tinham um computador antigo ligado à internet e me conectei para checar os e-mails. Sete mensagens do meu irmão me pediam para telefonar com urgência para casa. Eu tinha perdido o celular algumas semanas antes e ninguém conseguia entrar em contato comigo. Paguei 20 dólares à garota do caixa para usar o telefone do escritório. – Lembrou que ela não deixou que ele ficasse atrás da mesa, e que o obrigara a fazer a ligação inclinado sobre o quiosque, com uma prateleira de balas contra o osso do quadril.
– Papai atendeu. Soube que tinha acontecido alguma coisa quando se mostrou evasivo, dizendo-me para esperar enquanto chamava mamãe. Ela estava no banho. Levou uma eternidade para chegar ao telefone. Eu já estava suando em bicas quando atendeu e disse sem rodeios: "Mia Greene morreu. Encontraram o corpo no fundo de um precipício em Bali treze dias atrás." Fazia treze dias que estava morta e eu não sabia de nada.

Finn balançou a cabeça, censurando-se.

– Depois, desliguei, voltei para o carro e saí daquele lugar. Nem sei o que estava pensando. Na verdade, nem estava pensando, era como se tivesse dado um branco total na minha cabeça. Talvez me passasse pela cabeça que se me afastasse o máximo possível daquele telefone nada daquilo teria acontecido.

– Oh, Finn.

Ele olhou para o mar e uma lancha navegava em alta velocidade, o casco saltava por cima das ondas.

– Mais tarde, estacionei e sentei na beira de uma praia e observei o quebrar das ondas até escurecer. – Ele se enfureceu, em prantos, socou uma árvore com tanta força que deslocou uma junta. – Depois, dirigi a noite inteira até o aeroporto de Adelaide e tomei o primeiro voo para a Inglaterra.

– Oh, Finn – ela repetiu.

– De qualquer forma, isso já é suficiente para um bate-papo feliz para uma tarde. – Calou-se e se virou para o mar. – Dezoito horas dentro de um avião; já estou pronto para um banho de água salgada. – Tirou a camiseta, apertou o cordão do calção de banho e saiu correndo em direção as águas cristalinas, se perguntando se todos os mares sempre o lembrariam de Mia.

Mergulhou na água sob a vista de Katie. Emergiu, sacudiu a cabeça e gotas de prata voaram pelo ar. Depois, virou-se de costas e flutuou debaixo de um céu azul sem nuvens.
Finn está aqui. Ele realmente está aqui.
O mar brilhava e a brisa parecia patinar por sobre a superfície até roçar na pele de Katie. Duas menininhas de tranças e com máscaras de mergulho nas mãos davam braçadas através dos baixios. Ela sorriu com a lembrança de Mia. Logo tirou as sandálias e saiu afundando os pés pela areia molhada da beira do mar. Concentrou-se na sensação do fluxo da água salgada debaixo dos dedos dos pés e depois se aproximou do mar e a água enlaçou-a pelos tornozelos. Era uma água quente, clara e convidativa, ao contrário da água fria da Cornualha.

Puxou a barra do vestido com uma das mãos e deu mais alguns passos até que a água atingiu a altura dos joelhos. Olhou em volta para ver se Finn ainda estava por perto. Ele acenou e ela ergueu a mão e acenou de volta.

Uma vez ele tinha perguntado para ela:
– Por que você sempre evita o mar?
Os dois estavam tomando banho juntos no apartamento dele ao norte de Londres, e a água amornava com uma profusão de bolhas e espumas leitosas. Ela se encostou ao peito dele, ergueu os joelhos que mais pareciam dois montes brancos e disse:
– Quase me afoguei em Porthcray quando tinha 14 anos. A maré virou enquanto eu estava nadando. – Ela passou os de-

dos pelas gotas de água na barra de metal da banheira e acrescentou: — Nunca mais confiei no mar.

Ele curvou-se e beijou-a no ombro molhado. Era a única resposta de que precisava.

O estranho é que ela nunca revelou esse medo do mar para Ed, e agora retornava para a beira da água e se dava conta de que só tinha revelado para Finn. Sentou-se na areia e curtiu os redemoinhos de sal que secavam nas canelas. Fechou os olhos de rosto para o sol e a tensão no pescoço se afrouxou.

Alguns minutos depois Finn sentou-se ao seu lado, com o rosto iluminado pelo sol e reflexos de flocos verdes na íris.

— Finn — ela disse pausadamente e curvando-se para frente. — Por que você realmente está aqui?

Ele pegou uma pedra, girou-a por entre os dedos e disse:

— Não foi fácil voltar para a Cornualha. Eu me senti um tanto... deslocado de tudo. Era como se precisasse estar em Bali, voltar para Bali, voltar para onde aconteceu, para que parecesse real.

Ela balançou a cabeça.

— Também senti isso.

— Sentiu?

— Foi muito surreal quando a polícia me contou. Acho que em nenhum momento acreditei. Mas depois vi o corpo dela e isso me ajudou. Mesmo assim, eu precisava ter certeza.

— Deve ter sido difícil.

Ela balançou a cabeça.

— Quando você telefonou algumas semanas atrás e disse que estava aqui, me dei conta de que também precisava vir para Bali. O que você está fazendo... Essa viagem, percorrendo todos os lugares por onde Mia passou, faz todo sentido para mim.

— Será? Às vezes já não sei se ainda faz sentido para mim.

— Você está à procura de respostas. Eu entendo isso.

– Será que estou? Ou estou apenas fugindo? – Ela olhou para as próprias mãos.
– Katie?
– Talvez essa viagem não tenha nada a ver com Mia. Talvez seja apenas uma desculpa para escapar de minha própria vida. – Ela pensou em Ed e logo no trabalho e no apartamento dela. Não sentia falta de nada disso. O que dizer então da vida que tinha deixado para trás?
– Não vejo problema em estar aqui também por você. Nem sempre tudo tem a ver com Mia.
Eles continuaram sentados na beira da praia por algum tempo enquanto ouviam as ondas quebrando na areia. Até que o calor formigou e roseou no peito de Katie.
– Já é hora de encontrar alguma sombra – ela disse e pegou as sandálias.
Os dois saíram andando.
– E você foi para Maui? – perguntou Finn
– Fui. Fiz uma visitinha a Mick.
Ele esperou que ela continuasse, talvez sem saber se Mia se comprometera no diário.
– Já sei sobre Harley – disse Katie.
– Ficou chocada?
Ela assentiu com a cabeça.
– Teria sido melhor se Mia tivesse me contado.
– Ela quis contar.
– Mas preferiu só contar pra você. – Ela desviou os olhos, surpreendida pela velocidade com que antigos ciúmes podiam vir à tona. – Desculpe. Não quis dizer isso. Sou grata por você ter estado lá com ela.
Uma nuvem cruzou o rosto dele, e ela não entendeu por quê. Mas desapareceu tão rápido quanto chegou.
– Acho que Mia não lhe falou sobre Harley porque tinha medo de que as coisas mudassem entre vocês pelo fato de serem meias-irmãs.

— Talvez mudassem. Foi terrível descobrir. Foi como... Sei lá... como se isso nos diluísse.

Finn sorriu.

— Foi exatamente o que Mia disse.

— É mesmo? — Katie também sorriu. — Mas já não sinto isso. *Meia*... é apenas uma palavra, não é? Nós crescemos juntas, compartilhamos a infância. Pais diferentes. Isso não faz a menor diferença para mim. Nós somos irmãs.

— Exatamente.

— Às vezes parece que conheço Mia mais pelo diário que por ela mesma. O sumiço do diário está me enlouquecendo. Esteve em minhas mãos esse tempo todo, mas não li tudo. E se ela escreveu algo mais que explica tudo?

— Talvez a polícia daqui o tenha analisado minuciosamente.

— Eles disseram isso. Mesmo assim, folheei as últimas páginas a fim de descobrir esse algo mais.

— E não havia nenhuma nota... nenhuma pista sobre o que aconteceu?

Katie balançou a cabeça em negativa.

— O que a polícia diz sobre a mochila? Alguma chance de aparecer?

— Segundo eles, se não houver alguma notícia depois de uma semana é pouco provável que a recuperem.

— Quanto tempo faz?

— Quase duas.

Ele balançou a cabeça.

— Já pensou em procurar o consulado britânico daqui?

— É uma ideia. Além da mochila, quero saber onde Mia morreu. Sei que foi nos penhascos de Umanuk, mas quero saber exatamente onde.

— Que tal se eu providenciar uma visita pra nós?

— Obrigada, Finn.

Ele pegou a mão dela e apertou-a entre as dele.

A centelha eclodiu de imediato. O estômago dela rodopiou e o rosto aqueceu e avermelhou. Ela puxou a mão, surpreendida pelo fato de que, mesmo nas profundezas insondáveis do luto, o coração ainda abrigava o desejo. Ainda assim maravilhou-se com a sensação, como se acabasse de vislumbrar um broto verde de primavera irrompendo de um solo congelado.

22

Mia

(Bali, fevereiro)

O vento açoitava o cabelo de Mia contra o rosto e comprimia a camiseta de Noah contra o peito dele. Estavam de pé na beira da praia e com as pernas desnudas fustigadas pela areia enquanto observavam o mar que se contorcia sob a tempestade.

— Está vindo chuva — ele disse, levantando a voz acima do vento.

Ela olhou para o céu. Uma flotilha de nuvens escuras e inchadas de chuva jogava boliche ao leste. Isso a fez calcular que tinham de três a quatro minutos antes de serem alcançados pelas nuvens.

A sombra do vento encrespou a superfície do mar, que de repente pareceu um peixe de escamas agitadas. Noah pegou Mia pela mão e os grãos de areia se prensaram entre os dedos deles.

— Eis que surge uma leva boa — disse, com um brilho nos olhos negros.

No mar se formavam ondas do tamanho de um ônibus.

— Dá pra surfar nessas ondas?

Ele varreu o mar com os olhos, como se a mapear uma rota.

— É possível, mas será preciso remar contra o vento e a ondas estão quebrando em cima do recife. Amanhã o vento melhora e essas ondas continuam. Será perfeito.

Ele assistira à previsão durante toda a semana, acompanhando nos mapas à medida que a baixa pressão se deslocava pelo oceano Índico seguindo um curso a partir da Antártica. Ela se surpreendera com a tecnicidade da previsão e com o conhecimento sobre os sistemas do clima, os períodos das ondas e os efeitos locais que ele mostrava.

A onda principal do conjunto de ondas retrocedeu mar adentro, sugando a água no caminho e deixando exposto o recife agora irregular e frágil, como os ossos de um corpo descarnado.

A onda quebrou com uma explosão ensurdecedora e reverberou no peito de Mia enquanto a água se estilhaçava no recife serrilhado.

– Meu Deus! – ela exclamou, apertando os dedos. – O poder dessa onda...

– Humilha.

Ela balançou a cabeça extasiada.

– Na Cornualha, as grandes tempestades rolam do Atlântico, não é?

– Isso mesmo. Quando éramos crianças, mamãe nos levava até o cais para comer peixe e batatas fritas no carro e observar as ondas que se esmagavam contra o muro da praia. – Assim que terminavam de comer, ela e Katie amassavam as embalagens gordurosas e corriam até a lixeira, com o vento às costas. Ficavam perto do muro da praia por algum tempo enquanto eram beijadas pelo vapor salgado no rosto. E a mãe sempre estava cantando junto com o rádio quando voltavam para o carro, com o cabelo emaranhado de sal e cheirando a gordura e vinagre. – Sinto falta daquilo.

Noah se virou.

– Da Cornualha?

– Da Cornualha. Das tempestades. Da minha mãe. Da minha irmã. De tudo isso. – Mia passou os dedos nas conchas do colar. – Nós crescemos na praia. O mar era nosso quintal. E agora Katie está em Londres e eu estou aqui. – Ela suspirou. – Katie sempre evita o mar. Sei que pode parecer estúpido, mas penso no mar como nosso lugar. Como nossa ligação.

— O que mudou?

Mia pensou por um segundo.

— Katie passou a ter medo. — Lembrou-se do dia em que a corrente escureceu e embruteceu a água de Porthcray, fazendo-a sentir a pressão da superfície dura da prancha de *windsurf* contra os quadris enquanto se esparramava por cima para cavar o mar com os braços. Sacudiu a cabeça para se libertar da lembrança. — Você e Jez têm sorte... Ainda surfam juntos. Deve ser bom compartilhar isso.

— Talvez.

Ela notou a mudança nas feições dele.

— Será que foi difícil para Jez quando você começou a surfar profissionalmente?

Ele deu de ombros.

— Sei lá. Nunca falamos disso.

— Mas você deve ter percebido se ele estava ou não feliz por você quando você voltou para casa.

— Nunca voltei para casa.

— Como assim?

— Vim para Bali a fim de ficar um ano. E depois disso viajei por um tempo até me juntar ao circuito do surfe.

— Você nunca voltou?

Ele balançou a cabeça em negativa.

— Não viu mais a família?

— Sempre encontrava meus irmãos quando estava na Austrália.

— E seus pais?

Uma rajada de vento soprou ao longo da praia e os fez girar o corpo enquanto as palmeiras batiam atrás. Logo se colocaram novamente de frente para o mar e Noah se calou.

Mia apertou os dedos dele entre os dela.

— E seus pais?

— Vamos aproveitar as ondas.

Assistiram sem palavras às ondas que explodiam e a areia que soprava pela praia em lençóis.
— Que tal ficar comigo esta noite? — ela perguntou depois, tentando recuperar um pouco da intimidade perdida.

Ele mudou de posição.

— Eu durmo melhor sozinho.

— Quem falou em dormir?

Ele não respondeu e se manteve de olhos voltados para o mar.

— *Ficou* feliz por eu ter vindo para Bali?

Ele soltou os dedos dos dedos dela e limpou o sal da testa.

— Achei que estávamos assistindo à tempestade que se aproxima.

— Não em silêncio. Às vezes me parece que você... — Como explicar a pilha de pedras frias que se erguia no estômago cada vez que ele a descartava? — Que você não me deixa entrar. Como se você não estivesse *aqui*.

— Estou bem aqui do seu lado.

— Sim, mas não está falando comigo.

— Você estava falando da sua irmã. E eu estava ouvindo.

— Então, deixe-me ouvi-lo.

Ele se virou.

— Só falo quando quero. Não quando você exige isso de mim.

— Exijo?

— Faz duas semanas que você está aqui, não é? Mas você não mencionou o que aconteceu entre você e Finn. E isso não me grila. Porque entro numa que as pessoas só dizem as coisas quando querem.

— Só quero me sentir mais perto de você...

— E essa é sua maneira de fazer isso? — Ele se virou de costas e a camiseta ondulou ao vento.

— Não vá — ela gritou, mas ele já estava caminhando em direção ao carro.

Ela não o seguiu. Abraçou o próprio corpo enquanto a imagem dele se estabilizava em torno dela como nuvem.

A primeira gota de chuva caiu no punho dela e deslizou para baixo, deixando um rastro brilhante. E depois as nuvens explodiram e a chuva caiu pesada, deixando ondulações finas na areia. Seguiram-se estrondos e alguns segundos depois ela estava encharcada e com a camiseta fina da cor da pele. Ela não voltaria para o carro. Os olhos ardiam de lágrimas e ela então olhou para o céu, abriu a boca e deixou a chuva escorrer pelos lábios e a língua. A boca ficou com gosto de terra.

Logo começou a sentir frio e a esfregar os braços e a deslizar os dedos pela pele molhada. Algo a distância chamou sua atenção. Uma silhueta se sobressaiu à chuva em direção à beira da praia. Cada músculo do corpo apertou quando ela percebeu que Noah corria com a prancha debaixo do braço determinado a surfar.

Mia fincou o tornozelo sob o mar e pôs a mão na testa. Apertou os olhos para enxergá-lo no meio da chuva e mantê-lo em foco à medida que o cenário do mar se transformava e levava tudo ao redor.

Noah precisou de uns trinta minutos, talvez quarenta, para remar pela arrebentação das ondas gigantescas e mergulhar debaixo das paredes de água sólidas e brancas. E agora não passava de um borrão montado na prancha que era levantado e abaixado pela onda que rolava abaixo. Certamente mantinha concentração total enquanto assimilava o ritmo das ondas à espera da onda certa. Uma escolha errada naquele momento poderia ser fatal.

Soou o ronco de um motor e Mia girou o corpo. Era a velha camionete de Jez com o para-brisa em pleno movimento. Ele saiu de dentro com um casaco puxado para cima da cabeça e correu em direção a ela.

– Ele está lá! – ela gritou.

– Que diabos está fazendo lá? – Jez estava com a pele bronzeada como couro e com o lábio inferior rachado pelo sol.

Uma onda estourou e sugou o recife, expondo novas manchas irregulares de coral. Será que Noah mapeara o ponto onde o recife se escondia? Ou só contava com a sorte?
– Há quanto tempo ele está lá fora? – gritou Jez.
– Mais ou menos meia hora.
Os dois observaram enquanto Noah remava furiosamente para pegar uma onda. À medida que a onda se erguia embaixo tornava-o cada vez mais parecido com um crustáceo grudado no dorso de uma baleia.
– Não essa – murmurou Jez ao lado. – Muito rápida. Cai fora, cai fora.
Mas ele não caiu fora. De repente a onda o pegou e o carregou para cima da crista. O mundo entrou em câmara lenta. As agulhas de chuva pinicavam no couro cabeludo enquanto Mia ouvia o uivo do vento e tinha os pés sugados pelo mar. Noah se pôs de pé em cima da prancha e começou a deslizar pela face da onda. Por uma fração de segundo, Mia se viu hipnotizada pela beleza da imagem, a potência muscular na garganta da onda e a agilidade com que o surfista bailava na água debaixo de um céu aguado.
E por uma fração de segundo tudo mudou. As pernas de Noah derraparam embaixo, como se colidissem no gelo. A prancha zuniu para o alto e ele pulou na onda, como um seixo rolante. A onda quebrou no recife irregular com uma explosão de espuma e ele sumiu de vista.
Enquanto a chuva açoitava o solo Mia contava silenciosamente. *Um, dois, três...* Talvez ele estivesse perdido na parte mais rasa do recife, enfiado em algum canal profundo... *onze, doze, treze...* Ele era experiente, já estava acostumado a ser levado pelas ondas... *vinte e quatro, vinte e cinco, vinte e seis...* Ele estava em forma e tinha pulmões fortes... *trinta e um, trinta e dois, trinta e três...*
Formou-se um feixe de cor branca contra o horizonte cor de carvão. Era a prancha. Partira-se ao meio e seguia à deriva.

— Ali! — gritou Jez.

A cabeça de Noah surgiu à superfície. Ele oscilava em meio às águas convulsivas, um homem entre gigantes.

Uma outra onda se aproximava logo atrás. Ele girou o corpo tarde demais; o lábio da onda já desmoronava por cima e o fez tombar por baixo, com um rosnado que encheu os ouvidos de Mia. O mar era pura brancura. Ela sentiu que os pulmões o queimavam no peito, enquanto ele era enrolado e arrastado pela enxurrada das águas.

Mia cruzou os braços no peito e aguardou. Ao lado, Jez se agitava de um pé para o outro.

— Graças a Deus! — ela gritou quando Noah veio à tona.

E dessa vez saiu nadando, com movimentos esquisitos, como se só estivesse usando um braço.

— Ele está ferido! — ela disse, voltando-se para Jez.

Mas Jez não disse nada. Ficou observando na beira da água e de olhos cravados em Noah enquanto a chuva escorria pela jaqueta em cima da cabeça.

Durante alguns minutos intermináveis o viram fazendo incursões lentas em direção à praia, furando as ondas que chegavam e o precipitavam de volta à superfície. Uma sequência infindável de onda após onda passou como um exército, com tropas que nunca terminavam, e cada vez que ele emergia era arrastado para mais longe da costa.

— Ele está parado! Parou de nadar!

— Vamos lá, seu maldito! — disse Jez aos gritos. — Bata a merda das pernas!

Mas Noah não bateu as pernas. Flutuou como um pedaço de madeira ao léu, à vista e fora de vista.

De repente, Jez atirou a jaqueta na areia e tirou a camiseta. Seu peito estava mais pálido que os antebraços e as costelas estavam à vista. Ele saiu correndo mar adentro e se projetou à frente, com vigorosas braçadas na água; os movimentos eram fortes e precisos e ele tomava fôlego quando erguia a cabeça para fora da água de poucos em poucos metros.

Mia esfregou os braços para se aquecer quando a distância entre Jez e Noah diminuiu. *Ele está vindo. Apenas segure-o.* O céu continuava despejando uma chuva que rolava pele abaixo em correntes geladas. Ela passou os dedos pelas conchas encharcadas no pescoço, apertando-as como um rosário.

Finalmente, Jez alcançou o irmão. Enquanto nadavam de volta à praia, Mia andava de um lado para o outro e as pegadas deixavam poças na areia. Parecia que o braço de Jez estava enganchado no pescoço de Noah. Logo os dois irmãos se aproximaram e Noah soltou-se da gravata de Jez.

Cambaleou para fora da água rasa e, pelo rasgo do colete, se via uma mancha de sangue. Ofegava. Estava com um corte na testa e a chuva lavava o sangue que escorria pelo rosto como lágrimas vermelhas.

Ela correu em direção a ele.

– Noah...

– Seu maluco de merda! – gritou Jez de olhos brilhantes e lívidos, cortando as palavras dela. – Que porra era essa que você estava fazendo? Estava querendo se afogar lá fora?

Com a correia ainda presa ao tornozelo, Noah parecia um prisioneiro algemado tentando escapar.

– Eu não precisava de resgate!

– Mentira. Você já tinha desistido!

Os dois irmãos se encararam.

– Você queria ver como Johnny se sentiu? Foi isso?

– Foda-se.

– Nada disso, Noah. Foda-se você!

Noah se virou e saiu andando pela praia.

– Espere! – gritou Mia, correndo atrás dele. – Vou levá-lo ao hospital.

Ele não disse nada. Nem sequer a tinha visto. Ela se deteve no meio do caminho enquanto ele abria a porta do carro, entrava e ligava o motor.

* * *

– Tem outra toalha na camionete – disse Jez, passando ao lado. Mia continuou com as roupas encharcadas, observando o carro de Noah que desaparecia por entre as árvores agitadas.

Agora, a chuva apenas tamborilava enquanto Mia seguia Jez pela beira da água, com torrões de areia molhada grudados à sola dos pés. Ele abriu a porta do motorista e puxou uma toalha azul fina que se agitou ao vento. Ela pegou a toalha e enrolou-a em volta dos ombros.

– Vamos lá, entre – ele disse e ela entrou, afastando algumas embalagens e uma lata vazia. Enquanto enxugava o rosto e o cabelo, com a toalha que cheirava a óleo de motor e cigarros, Jez vestia uma camiseta seca. Depois, se debruçou por cima dela, puxou um saco plástico do painel e começou a enrolar um baseado. Fez isso em silêncio, com dedos ágeis e experientes, e depois o acendeu. Fechava os olhos a cada puxada na erva que entupia a camionete com uma fumaça pungente e espessa.

– Aqui. – Ele estendeu para ela.

Mia pôs o baseado entre os lábios e puxou o fumo quente que atingiu o fundo dos pulmões. Soltou a fumaça lentamente.

– Nós tivemos uma briga. Por isso ele estava lá fora.

– Noah tem uma batalha particular com o mar. Não foi por causa da briga de vocês.

Ela pensou por um momento.

– O que você quis dizer na praia quando perguntou se ele queria ver como Johnny se sentiu? Era o irmão caçula de vocês, não era?

Jez se virou no banco e a encarou. A chuva emplastara tufos finos de cabelo loiro no couro cabeludo dele.

– Ele se afogou.

– Oh. Sinto muito.

Jez deu de ombros, mas de olhos vítreos.

– Aqui – ela disse, passando o baseado.

– Fique com isso – ele disse, trocando o baseado por um saquinho de maconha que pôs no colo dela. – Eu tenho muito.
– Sério?
– Eu não contaria para Noah sobre esse seu estoque. Ele não aprovaria.
– Obrigada – ela disse, enfiando o saquinho de maconha no bolso do short molhado, sentindo-se de alguma forma vitoriosa.
Jez moveu a cabeça lentamente de um lado para o outro, relaxando o pescoço.
– Seu pescoço está doendo?
– É uma lesão antiga.
– Surfe?
Ele sorriu.
– Não.
– O que há de errado com seu pescoço?
– Fraturei alguns anos atrás.
Ela já tinha reparado que ele se virava de corpo inteiro quando dizia alguma coisa. O gesto lhe parecia estranho e quase invasivo, mas agora se dava conta de que ele não tinha mobilidade total no pescoço.
– E como fez isso?
– Eu não fiz. Fui perfurado por trás da cabeça.
– Que coisa terrível.
Ele deu uma puxada no baseado.
– Pois é, e ainda mais terrível quando é seu pai que faz isso. Ele e seus lindos punhos.
Ela arregalou os olhos.
– Eu nem fazia ideia.
– E por que faria?
Ela pensou por um momento.
– Foi por isso que Noah saiu de casa? Ele disse que se mudou para Bali aos 16 anos.
– Não foi possível dissuadi-lo. Ele simplesmente caiu fora.
– Jez estreitou os olhos. – Sem deixar uma única maldita palavra para ninguém.

— Por que você não partiu?

Ele olhou fixamente para ela.

— Johnny era um merdinha de 13 anos. Você deixaria um cordeiro na jaula de um leão?

Fez-se silêncio. Lá fora, o vento uivava por entre árvores reluzentes.

Jez olhou pelo espelho retrovisor e sibilou.

— Abaixe a janela! — Abaixou a janela com uma das mãos e com a outra enfiou o saco de maconha no painel.

Ela hesitou, confusa com o súbito comando. Tarde demais, surgiram policiais a pé de cada lado da camionete. A porta do passageiro se abriu com um rangido e uma lata de Coca-Cola rolou tilintando na terra molhada. Um policial com olhos de pálpebras pesadas e bigode oleoso torceu o nariz para a fumaceira que saiu da camionete.

Os dois foram instruídos a sair do carro e a pôr as mãos sobre o capô. Já não chovia, mas havia poças profundas no solo. Mia afundou os pés descalços na água marrom escura e pôs as mãos espalmadas sobre o metal molhado. Foi revistada pelo policial que se deteve nos bolsos do short.

Ele estalou a língua no céu da boca quando puxou o saco de maconha.

O sangue dela gelou.

— Aqui em Bali não gostamos nem um pouco de drogas. Isso não é bom.

Ela fiou atordoada e os lábios formigaram. Olhou de relance para Jez, que não recebera um flagrante, mas ele não retribuiu o olhar.

O policial solicitou que ela entregasse o passaporte e o folheou.

— Inglesa?

— Sim.

— Consome drogas na Inglaterra?

Ela balançou a cabeça em negativa.

— Por que então aqui em Bali?
— Sinto muito. Foi um erro.
Ele estalou os dedos para o segundo policial. Conversaram em balinês, cuja cadência musical agora soava rígida e ameaçadora.
— Venha — ele disse por fim, agarrando-a pelo ombro e conduzindo-a para a viatura policial.
— O que estão fazendo? Por favor! Isso é ridículo!
O policial abriu a porta traseira e a empurrou para dentro. A viatura cheirava a incenso e esmalte. Soou o clique da fechadura automática trancando a porta atrás dela.
O pânico a fazia sentir como se minúsculos eletrodos pinicassem sua pele. Estava sendo presa? Para onde a levariam? Para a delegacia de polícia? Tentou abrir a porta, mas estava trancada. Olhou para baixo. Estava descalça e com as canelas salpicadas de lama. E ainda por cima estava molhada da cabeça aos pés e a água pingava pelas pontas dos cabelos.
Colou o rosto na janela embaçada pela chuva e as silhuetas borradas dos policiais conversavam com Jez. Um deles levantou a palma de uma das mãos e balançou a cabeça. Sem conseguir ouvir nada, ela torceu o colar e acabou apertando a garganta e a caixa da voz.
A janela embaçou ainda mais e ela abriu um círculo com o dorso da mão. E pelo círculo aberto pôde ver que Jez estendia alguma coisa para o policial, que por sua vez balançou a cabeça aceitando. Logo depois o policial saiu andando em direção à viatura, abriu porta e a instruiu a sair.
— Sorte sua — ele disse, abanando o dedo. — Já temos as informações do seu passaporte, caso isso aconteça de novo.
Ela saiu andando atordoada até a camionete, onde Jez a esperava com as mãos penduradas nos bolsos do short molhado.
— Entre — ele disse baixinho.
Ela obedeceu, sentou no banco e bateu a porta. A camionete ainda cheirava a maconha e a toalhas molhadas.

— O que aconteceu?
— Um bônus balinês.
Ela tremeu da cabeça aos pés.
— Você os subornou?
— Sim.
— Graças a Deus! – ela disse aliviada. – Quanto pagou?
— Dez milhões de rúpias.
Ela arregalou os olhos. Era uma enorme soma que beirava a 800 libras.
— E o meu passaporte?
— Está comigo – ele disse, batendo no próprio bolso. – E ficará comigo até você poder me pagar.

Ela pensou em argumentar que o problema tinha sido a maconha que não era dela, embora tivesse ganhado de presente, mas acabou sorrindo.

— Dia difícil, hein? – Ele apertou levemente o ombro dela enquanto girava a chave na ignição. Ela teve a impressão, sem saber ao certo se não passava de imaginação, que ele tinha roçado a ponta do polegar ao longo do ombro dela antes de retirar a mão.

23

Katie

(Bali, agosto)

Katie observava da janela do táxi enquanto se dirigia ao centro da ilha junto com Finn. Exuberantes plantações de arroz ondulavam pelos platôs das encostas divididos por cabos de fluxos de irrigação que brilhavam prateados à luz do sol. Flores tropicais ladeavam as margens, e isso a fez pensar que se abaixasse o vidro da janela o ar inteiro estaria perfumado.

– Posso nos levar em quinze minutos até o consulado britânico – ele comentou, voltando-se para ela. Estava com uma camisa de manga curta e com os braços levemente bronzeados. Já fazia uma semana que estava em Bali, e a companhia dele era como um farol que brilha na escuridão.

– Isso é tudo de que precisamos – ela disse.

O táxi parou em frente a um edifício caiado e ornado por flores de buganvílias. Ela saiu e alisou a saia contra as coxas de tanto calor que fazia.

Foram recebidos por uma balinesa, com um vestido longo vermelho que combinava com o tom do hibisco que tinha atrás da orelha.

– Bem-vindos. Sr. Hastings sugeriu o jardim para a reunião. Por favor, venham por aqui.

Foram conduzidos por um jardim ensolarado e repleto de plantas coloridas, com borboletas mergulhando e flutuando por cima das cabeças. Acomodaram-se na mesa à sombra de uma figueira retorcida e se serviram de copos de água gelada que suavam em cima de uma bandeja de bambu.

Alguns minutos depois chegou um homem franzino que usava um terno bege elegante e sapatos marrons polidos.

– Boa tarde. Sou Richard Hastings. – Ele pôs um caderno de anotações e um arquivo verde na mesa, e depois apertou a mão de Katie e disse: – Senhorita, minhas sinceras condolências pelas circunstâncias que lhe trazem a Bali.

– Muito obrigada.

Ele apertou a mão de Finn e ajeitou a calça do terno antes de se abaixar para sentar.

– Sei que você já falou com meu colega, sr. Spire, do Serviço de Estrangeiros em Londres. Fico feliz pela oportunidade de também conhecê-la. – Ele tocou na armação de ouro fino dos óculos e a atmosfera nos olhos desmentia as maneiras formais que mostrava. – Suponho que traga agora outras questões, não é?

– Sim. – Ela limpou a garganta. – E não sei ao certo se o senhor será capaz de me ajudar com a primeira. Quando cheguei a Bali, três semanas atrás, tive meus pertences roubados no albergue em que estava hospedada. Nyang Palace.

– Lamento muito – disse Hastings, balançando a cabeça levemente, como se fosse pessoalmente responsável.

– Apresentei queixa na polícia, mas eles não me disseram nada. Eu gostaria de saber se o senhor poderia descobrir se houve algum progresso.

– Será um prazer fazer algumas perguntas em seu nome. – Ele tirou uma caneta do bolso e escreveu alguma coisa no caderno. E depois passou a caneta pela página, sublinhando duas vezes o que estava escrito. – Estamos cientes de uma gangue de malaios que posa de turistas e opera por aqui. Os albergues são os alvos porque o trânsito de gente é alto, e a segurança, fraca. A polícia está de olho nessa organização. Fique tranquila porque se houver progresso lhe transmitirei a notícia pessoalmente.

Isso a fez pensar sobre os itens da mochila que poderiam ser encontrados. Apenas o anel de noivado e o celular tinham valor monetário. Teriam sido vendidos no mercado negro do lugar ou embarcados para outro lugar? Os relatos não lidos de Mia tomaram os pensamentos de Katie outra vez.

Ela curvou-se para frente com uma ideia repentina.

– O diário de viagem da minha irmã... Segundo a polícia, tornou-se parte da investigação.

– Sim, é verdade.

– Fizeram alguma cópia dele?

– Receio que não. Suponho que não acharam nada que pudesse ser usado como evidência, e por isso mesmo o devolveram para você.

A esperança se extinguiu com a mesma rapidez de um fósforo aceso. Ela pôs as mãos no colo.

– Alguma outra questão que eu possa ajudá-la?

Ela não respondeu, e Finn então interveio.

– Nós gostaríamos de saber qual foi o local exato onde Mia morreu.

– É claro. – O sr. Hastings abriu um arquivo verde e folheou uma série de documentos. Localizou um mapa e o colocou na mesa entre Katie e Finn. – Este mapa apresenta uma série de penhascos marinhos na região de Umanuk. Segundo a polícia, esta é a rota que Mia pegou para chegar ao topo do penhasco. – Arrastou o dedo ao longo de uma linha cortada por hifens. – Esta parte inicial da trilha bem marcada conduz a um mirante, aqui. Este é o lugar onde Mia cruzou com as testemunhas. O topo do penhasco fica a duzentos metros de altura acima. Há um caminho abandonado há anos que leva ao topo e a um denso matagal. Isto aqui. – Mostrou um círculo desenhado a lápis no mapa. – É o ponto de onde se supõe que Mia tenha saltado.

Katie mordeu o lábio.

– Receio dizer que ela não foi a primeira a ser encontrada neste lugar. Foram registrados seis suicídios nos últimos oito anos neste mesmo lugar.

– Por que isso? – perguntou Finn.

– Imaginamos que o escolheram porque de lá... é certeiro.

O estômago de Katie embrulhou: Mia não queria sobreviver.

– Se servir de ajuda, posso providenciar transporte para levá-los até Umanuk.

– Não! – ela disse abruptamente.

– Muito obrigado pela oferta – acrescentou Finn –, mas provavelmente não iremos lá por agora.

– Claro. Por favor, em todo caso, fiquem com este mapa.

– Existe a possibilidade de algum outro detalhe do caso de Mia vir à luz? Alguma coisa? – perguntou Katie.

– Acredito que você já tenha recebido os detalhes dos depoimentos das testemunhas e da autópsia, não recebeu?

Ela tamborilou os dedos nas coxas.

– Sim, mas ainda estou lutando para acreditar. Suicídio? – Ela balançou a cabeça em negativa. – A polícia está absolutamente certa disso?

– Dediquei uma atenção especial a este caso porque a morte de jovens é extremamente perturbadora. Mas a polícia está convencida de que foi suicídio.

– Mas ela não deixou um bilhete!

Ele balançou a cabeça.

– Entendo que é extremamente difícil conviver com a morte de uma pessoa que não deixou explicação alguma para tal, mas isso não é incomum. – Ele pôs as mãos na mesa e curvou-se, como se estivesse prestes a quebrar algum protocolo. – Talvez lhe ajude saber que em casos de suicídio, apenas uma em cada seis pessoas deixa um bilhete.

– Por quê?

– Na maioria das vezes a decisão é tomada por impulso. Embora o suicídio seja algo considerado de antemão, o indivíduo sempre age com senso de urgência. E nesse caso, as explicações são esquecidas, e isso, claro, é muito perturbador para os que ficam para trás.

A seriedade com que Hastings se expressou fez Katie se perguntar se ele tinha alguma experiência pessoal do assunto.

– Tudo o que posso lhes dizer é que, embora ela não tenha deixado um bilhete, dispomos de várias informações importantes. Em primeiro lugar, os depoimentos de duas testemunhas que a viram minutos antes da morte. E também a garantia da autópsia de que não havia nenhuma outra pista sinistra na cena. E também é bom lembrar, Katie, que Mia tinha álcool no organismo, não é?

– Sim.

– Portanto, é possível que sua irmã não estivesse plenamente consciente das consequências do ato que praticou no penhasco. O álcool é conhecido por inibir a sensação de perigo.

– Sim. – Ela não confiou em si mesma para dizer outras palavras.

– O que finalmente eu gostaria de ressaltar é que Mia não carregava nada consigo, exceto uma coisa: o passaporte. – Ele fez uma pausa, incentivando-os a chegar a uma conclusão sobre o que pensava.

– Uma identificação – disse Finn.

– Precisamente.

– Essa é a informação que levou a polícia local a tirar a conclusão que tirou. Receio que caiba a vocês tirarem suas próprias conclusões.

Katie engoliu em seco, sabendo quão difícil isso seria.

O bar do Hotel Heights Khama era um ambiente elegante e iluminado por discretas luzes cor de âmbar. Além das altas pilastras de pedra, o jardim também iluminado se estendia até o mar.

Finn bateu as cartas sobre a mesa, recostou-se de braços cruzados e sorriu.

– Estou disponível para aulas.

– É bom saber disso – disse Katie, espalhando as cartas dela ao lado das dele.

Ele se remexeu no assento.

– Um *flush*? Você tem um *flush*?

– Ora. Tenho? – ela disse sorrindo.

Ele a olhou de boca aberta.

– Você me limpou?

Ela puxou a pilha de dinheiro sobre a mesa e a transferiu para a bolsa.

– Sim, acredito que sim.

Ele soltou uma risada alta e gutural que a deixou satisfeita.

– Em que diabo de lugar aprendeu a jogar pôquer desse jeito?

– Nas minhas viagens.

– Não consigo acreditar. Você me deixou vencer por... – ele olhou para o relógio – uma hora e meia, e depois sacou as armas na cartada final. Katie Greene, você mudou.

Ela sorriu.

– E agora só tenho quatro noites para recuperar a dignidade.

Ela recolheu as cartas, torcendo para não ser lembrada que faltava pouco tempo para ele partir.

– Acho que a próxima rodada fica por conta do perdedor. – Ele apontou para o copo vazio. – Vodca com suco de laranja?

– Por favor.

Katie observou que Finn andava com o short caído nos quadris, com o desapego de um estudante. Os outros convidados usavam camisas e calças leves, mas ela preferia a descontração dele; qualquer outra coisa nele cairia errado. Ele falou alguma coisa para o *barman*, que sorriu e pôs a mão no ombro dele. Ela se lembrou de quando ele chegava à casa que ela dividia com Jess e duas outras garotas em Londres; antes de chegar ao quarto dela, as amigas sempre caíam na risada de alguma coisa engraçada que ele fazia. A capacidade de fazer os outros rirem, e de também *fazê-la* rir, era uma das muitas coisas que amava nele.

Ele voltou com as bebidas, serviu-as e disse:

– Muito bem. Tenho sido gentil em evitar tocar no assunto desde o nosso encontro com Richard Hastings, mas já passou

uma semana depois disso. E agora eu realmente gostaria de saber: quando é que você pretende ir aos penhascos de Umanuk?
Ela tomou um longo gole da bebida.
– Logo.
– Essa resposta não é suficiente. Eu quero uma data. Um horário. Um modo de transporte.
– Ainda não estou pronta. Sinceramente. Ainda não posso ir lá.
– É uma coisa grande – ele disse suavemente. – Eu entendo. Mas você precisa fazer isso, Katie.
Ela pôs o drinque na mesa e apertou os lábios. Estavam frios por causa do gelo.
– Depois que eu for ao penhasco, essa coisa toda... seguir o diário de Mia... termina. Sempre achei que iria até lá com respostas. Mas não tenho nenhuma.
– Talvez nunca encontre respostas.
– Mas tem que haver respostas. Senão, o que farei depois? Simplesmente voar para casa? Seguir em frente com minha vida?
– Será que isso assusta você?
O casal na mesa ao lado se levantou e levou as bebidas para o restaurante, onde se sentaram para jantar.
– Em Londres não há nada mais para mim. Nem família. Nem noivo. Nem trabalho.
– Sei que será difícil, mas *você* vai superar. Você é forte, Katie. Batalhadora. E tem seus amigos e também a mim.
Ele estava se colocando à parte da categoria dos amigos? Ela notou que ele assumiu uma expressão impassível e difícil de ser lida.
– Por que não voltamos juntos? – ele perguntou. – Se ainda não estiver pronta para Londres, você pode ficar com meus pais por um tempo. E pode me ensinar suas jogadas de pôquer.
Ela sorriu.
– Cedo ou tarde terá que voltar. Prefiro que seja comigo.
– O que você faz quando está em casa? – ela perguntou, tentando mudar de assunto. – Você vai ficar na Cornualha?
– Depende do trabalho... se eu voltar para o rádio.

— Será que a estação o aceitará de volta?
— Duvido. Eles não ficaram muito impressionados quando saí.
— Você se esforçou tanto para conseguir esse emprego. Pensei que adorasse esse trabalho.
— E adorava mesmo.
— E por que se demitiu?
Ele deu de ombros.
— Nunca fui capaz de dizer não para ela.
O caso entre Finn e Mia dominou a mente de Katie. Era um dos poucos assuntos sobre os quais ainda não tinham conversado e que agora pendia entre eles. Ela olhou fixamente para ele.
— Você estava apaixonado por Mia?
Ele suspirou.
— Sim.
Foi como uma facada nas vísceras, uma dor aguda que saiu de dentro para fora e a fez querer esconder as mãos. Mas ela preferiu pegar a bebida para ocupá-las.
— Desde quando?
Finn passou a junta do dedo para frente e para trás sob o queixo.
— Quando tínhamos 16 anos nós estávamos em um show e ela me beijou. Foi só um beijinho nos lábios, só isso. Não havia intenção alguma naquilo. Mas para mim foi a primeira vez que pensei nela como mais do que uma amiga.
Katie arregalou os olhos.
— Durante todo esse tempo você...
— Não. Não, acho que não. É difícil desembaraçar isso porque Mia sempre significou muito para mim.
— Mas quando vocês viajaram juntos...
— Percebi que estava apaixonado por ela.
Katie sentiu a garganta apertada e tomou o drinque de um só gole.
— Deve ter sido difícil vê-la com Noah.
— Foi um inferno.

— Como ele era?
— Um surfista incrível. Completamente focado no surfe. Acho que Mia foi atraída por essa intensidade.
Katie balançou a cabeça.
— Mas também me pareceu distante, na verdade realmente solitário. Fugia das pessoas. Sempre me pareceu perturbado. Não estou querendo dizer que isso seja uma opinião objetiva. É apenas a minha opinião.
— Mia escreveu a mesma coisa. Disse que a tristeza dele a fazia se lembrar de si mesma.
Finn engasgou.
— Você sabe. Talvez a minha opinião fosse diferente se eu tivesse achado que ele a amava.
— Por quê?
— Teria sido mais fácil deixá-la partir.
Ficaram calados por um tempo.
Finn se mexeu e ela notou que ele balançava o pé com nervosismo.
— Eu tenho perguntas, Katie. Sobre o diário de Mia... Sobre algumas outras coisas que ela pode ter escrito.
Só então ela se deu conta de que Finn tinha mesmo perguntas a fazer.
— Pergunte-me o que quer saber.
— Por acaso Mia escreveu... — Ele abaixou os olhos até o chão.
— Ela escreveu por que tinha dormido comigo?
Katie pensou em retomar o relato do diário que descrevia as estrelas caindo do céu e a quentura do rum na garganta de Mia.
— Ela queria sentir o que você sentia.
— Só que ela não sentiu.
— Você sempre foi o melhor amigo dela. Ela escreveu que seria um salto muito grande pensar em você de outra forma.
— Ela se arrependeu?
— Só se arrependeu pela forma com que isso mudou as coisas.
— Desculpe, sei que deve ser estranho falar sobre isso. Depois de nós.

Ela o olhou com intensidade.

– Você já estava... apaixonado por ela quando estávamos juntos?

Ele respirou fundo.

– Foi difícil porque na época não estávamos nos falando. Muito difícil mesmo. Mas quando eu estava com você, nunca me passou pela cabeça que desejava estar com Mia.

Foi um alívio ouvir isso, pelo menos.

– Sinto muito pela forma como as coisas terminaram entre nós – ela disse de supetão.

– Isso é passado.

Não, não é. Isso está aqui no presente, ela pensou.

– Lembra do que lhe disse quando terminamos? Fomos até aquele bar em Clapham.

– Claro que lembro. Você disse que tinha sido divertido, mas que não via futuro em nosso romance.

O coração dela bateu como um tambor.

– Isso não era verdade.

– O que quer dizer?

– Eu estava preocupada com Mia. Ela estava sofrendo muito porque nós estávamos...

– Srta. Katie! – Ketut saiu correndo em direção à mesa deles. – Tenho uma mensagem para a senhorita!

Ela piscou.

– Uma mensagem?

– Sim, um fax. Olhe só. – Ele entregou uma folha branca de papel.

Ela pôs a folha para a luz e leu:

Katie,

Após sua visita, tive o prazer de receber algumas notícias sobre sua mochila roubada. Parece que você está com sorte: ontem a polícia prendeu parte da gangue malaia sobre a qual me referi. Segundo os policiais, a mochila foi recuperada, embora não saiba ao certo se com alguma coisa de valor dentro. Não cabe a mim a responsabilidade de fazê-la retornar às suas mãos. A polícia já estava agendada para entregá-la desde a semana passada, e minha pergunta simplesmente apressou um pouco a entrega. Espero que o retorno da mochila possa confortá-la; sem dúvida, você merece.

Com respeito,
Richard Hastings

Katie olhou para Ketut.
Ele sorriu.
— Sua mochila já está no seu quarto.

Ela saiu correndo do bar, as sandálias batendo no piso de azulejos. Passou às pressas por uma família vestida para o jantar e saiu correndo novamente ao longo do amplo corredor em direção ao quarto, com Finn atrás. Enfiou a chave na fechadura e entrou no quarto.

A mochila de Mia estava encostada ao pé da cama. Parecia mais aos frangalhos do que se lembrava. Com um rasgo ao longo do bolso da frente e uma mancha escura que se estendia de cima a baixo, como se tivesse tomado um banho de óleo. Ela atravessou o quarto, puxou a mochila da cama e não se importou quando a sentiu mais leve. Abriu a fivela e o cordão e enfiou a mão na barriga da mochila.

Por favor, disse para si mesma, *por favor, esteja aqui.* Começou a retirar os itens — roupas, sapatos e produtos de higiene pessoal estavam empacotados juntos e ela jogou o pacote sobre a cama. Ficou com os dedos úmidos e pegajosos porque um frasco de xampu tinha vazado lá dentro. Retirou um item de cada vez: um vestido verde, uma brochura, um par de fones de ouvido, uma lanterna. E depois levou a mão ao fundo da mochila. Nada. Nada mais.

— Não! — Pôs a mochila de cabeça para baixo e sacudiu com força. — Vamos!

Empurrou a bolsa de lado e apalpou os itens que estavam espalhados em cima da cama: sandálias de dedo, escova de cabelo, casaco de lã, filtro solar, um par de shorts. Já tinha se esquecido deles. Revirou todo o resto; sacudiu a roupa e jogou os sapatos de lado. Examinou a pilha novamente, duas vezes.

— O diário não está aqui! O diário dela não está aqui!

Katie girou o corpo e Finn se agachou ao lado da mochila. Passou as mãos ao longo da superfície e abriu o zíper de um bolso lateral do qual ela se esquecera em meio a tanta pressa. Uma nódoa azul-marinho irrompeu como um vislumbre quando ele puxou o diário, como um mágico executando o seu melhor truque.

— Graças a Deus! — Ela caiu em prantos enquanto pegava o diário e passava os dedos sobre a capa cujo tecido pareceu mais fino. A lombada estava avariada e rachada. Folheou as páginas com o dedo polegar: estava tudo lá!

— Finn — disse, girando o corpo.

E logo congelou.

Ele estava com uma cara séria e tinha nas mãos um vestido de cor de grama molhada que pertencia a Mia. Era um dos poucos itens da roupa da irmã que Katie guardara na mochila. Ela notou o jeito com que ele tocava nas leves alças de algodão que um dia se dependuraram nos ombros de Mia. O que aquele vestido lhe trazia à memória a ponto de fazê-lo fechar os olhos por alguns instantes? Ele ergueu o vestido, como se para encontrar peso ou substância naquele objeto vazio, e depois o levou ao rosto e respirou o cheiro de Mia.

Mesmo com você morta, sempre será você e Finn, não é?

Ele abriu os olhos e olhou nos olhos de Katie. Ficaram calados. Como se de repente o ar do quarto estivesse comprimido pelo imenso brilho da presença de Mia. Ambos tinham partes de Mia nas mãos.

Finn soltou o vestido abruptamente e pigarreou.

— Já está com seu diário de volta.

— Pois é.

— Deve estar louca para lê-lo — ele disse, levantando-se. — É melhor deixá-la sozinha.

Ela balançou a cabeça. Pulou em cima da cama antes mesmo da porta se fechar atrás dele, puxou o diário para o colo e abriu as íntimas páginas cor de creme.

24

Mia

(Bali, março)

Mia chegou ao topo do penhasco e pôs as mãos nos quadris para tomar fôlego. O suor escorreu por entre os seios e no cós do short e a fez agradecer pela brisa que soprava do mar.

Noah estava sentado à sombra de uma grande pedra de granito, os joelhos dobrados contra o peito. Ela sabia que ele estaria ali. A solitária vista para o mar chamava-o diariamente ao topo do penhasco para contemplar as ondas que arrebentavam lá embaixo. Ele não se virou quando ouviu os passos atrás nem quando ela se abaixou ao lado e se encostou na parede de pedra fria.

Ela tirou uma garrafa de água e um sanduíche da bolsa de lona pendurada ao ombro.

– Achei que você devia estar com fome.

– Obrigado – ele disse, pegando a garrafa e o sanduíche. Eles se entreolharam rapidamente, mas ela notou os anéis ocos debaixo dos olhos dele. A barba de uma semana por fazer estendia-se ao longo da mandíbula e o corte na testa já estava cicatrizado debaixo de uma crosta amarronzada.

Depois do acidente no surfe três semanas antes, Noah se dirigira sozinho ao hospital, deixando uma mancha de sangue irregular no banco do motorista. O médico, que só o examinou depois que ele retornou com uma prova de que poderia pagar a conta final, explicou que ele tinha um corte agudo nos músculos do manguito rotador no ombro e uma laceração de sete cen-

tímetros e meio na parte superior do dorso que precisavam de pontos.
 – Achei que você voltaria para o albergue. Como foi o *check-up*?
 Ele continuou de olhos perdidos no mar, onde linhas de ondas suaves e vítreas ondulavam na superfície.
 – O corte nas costas infeccionou.
 Mia tinha visto o ferimento no dia anterior quando o ajudou a trocar de roupa. As bordas irregulares do ferimento estavam secas e rosadas, mas ela notou uma coloração esmaecida de carne no centro e temeu que estivesse começando uma infecção.
 – Eles deram antibióticos pra você?
 Ele assentiu com a cabeça.
 – De qualquer forma, calculam que o dano muscular me deixará fora da água pelo menos por uns três meses. Talvez seis.
 – Será muito menos tempo – ela prometeu, estendendo a mão e dando-lhe um aperto carinhoso.
 Na manhã após o acidente, ela o tinha encontrado na praia de Nyang, lançando varetas nos rolamentos das ondas com o braço bom.
 – Preciso saber – disse Mia, chegando mais perto de Noah, – por que você se coloca em perigo? – A imagem dele sendo engolfado pelas ondas era um tormento a cada noite. – Você podia ter morrido.
 Noah olhou para ela, com uma expressão ilegível.
 – Eu sei que poderia ter morrido.
 Desde o acidente, ele passava a maior parte dos dias no alto do penhasco, observando solitariamente a arrebentação das ondas e ouvindo a algazarra e os gritos dos surfistas que surfavam ao longe. À noite aparecia no quarto dela, e fazia amor com desesperada urgência. Depois os dois ficavam deitados juntinhos sob o ventilador do teto, e mais tarde ele voltava para o próprio quarto e dormia sozinho.

— Fiquei pensando. — Ela forçou a voz para soar estimulante. — Poderíamos fazer alguma coisa diferente amanhã. Você disse que Ubud é lindo e eu adoraria visitar os templos e jardins de água. Poderíamos passar alguns dias lá, em algum albergue mais fresco. — Ela imaginava um lugar pequeno no sopé das montanhas, cercado por brilhantes plantas tropicais que perfumavam o ar. Longe do calor poeirento da cidade, o tiraria daquele estado. Fariam caminhadas matinais pela grama orvalhada e passariam as tardes na cama, fazendo amor e conversando pela noite adentro.

— Estou pensando em sair de Bali.

— O quê? — Uma pressão se expandiu pelo peito dela. — Por quê?

— Eu vim pra cá pra surfar.

— E eu vim pra cá pra ficar com você. — As palavras saíram antes que ela pudesse detê-las. Pensou por um momento em Finn e em tudo que sacrificara. A imagem dele era como um punho apertado em torno do coração. — E quanto a nós?

Noah tirou a mão de baixo de Mia, um gesto que aos olhos dela era maior do que parecia.

— Não sei — ele disse depois de alguns segundos. — Sinto muito. Não sei.

Para Mia, a felicidade era medida com uma régua dentada que passava nas reciprocidades que mantinham um com o outro. Já tinha lido alguns livros em que os personagens se descreviam como *"aprisionados"* pelo amor, e rejeitava o termo como melodramático. Mas agora não encontrava uma forma melhor para se descrever: estava aprisionada nos sentimentos intensos que nutria por Noah.

— Eu te amo. — As palavras escaparam sem querer e logo a fizeram ruborizar, as mãos trêmulas pelo peso do que acabara de declarar. Era a primeira vez que dizia essas palavras para um homem.

O silêncio inchou ao redor. Ela esperou ansiosa que ele dissesse alguma coisa.

Ele não disse nada. Ela ficou com os olhos marejados de lágrimas e olhou em direção a duas gaivotas que planavam nas correntes de ar, com a parte inferior das asas extremamente brancas. Levantou-se e caminhou em direção à borda do penhasco para fugir do silêncio. A brisa bateu forte no rosto e ela apertou os olhos para protegê-los do sol e localizar as gaivotas que mergulhavam penhasco abaixo rumo ao mar, onde as ondas rolavam e cantarolavam. Invejou a liberdade das aves que podiam mergulhar do penhasco e sobrevoar à deriva pelo mar.

Mia deu um passo à frente e pôs os dedos do pé direito na borda. Era uma queda de uns 1.200 metros através de lajes de pedra enviesadas que aguardavam como lápides. A brisa enrolou um anel em volta dos dedos e ela levantou os braços como asas. Serenou acariciada pelo ar frio. O mar era atrativo e uma vertiginosa onda acenou à vista liquefeita e brilhante.

Noah apareceu de repente e pegou-a pelo braço, puxando-a para longe da borda.

– Que diabos está fazendo?

– Eu... Eu só estava... – ela gaguejou chocada consigo mesma.

– Você estava bem na borda!

– Eu só queria sentir a brisa.

Ele a soltou, deixando uma marca vermelha em torno do punho dela.

– Jesus, Mia, pensei que você fosse...

– Sinto muito. – As lágrimas picaram no fundo da garganta e ela desviou os olhos.

– Ei – ele disse, agora suavemente. – Está tudo bem. Eu exagerei.

Ele a enlaçou pela cintura e ela deu um passo em direção a ele. Foi tomada pelos braços e encostou o rosto no peito dele, enlaçando-o pela camiseta de algodão com braços firmes.

Ela ouviu o rufar feroz do coração dele e se deu conta de que não estavam mais abraçados: ela é que se agarrava.

***

Com a cabeça pesada, Mia caminhou ao longo do corredor em direção ao quarto. Noah não tinha dito em que data partiria nem tinha explicado em que pé as coisas ficariam entre eles. Mas por dentro, ela sabia que o romance estava terminando.

Abriu a porta e bateu de frente no calor estagnado do quarto. Esquecera-se de deixar a janela entreaberta e o sol incendiara tudo e cozinhava as partículas de poeira que pairavam no ar.

– Como é que vão as coisas?

Ela se virou na soleira da porta e se deparou com Jez, que se aproximava.

– Tudo bem – respondeu e entrou no quarto, ansiosa para ficar sozinha. Só queria se esticar na cama, fechar os olhos e dormir.

Jez a seguiu para dentro, com o tênis guinchando no piso de linóleo. Fazia quase duas semanas que ela não o via. Sabia que ele estava ali para pegar o dinheiro que ela estava devendo. Já tinha dado uma passada no banco no dia anterior e se surpreendera quando soube que o cheque especial estava no limite. Embora soubesse que as coisas ficariam apertadas depois do gasto extra com o voo para Bali, não sabia que as finanças ficariam tão precárias. O orçamento de viagem que elaborara com Finn incluía três meses de trabalho na Nova Zelândia, e agora isso estava fora da equação. Mia não fazia ideia de como poderia sobreviver.

Jogou a bolsa em cima da mesa e abriu a janela para o ar circular.

– Pegou um sol, hein – disse Jez encostado à parede, as mãos penduradas nos bolsos como um adolescente entediado. Os óculos escuros em cima da cabeça estavam com as lentes embaçadas de sal.

– Peguei?

– Nos ombros.

Ela olhou para o próprio ombro e o cutucou com a ponta do dedo, deixando uma marca branca por cima.
– Pegou uma praia?
– Não, acabei de voltar dos penhascos.

Claro que ele sabia o que a tinha levado até lá, mas não fez perguntas sobre o irmão. Em vez disso, disse:
– Vim te avisar que esta noite uma banda de reggae vai tocar no Loko's. A galera toda vai. Quer ir?

A simples simpatia do convite desmontou-a. Ela não estava em clima de música alta e cervejas Bintang, mas também não queria quebrar aquela ponte recém-construída.
– Parece uma boa. Preciso ver como estarei me sentindo mais tarde.
– Se quiser ir com a gente, é só bater na minha porta. O show da banda é às onze.

Era uma visita inesperada, e quando ela olhou em volta havia roupas íntimas ao pé da cama e uma cartela de pílulas anticoncepcionais em cima da bolsinha de itens para higiene. Ergueu os olhos e Jez a observava. Ele esboçou um sorriso e desviou os olhos. Era imaginação ou estava mesmo nervoso?
– Noah esteve hoje no hospital para uma consulta.
– Certo. – Ele arrastou distraído o calcanhar do tênis no chão, fazendo um pequeno arco.
– O corte nas costas infeccionou. Os médicos acham que ele estará fora da água pelo menos por três meses.

Jez balançou a cabeça.
– Estou preocupada com ele. Parece, sei lá, deprimido.
– Tudo bem.
– Achei que você gostaria de saber... para ter uma conversa com ele ou coisa parecida.

Jez assumiu um ar zombeteiro.
– Talvez não tenha notado, mas não somos exatamente aquele tipo de irmãos que troca confidências sobre os próprios sentimentos.

— Por que você faz isso?
— Isso o quê?
— Age como se não desse a mínima para ele. Eu vi você na água, Jez. Você arriscou a vida por ele.

Ele a olhou com os mesmos olhos penetrantes e escuros de Noah.

— Eu não devia ter me incomodado.
— Você não quer dizer isso.
— Não?
— Ele é seu irmão.
— Você tem uma irmã?
— Tenho.
— Então, você deve conhecer um pouco sobre o amor e um pouco sobre o ódio.

Mia abriu a boca para falar, mas voltou a fechá-la. Jez estava certo: às vezes a linha entre os dois sentimentos é tão tênue que é difícil distinguir de que lado se está.

— Noah está pensando em sair de Bali – ela disse casualmente.
— Claro que ele está. Isso é o que ele sempre faz. Sempre foge quando não consegue lidar com alguma coisa.
— Ele está fugindo do quê?
— Ainda não se deu conta do quê?

Ela continuou esperando a resposta, olhando-o fixamente. Mas ele não respondeu.

— Acho que vai querer seu passaporte de volta para ir atrás dele. Já tem o dinheiro que me deve?
— Ainda não.
— Olhe que já se passaram duas semanas.
— Estou sabendo.
— Não sou nem rico nem paciente. Preciso desse dinheiro.

Ela não se lembrava da quantia exata que ele havia pagado à polícia, e a pequena dúvida a fez perguntar:

— Quanto foi mesmo?

Ele contraiu a boca.

– Você sabe quanto. Dez milhões de rúpias.
– Vou precisar do passaporte para sacar essa quantia.
Ele desencostou da parede e atravessou o quarto. Parou a poucos centímetros de distância e só então ela notou que ele tinha os olhos mais estreitos que os de Noah e os cílios embranquecidos nas pontas pelo sol.
– Não me trate como um idiota – ele disse lentamente e apertando a boca em cada palavra dita. – Você não precisa de passaporte para sacar dinheiro vivo, Mia.
Ele girou como se para se retirar, mas se deteve ao lado da mesa onde estava a bolsa. Puxou de dentro a carteira.
– O que está fazendo?
Sacou um maço de notas e contou-as.
– Dois milhões de rúpias. – Enfiou o dinheiro no bolso. – Só faltam oito milhões.
– Isso é roubo!
– Não. É cobrança de dívida.
– Eu garanti que lhe pagaria. Você não pode sair pegando dinheiro na carteira dos outros.
– Obrigado pela lição de moral. Você também precisa de umazinha: se tratar o outro como idiota, ele vai agir como idiota.
– Jez fechou a porta, soprando um beijinho pelo ar.
Mia olhou para a carteira aberta e esparramada na mesa. E de repente se deu conta da realidade da situação: estava sem dinheiro e sem passaporte; ou seja, era uma prisioneira naquele lugar... E Noah partiria em breve.
Comprimiu o dorso das mãos nas têmporas e tentou pensar. Não tinha como pagar a Jez e, mesmo que trabalhasse, precisaria de meses de trabalho com o salário de Bali para juntar o dinheiro que faltava. Não ousaria dar queixa do roubo ou da perda do passaporte porque a polícia já tinha informações sobre ela. Se contasse para Noah, teria que explicar por que não tinha falado antes sobre o suborno. Enfim, se envergonhava por todo o incidente e não fazia a menor ideia do que fazer.

Só restava pegar o diário e se chafurdar na cama. Abriu uma página em branco e passou os dedos por cima. Retirou a tampa da caneta com os dentes e começou a escrever...

Noah está indo embora. É insuportável pensar em perdê-lo, literalmente insuportável. Ele é infeliz, vejo isso, mas não faço a menor ideia de como posso ajudar. Ele não me deixa entrar dentro dele. Ele só fica na superfície.

Quando se for não haverá nada mais aqui para mim. Mas estou empacada. Só tenho cinquenta libras na mochila, só isso. Estou fodida. Estou literalmente fodida.

25

Katie

(Bali, agosto)

Katie deixou o diário de lado e levantou-se. Os joelhos enrijeceram e o pescoço doeu pelo tempo de leitura curvada. Olhou para a varanda e já era noite. Girou lentamente a cabeça e alongou os músculos do pescoço enquanto pensava no que acabara de ler: a chegada de Mia ao Nyang Palace; as estranhas observações de Jez na escada no escuro; o rosto de Mia açoitado pela chuva enquanto Noah era engolfado e ferido pelas ondas; a pontada de medo que queimou Mia quando se sentou na traseira da viatura policial. Só depois de ler sobre o suborno que Mia teria que pagar para Jez é que entendeu por que a irmã telefonara para lhe pedir dinheiro. Ruborizou envergonhada pela última conversa que tiveram.

Também havia lido sobre as visitas de Mia aos penhascos, memorizando os detalhes da parte inferior do caminho que levava ao mirante, e sobre o trabalho duro da irmã para atravessar o matagal que levava ao topo.

Ela tirou da bolsa o mapa que recebera de Richard Hastings e o enfiou no bolso do vestido. Apertou os dedos na dobra do papel que farfalhou. *Vou lá, Mia. Logo, logo. Prometo a você.*

Soou uma batida na porta. Ela atravessou o piso de madeira encerado, abriu a porta e a sua frente Finn segurava uma bandeja, com uma refeição e uma garrafa de vinho tinto.

– Achei que você estava com fome.

O aroma do arroz fumegante e das especiarias frescas entrou quarto adentro.
— Estou morrendo de fome. — Ela abriu espaço na penteadeira e ele colocou a bandeja ali.
O vinho gorgolejou ao ser servido. Ele estendeu um copo para ela.
— E como vai indo o diário?
— Mal consigo parar de ler.
— O que Mia disse de Bali?
— Disse que era um lugar bonito. E que adorava as praias, as pessoas e a comida.
— Ela sempre quis ir à Indonésia.
Queria isso? Eram tantas coisas que não sabia da irmã. Tantas coisas que nunca saberia.
— Noah ficou feliz ao vê-la?
— Surpreso, acho eu. E a princípio, talvez preocupado por estar sendo seguido. Mas também ficou feliz.
— Ela parecia feliz?
Katie pensou por um momento. Feixes claros de felicidade com o brilho e a intensidade do sol, como na descrição da tarde que Mia e Noah sentaram-se à sombra de uma palmeira e saborearam mangas maduras, cujo sumo doce escorria pelo queixo de ambos. Mas uma mudança significativa nas páginas seguintes ao acidente de Noah no mar, onde os pensamentos dela espelhavam a visão sombria dele. Inúmeros relatos ofuscados pela ansiedade em torno do relacionamento entre ambos. Mas não era isso o amor: a intensa exaltação da presença do ser amado seguida pela cruel depressão da dúvida?
— É difícil responder isso antes de ler tudo.
— Em que parte está? — perguntou Finn.
— Apenas a uma semana do...
Ele balançou a cabeça e deixou transparecer inquietude nos olhos, mas girou o corpo e colocou os pratos.
— Pedi *goreng nasi*. Tudo bem para você?

— Perfeito.
— Acabaram se esquecendo de colocar os talheres — ele acrescentou enquanto levantava um guardanapo. — Pegarei alguns.

Já com a porta fechada, Katie caminhou até a cama e puxou o diário para o colo de novo. Folheou as páginas. Ainda havia um bocado de páginas a serem lidas. Depois de um gole de vinho não se conteve e se pôs a ler.

Fiz algo terrível. Estava desesperada; não havia outra escolha. Não podia pedir dinheiro para Katie porque haveria muitas perguntas – por isso mandei um e-mail para Finn. Pedi dinheiro emprestado a ele. Disse que compraria a passagem e me juntaria a ele para resolver as coisas. Jesus, eu realmente quero resolver essa merda de situação. Odeio estarmos separados Parece que falta uma parte minha. E há tantas coisas que preciso explicar.

Se ele mandar o dinheiro, terei o passaporte de volta. E depois espero, ESPERO que ainda reste algum para a passagem que me levará a ele.

Katie fechou os olhos. *Ah, Mia. Como pôde? Depois de tudo que já o tinha feito passar, ainda pediu isso para ele. E quanto a mim? De um jeito ou de outro, parece que você tinha que procurá-lo primeiro. O que aconteceu: Finn disse não e por isso você telefonou para mim? Sua segunda escolha?*

Ela pulou da cama quando Finn entrou com dois conjuntos de talheres nas mãos.

— Um garçom estava passando pelo corredor com os talheres. — Ele se dirigiu à penteadeira e pegou um prato. — Vou servir antes que esfrie.

Ela se perguntou por que ele não tinha dito que Mia lhe mandara um e-mail pedindo dinheiro. Talvez pela vergonha por ter recusado.

— Pegue — ele disse, estendendo o prato.

Ela pegou o prato e o colchão oscilou quando ele sentou-se ao lado com o prato no joelho. Esperou que ele desse uma garfada de arroz e legumes e disse:

– Finn?

Ele ergueu os olhos.

– Mia se comunicou com você quando estava em Bali? Pediu dinheiro emprestado a você?

Ele parou de mastigar e depois engoliu.

– Sim, ela fez isso.

– E você emprestou o dinheiro?

Ele deixou o garfo de lado, com uma cara séria.

– Ela disse que o dinheiro era para uma passagem de avião. Queria se encontrar comigo para resolver as coisas. Por isso eu mesmo providenciei a passagem.

– Oh, Finn! – Mesmo depois de tudo que Mia tinha feito, ele ainda teve a generosidade de dar uma segunda chance a ela. – Foi muita generosidade sua.

Ele esfregou a testa de um lado a outro.

– Esse é o problema, Katie – disse em tom monocórdio e assustador. – Não foi tanta generosidade assim.

O calor tornou-se abrasador no quarto. Ele saiu andando com a camiseta colada às costas e abriu as portas da varanda. A brisa quente da noite levantou a beirada das cortinas. Respirou profundamente para abrir os pulmões e sentir o gosto do mar.

– Finn?

Ele girou o corpo lentamente. Katie estava sentada de pés unidos na beira da cama. O prato estava de lado, e ela o olhava de olhos arregalados e atentos. Ele passou a palma da mão na testa de novo, sem saber por onde começar. Precisava ser honesto. Ela estava com o diário nas mãos e de qualquer maneira acabaria descobrindo.

– Recebi um e-mail de Mia – disse Finn. – Era óbvio que a estada em Bali não tinha sido lá essas coisas, e por isso ela queria

AS IRMÃS E O MAR | 297

voltar. Mas não me importei; só queria vê-la. Que patético; queria muito vê-la — acrescentou, balançando a cabeça. — Fiquei com medo que ela mudasse de ideia e, em vez de mandar o dinheiro para a passagem, eu mesmo reservei e marquei o voo.
— Mas ela nunca entrou nesse avião — disse Katie.
— Esperei no aeroporto durante seis horas. O voo atrasou. Ele se lembrou de ter lido um jornal australiano de capa a capa, passando pelas notícias do críquete e pela descoberta de um novo sítio arqueológico australiano, com inscrições rupestres de 15 mil anos antes. Era preciso espairecer de algum jeito, apagar a insidiosa dúvida de que ela não chegaria. Até que o voo atrasado chegou e ele passou os olhos pelos exaustos passageiros no desembarque, mas ela não estava entre eles.
— Chequei os dados dela com o pessoal do aeroporto. E me disseram que ela não tinha embarcado naquele voo. Só podia ter havido um engano com a passagem. Fui até uma das cabines de internet do aeroporto para ver se ela havia se comunicado. Apenas uma mensagem. Apenas uma frase. Foi tudo que ela se deu ao trabalho de escrever. *"Finn, ainda não posso voltar. Desculpe."*
Ele balançou a cabeça.
— Ela me usou, Katie.
— Ela não podia viajar. Jez estava com o passaporte dela.
— Jez? O irmão do Noah?
Katie balançou a cabeça.
— Por quê?
— Um incidente com a polícia daqui. Acabei de ler a respeito. Foi pega com maconha. Jez subornou os policiais para que a libertassem.
— Merda. — Ele passou a junta do dedo de lado a lado no queixo.
— Foi muito dinheiro. Jez só devolveria o passaporte depois que recebesse o dinheiro de volta.
— Foi por isso que ela precisava de tanta grana?
— Sim, mas ela também queria se encontrar com você. Ela escreveu isso. Esperava que sobrasse dinheiro para um voo.

O sangue drenou do rosto de Finn.
– Meu Deus, isso piora tudo.
– Piora?
– Fiquei furioso quando soube que ela não viria. Enviei um e-mail de volta. Eu devia ter esperado. Devia ter esfriado a cabeça. – Ele lembrou que bateu os dedos nas teclas como uma tempestade prestes a desabar.
– O que você disse?
– Mia ficou completamente fora de órbita quando descobriu que Harley era o pai dela.
– Eu sei – disse Katie. – Ela ficou com medo de ser igual a ele.

Finn a olhou fixamente.

– E com medo de que *acabasse* como ele. Tentei tranquilizá-la, dizendo que ela não era ele e que não tinha nada a ver com ele. Mas as características de Harley descritas por Mick a tinham convencido de que ela era igual ao pai.

– Por que está me dizendo isso?

– Escrevi no meu e-mail... – Ele hesitou, com os dentes trincados e uma forte pulsação na cabeça. A nódoa sombria e farpada que estava enterrada no peito arrastou-se pela garganta acima. – Escrevi, *se não tomar cuidado, Mia, pode acabar sozinha, suplicando para saber o que aconteceu com todos que estavam ligados a você. Assim como seu pai.*

Finn fechou os punhos como duas pedras.

– E dois dias depois ela está morta! Ela está morta! Suicídio. Foi o que disseram. E eu com aquelas malditas e obsessivas palavras na cabeça: *assim como seu pai.* – Apertou os punhos contra a parede e os antebraços retesaram. – Não pude dizer para ela que sentia muito por ter dito aquilo.

– Foi você?

Ele deixou as mãos caírem e olhou em volta.

– Foi você – ela repetiu. – Foi você que enviou a orquídea da lua para o funeral de Mia?

— O quê?
— Uma orquídea que enviaram para o funeral.
Ele olhou sem entender.
— Com um cartão junto. Um cartão que só dizia *"desculpe"*.
Ele balançou a cabeça.
— Não. Mas *sinto muito*. Porra, você não imagina como estou arrependido de tudo! Eu não devia ter deixado que ela fosse sozinha para Bali. Eu devia ter dito a você onde ela estava. E o dinheiro de que ela precisava... Eu devia ter dado a ela. Eu não devia ter comprado a porra daquela passagem de avião! – Ele apertou a cabeça entre as mãos. – Aquilo que eu escrevi... Deus, que insensível... Odeio só de pensar que ela acreditou... ou que estava pensando naquelas palavras quando...
— Pare! Não se atreva a dizer isso!
Finn abaixou a cabeça. Carregava essa culpa por meses a fio, e isso se tornara bem maior que ele.
— Katie – ele disse, agora em tom calmo. – Preciso saber como Mia se sentiu quando leu o meu e-mail.
Ele atravessou o quarto e pegou o diário na mesa de cabeceira. O tecido azul-marinho brilhou debaixo dos dedos dele. Lembrou-se de como ela o escrevia: o diário equilibrado nos joelhos enquanto percorriam a Califórnia; esparramados no chão da barraca enquanto ela escrevia à luz da lanterna; tempestades de areia pingando da lombada depois que ela escrevia na praia, apoiada no cotovelo.
— Isso deve estar aqui – ele disse, estendendo o diário. – Por favor, Katie, eu preciso saber o que ela escreveu.

26

Mia

(Bali, março)

Mia estava totalmente imóvel. De costas retesadas, cabelos à frente dos ombros como um lenço negro e pés descalços sobre o apoio de madeira debaixo da mesa do computador. Apenas os olhos se moviam pela tela enquanto lia o e-mail de Finn pela segunda vez.

De repente, piscou os olhos e libertou-se da imobilidade com um rompante. Apressada, empurrou a cadeira para trás, pegou a bolsa e saiu da lan house.

Era uma noite amena e a rua estava repleta de turistas e camelôs balineses que vendiam bugigangas. Meteu-se na corrente de transeuntes de olhos abaixados. Uma roda apertada de ansiedade girava por dentro e a cada passo o e-mail de Finn ganhava impulso e girava nos pensamentos. Alheia ao ritmo das passadas dos próprios pés bronzeados e da delicada corrente de prata que dançava no tornozelo, só tinha olhos para as palavras que ecoavam do cérebro e grudavam por dentro das pálpebras: "*Se não tomar cuidado, Mia, pode acabar sozinha, suplicando para saber o que aconteceu com todos que estavam ligados a você. Assim como seu pai.*"

A respiração encurtou e não se deixou acompanhar. A poluição do trânsito e a doçura pesada das frutas apodrecidas sufocaram a garganta. Mia desviou-se de um sujeito que passou fumando um cigarro de cravo enjoativo e a calçada pareceu inclinar debaixo dos pés. Esbarrou em um sujeito magro que girava um ioiô no dedo e que arregalou os olhos de curiosidade.

Ela saiu correndo. Era uma rua desigual cujos sulcos profundos atrapalhavam os passos. Passou correndo por um par de olhos felinos que olhou desconfiado do capô de um carro estacionado, contornando vasos de plantas quebrados e sacos de lixo largados. Enfiou-se por uma rua lateral que levava ao albergue e passou zunindo pela entrada, pela recepção e pelo longo corredor escuro.

Só quando chegou ao quarto é que se deteve. O estômago embrulhou e o pulso disparou de ansiedade. E só então se deu conta de que não devia ter entrado e de que não devia ficar sozinha.

Retrocedeu os passos e chegou diante da porta do quarto de Noah. Estava destrancada. Entrou pela escuridão abafada enquanto tentava estabilizar a respiração.

A voz dele soou sonolenta e questionadora.

– Mia?

– Sim. – Ela fechou a porta, com um empurrãozinho de dedos. – Está tudo bem. Volte a dormir – sussurrou enquanto tirava a roupa e se metia na cama ao lado dele. O coração ainda batia descompassado. Se pudesse se encaixar na curva quente do corpo dele, o batimento cardíaco se reduziria ao ritmo do dele.

Mas ela continuou imóvel, os braços dobrados nos lados como asas e os tornozelos levemente encostados na perna dele – Apenas o bastante para uma conexão. Noah murmurou alguma coisa – talvez uma questão ou uma observação. Mia não respondeu. Simplesmente esperou, até que ele respirou raso e retornou às dobras confortáveis do sono. Só então ela suspirou aliviada. O ventilador de teto cortou o ar quente do alto e ela contou as rotações para esvaziar a mente.

Ao chegar às trinta e duas rotações, o e-mail de Finn cravou-lhe na mente com raízes profundas. Ela o imaginou digitando a mensagem à luz esmaecida da tela do computador e sangrando de calor pelos olhos. Escolhia as palavras de maneira premeditada a fim de estripá-la até os ossos e enunciar o que ela mais temia: acabar igual ao pai.

Mia sentiu o gosto amargo e verdadeiro da advertência de Finn. Sentiu uma simetria entre a vida que levava e a vida que Harley também levava. Isso corria nas veias dela como sangue. Ela também era prisioneira de uma espiral de autodestruição que a afastava de si mesma e das pessoas que a amavam, tal como o pai. Mordeu o lábio e pensou no sofrimento que causara a Finn. Era uma crueldade abandoná-lo por Noah e imperdoável enganá-lo com a mentira de que estava de volta. Ela queria se colocar cara a cara com Finn e dizer que estava muito arrependida. Mas sabia que era tarde demais para isso. O tráfego, as vozes da rua e o ritmo das ondas que quebravam ao longe entraram pela janela aberta.

Mia não soube estimar o tempo que passou depois que caiu no sono, mas acordou com um forte golpe no peito e caiu da cama sem fôlego. Noah se debatia com a força de um atleta, como um animal encurralado debaixo do lençol.

— Noah!

Seguiu-se uma sequência de murmúrios ininteligíveis enquanto ele se contorcia aprisionado nas garras de um pesadelo.

Ela procurou o interruptor de luz na parede. Acendeu a lâmpada fluorescente e piscou os olhos, protegendo-se da luminosidade.

Ele acordou agitado e arrancou o lençol. Levantou-se e saiu cambaleando. O corpo estava empapado de suor e ele respirava com dificuldade. Até que girou o corpo de olhos arregalados e assustados.

— O que foi que eu fiz?

Ela estava encostada na parede como uma lagartixa.

— Você teve um pesadelo.

— Por acaso machuquei você?

Ela estava com uma dor forte no peito pelo golpe recebido.

— Não. Estou bem.
— O que está fazendo aqui? Não devia estar aqui. — Ele girou o corpo de novo e se dirigiu à janela. Apoiou-se com as palmas das mãos nas extremidades do vidro, como um prisioneiro desesperado prestes a fugir. Já não estava com o curativo na parte superior das costas e o ferimento agora estava rosado e molhado. Ela cruzou o quarto em passos lentos e apoiou as mãos por cima da suave fenda das nádegas dele. A pele estava em fogo.
— Noah? — disse, mas ele nem se virou, ainda agarrava-se à trama do pesadelo. Ela pensou a respeito das objeções que ele fazia quanto a passar a noite com ele. — Isso acontece muitas vezes, não é?
Ele trincou os dentes e ela pôde ver, pelo reflexo na janela, que também estava de olhos apertados. Algo extremamente vulnerável acompanhava aquela trilha fina de sangue que vertia do ferimento. Ela pousou a mão no antebraço dele e passeou os dedos de um lado para o outro, seguindo as bordas escuras da tatuagem.
— Está tudo bem — ela disse baixinho.
O gesto o desarmou. Ele abaixou a cabeça, os ombros trêmulos.
— Oh, Noah. — Ela o enlaçou pela cintura e o tomou nos braços, colando-se no suor frio que escorria da pele dele. Foi assustador vê-lo daquela maneira. — O que aconteceu no pesadelo?
Ele retesou o corpo.
— Noah?
Ele não respondeu.
— Foi com Johnny, não foi?
Ele se afastou.
— Converse comigo.
Ele não disse nada e ela se deu conta de que eles eram muito semelhantes, suportavam o peso da própria dor à parte. Mas poderiam se ajudar mutuamente.
— Já sei que você perdeu seu irmão. Fale-me dele. Eu quero ajudar.

— Por favor, vai embora.
— O quê?
— Não consigo lidar com isso.
— Noah, eu só quero...
Mas ele já tinha cruzado o quarto e apanhado as roupas de Mia.
— O que está fazendo? – ela perguntou. A ansiedade pulsou como um beijo sombrio no peito. – Noah, por favor...
— Você está forçando a barra, Mia. Tentando entrar na minha cabeça. Não posso fazer isso. Nunca deveria ter começado isso. Foi um erro. Lamento, Mia, mas foi um erro.

Ele entregou as roupas. Ela se vestiu e, ao se virar, notou que a mochila dele estava toda arrumada e encostada na escrivaninha.
— Você está indo embora?
— Estou.
— Quando?
— Amanhã.
— Ia me contar?

Ele a olhou com olhos escuros que ocultavam segredos e abriu a porta para o corredor.

Ela saiu do quarto.
— Sinto muito. – Foi tudo que ele disse.

27

Katie

(Bali, agosto)

Katie saiu para a varanda. Um pássaro alçou voo assustado de um ninho no jardim do hotel, batendo asas escuras no céu noturno. Ela apoiou as mãos no parapeito de madeira e inalou o odor das plumerias e da terra fresca.

Finn juntou-se a ela. Ficaram calados. Ela ouvia a chamada distante das ondas e da brisa que agitava as árvores. Ainda não tinha lido o diário como ele pedira. As coisas corriam rápidas demais e fugiam do alcance. Katie precisava centrar-se em si mesma para pensar.

– Sinto muito – disse Finn, com a voz sem a intensidade de antes. – Eu devia ter comentado antes sobre o meu e-mail. Mas estava envergonhado.

Ela entendia como ninguém mais o que era vergonha. Era um segundo batimento cardíaco dentro do peito. Também não tinha comentado com ninguém sobre o telefonema de Mia. E passou a conviver com a vergonha do diálogo que travaram e com a tinta do remorso correndo nas veias.

– Também não fui completamente honesta com você.

Ele voltou-se para ela.

Ela sentiu-se olhada, mas não retribuiu o olhar. Fitou a escuridão e disse:

– Mia me telefonou. Na véspera da morte. Não nos falávamos desde o dia de Natal, quando disse para ela que estava noiva.

E três meses depois, ela telefonou. – Katie suspirou. – Finalmente telefonava só para me pedir dinheiro.
– Porque eu não tinha dado pra ela.
– Pois é.
– E emprestou dinheiro pra ela?
– Nem cheguei a considerar a possibilidade. – Katie fechou os olhos e a noite entrou pelos poros adentro. Lembrou-se da conversa que teve com a irmã e que reproduzia incansavelmente nas profundezas insondáveis do sofrimento.
– O que você disse?
Ela olhou por cima do ombro em direção ao diário que jazia na sala iluminada.
– Sabe por que não li logo o diário quando o encontrei na mochila dela?
– Você disse que queria manter viva a memória de Mia.
Ela sorriu, com uma única nota aguda.
– Isso foi o que disse para mim mesma. É engraçado o que se é capaz de fazer para se convencer a si mesmo. Mas a verdade, Finn, é que sou uma covarde. Até agora não me sentei para lê-lo de cabo a rabo porque não quero saber o que Mia escreveu sobre nossa última conversa.

Katie pensou na verdade sombria que arremessara com frieza e na respiração embargada de Mia enquanto ouvia e era atingida.

– Seria insuportável se eu tivesse a confirmação de que minhas palavras a levaram até a borda daquele penhasco.

28

Mia

(Bali, março)

Mia enfiou as moedas no telefone público e discou o número de Katie. Ficou à espera. As batidas do baixo de uma boate bombardeavam a rua e ecoavam dentro do seu peito. Um letreiro de rua piscava do outro lado da cabine e projetava *flashes* alaranjados sobre um cão esquálido que fuçava uma caixa vazia na calçada.

– Katie Greene na linha. – A voz soou fria e profissional.
– Sou eu.
– Mia?
– Sim.
Fez-se uma pausa.
– Estou no trabalho.
– Não pode falar? Nem por cinco minutos?
Katie suspirou.
– Espere um instante.

Mia a ouviu dizendo para um colega que logo estaria de volta, e depois, um estalido seco de saltos sobre um piso duro, a sucção de uma porta se abrindo e o rumor do tráfego alucinante de Londres vazando através das ondas da ligação telefônica.

– Está um frio danado aqui fora – disse Katie. – Não posso demorar muito.

Mia não queria saber do frio monótono daquele dia de inverno em Londres porque onde estava era noite e o ar ainda abrasador empapava a camiseta de algodão.

— Como está? — ela perguntou trivialmente, sem saber como começar.

— Ótima.

— Desculpe por não ter telefonado antes.

— Já se passaram três meses — retrucou Katie.

— Tudo isso? — Mia enrolou o fio de telefone em volta do punho e o torceu até interromper o fluxo de sangue para os dedos. E de repente não sabia mais o que dizer. — Como está o trabalho?

— Bem.

— E Ed?

— Você não me telefonou para falar do Ed. Ou do meu trabalho. O que você quer, Mia?

Mia puxou o fio do telefone e as pontas dos dedos formigaram com picadas geladas. Ela não queria pedir dinheiro para a irmã — preferia ouvi-la falando da vida em Londres ou relembrando alguns pequenos detalhes da infância de ambas. Mas ninguém mais poderia ajudá-la. Precisava do passaporte para poder sair de Bali. O romance com Noah terminara. A amizade com Finn ruíra. Só restava Katie... Katie precisava fazer isso por ela.

— Preciso de um dinheiro emprestado. Cerca de mil libras. Apenas como empréstimo.

— Isso é uma piada?

— Pagarei em algumas semanas, logo que arrumar trabalho.

Fez-se uma pausa longa e ponderada. Um grupo de jovens com camisas de *rugby* saiu aos tropeções de uma casa noturna nas proximidades, abraçando-se e pulando nas costas uns dos outros. Estavam bêbados e exultantes. E de repente Mia desejou estar cercada por um grupo de amigos e acariciada pelo fluxo quente do álcool.

— Sabe quantos buquês de flores com cartões de felicitações pelo noivado nos mandaram?

Mia foi pega de surpresa pelo *non sequitur* e hesitou.

— Trinta e sete. O apartamento ficou entupido. Cheguei a colocar algumas em cima da geladeira porque os parapeitos das janelas já estavam tomados. Meus colegas de trabalho fizeram um jantar de comemoração. A irmã de Ed chegou de Weybridge, com flores e uma garrafa de champanhe. — Fez-se uma pausa. — Mas você... você – repetiu, com uma fúria contida na palavra – não foi capaz de dizer nem mesmo uma mísera felicitação.

— Katie...

— Simplesmente desapareceu por três meses. E eu aqui achando que compartilharia tudo isso como minha irmã. E eu aqui querendo sua opinião sobre vestidos de noiva e véus e mil outros detalhes. E você pouco se lixando... não telefonou nem mesmo pra saber se já tínhamos marcado uma data. E agora me telefona, *aqui para o meu trabalho*, pra pedir dinheiro. O que acha que devo dizer?

O punho de Mia doeu. Ela desenrolou o fio do telefone e o punho já estava sem cor. Flexionou os dedos lentamente e sentiu uma dor aguda quando o sangue começou a circular.

— Sei lá.

— Você está viajando. Você está se divertindo. Conhecendo novas pessoas. Entendo isso... Mas, honestamente, será que é tão difícil reservar um tempinho para um mísero telefonema? Você não telefonou nem mesmo no dia do aniversário da mamãe. Foi há três semanas. Ela faria 54 anos.

Os números no disco do aparelho telefônico nadaram aos olhos de Mia. Como podia se esquecer disso? Catorze de fevereiro. Dia dos Namorados. O carteiro sempre dizia que a mãe era a mulher mais popular no trajeto que ele fazia. Naquele ano Mia não se dera conta da data. Era um ano em que o tempo a fazia girar e perder a noção dos dias e das semanas.

— Não tem nada a dizer?

O suor escorreu pelas costas até os joelhos de Mia. Ela quis explicar que pensava na mãe todo dia e que os aniversários não significaram nada para ela. Mas as palavras emergiram e bloquearam a garganta, como bolhas contra a tampa de uma garrafa.

— Jesus, você não se importa, Mia?
— Claro que me importo! — Ela soltou um grito e esmurrou o console do telefone. — Só porque me esqueci da merda do aniversário dela não quer dizer que não me importo!
— E quanto a mim?
— O quê?
— Isso não tem só a ver com honrar o aniversário de mamãe... Isso também tem a ver com *a gente*, com estarmos juntas.
— Eu estou.
A voz de Katie soou tranquila.
— Você partiu.
— Eu precisava cair fora.
— De quê?
De você!, Mia quis gritar. *Porque transei com seu noivo por despeito e depois disso não conseguia mais olhar pra você!*
— O patético é que eu queria que você me chamasse para viajar junto. Sabia disso? Eu queria ir com você.
— Isso é besteira. Você nunca largaria seu trabalho. Nem pegaria um avião.
— Eu teria feito tudo isso, Mia. Se você tivesse me chamado. Mas não chamou.
— Não tente jogar a culpa em cima de mim.
— *Jogar a culpa em cima de você?*
Mia ouviu os passos de Katie e o som do tráfego passando. A irmã devia estar atravessando uma rua lateral, ladeada por uma fileira de imponentes casas georgianas, com portas de entrada pretas e polidas. Enfiou algumas moedas no telefone público que tilintaram ao cair dentro da caixa.
— Sou a única que protege você — disse Katie. — É isso que faço. Pra mim, entregaram o papel de irmã mais velha: sensível, protetora, confiável. E pra você, entregaram o de irmã caçula: selvagem, independente, egoísta.
— Isso é besteira.

– É mesmo? Quem cuidou de tudo depois que mamãe morreu? Fui eu que organizei o funeral, vendi a casa da mamãe, encontrei um apartamento pra nós e ainda ajudei a encontrar um trabalho pra você.

– Você não estava me protegendo – disse Mia, com a raiva queimando na garganta. – Estava me controlando e me encolhendo para que eu pudesse caber no pacotinho que você queria ao lado.

– É isso que você acha?

– Não acho que roubar o meu melhor amigo seja *me proteger* – disse Mia. As palavras então irromperam como fogos de artifício lançados ao céu. – Por que ele? Com todos os homens que poderia escolher, por que Finn?

Os passos de Katie deixaram de soar e Mia prendeu o fôlego à espera de uma explosão.

Mas nada de pompas luminosas e circunstâncias ruidosas. Apenas três palavras remetidas silenciosamente como fumaça.

– Eu o amava.

Amor? A cabeça de Mia girou. Ela estendeu a mão e se apoiou no console do telefone. As palmas das mãos estavam úmidas.

– Não.

– Não planejei me apaixonar por ele. Aconteceu. Eu realmente o amava.

Mia cravou os dentes na carne macia da face interna das bochechas. O gosto metálico de sangue encheu a boca.

– Foi uma tortura porque sabia o que a perda de Finn significava pra você – continuou Katie. – Você virou uma sombra. Quase não a reconhecia. E depois, Cristo, mamãe adoeceu. Foi terrível para todos nós, mas acho que ainda mais terrível pra você. E você não se deixava ser ajudada nem por mim nem por Finn. Odiei vê-la sofrendo daquele jeito. E não me restou outra escolha senão abandoná-lo. Fiz isso por você, Mia, tentando protegê-la. – Fez-se uma pausa. – E eu também tinha que protegê-la da morte de mamãe.

— O que está falando? — Um frio insinuante rastejou pelo corpo de Mia.

— Na manhã em que mamãe estava morrendo, mandei quatro mensagens pedindo que você viesse para casa para se despedir dela.

— Eu perdi meu...

— Celular. Sim, você disse. Para com isso, Mia. A gente sabe muito bem da verdade.

O telefone queimou na orelha e Mia teve a gana de rasgá-lo, arrancar o fio e arremessá-lo para longe.

— Você não estava lá em casa porque não conseguia lidar com a morte de mamãe. Entendi isso, mas continuei ligando para evitar que você se arrependesse por não ter dito adeus.

Na ocasião, Mia caminhava pela Porthcray durante a manhã e o celular gemia no bolso do casaco. Era uma semana de ventos sudoeste que arrastavam as algas para a beira da praia, onde apodreciam e exalavam um odor sulfúrico no ar. Seguia caminhando por cima das algas e a cada mensagem de Katie pensava que a mãe estava morrendo a três quilômetros de distância. Logo a mãe, que dizia que os olhos de Mia eram como esmeraldas polidas, a mãe, que guardava uma história sobre um leopardo da neve que Mia escrevera aos 6 anos, a mãe, que garantia que não se importava com o que Mia fazia da vida, desde que fosse feliz. Essa mãe não podia morrer.

Mais à frente, ainda na praia, Mia encontrou uma pedra plana e branca do tamanho de uma concha de mexilhão e disse para si mesma que se conseguisse fazer a pedra quicar seis vezes no mar iria ver a mãe. Então, posicionou o braço, sacudiu o punho e arremessou a pedra que deslizou pela água como um peixe, com seis quicadas nítidas e brilhantes. Ela girou o corpo e caminhou de volta ao carro, mas no meio do caminho estancou e as pernas se recusaram a dar mais um passo. Ela então se curvou e recolheu um seixo no chão. Negociou consigo mesma que o seixo devia quicar sete vezes, só para ter certeza. Depois, oito... depois, nove...

Até que o telefone tocou novamente. Era uma mensagem de Katie, dizendo com voz embargada que a mãe estava morta. Mia jogou o celular no mar. O celular deslizou uma única vez na água e afundou.

E agora Katie continuava falando.

— Até que você chegou e servi gim-tônica para nós duas. Lembra? Sentamos à mesa da cozinha. Você perguntou como tinha sido o final. Falei que tinha sido tranquilo. Falei que tinha me sentado na beira da cama e segurado a mão de mamãe, e que depois a mão escorregou como se ela estivesse dormindo. — Katie limpou a garganta, reprimindo as lágrimas. — Mas você deve achar que isso não é verdade.

O mundo em volta recuou: a zoeira da boate nas proximidades, o calor no ar, a sensação do telefone contra a bochecha. Mia estava absolutamente concentrada na voz de Katie.

— A morte de mamãe não foi tranquila. A dose de morfina já não bastava. Ela sentia tanta dor que no final mordeu o lábio inferior. Estava apavorada e pedia, implorava para Deus, ou para quem estivesse lá em cima, que não a deixasse morrer. E sabe o que ela não parava de repetir?

Por favor, pensou Mia. *Não faça isso.*

— Eu é que tinha estado ao lado dela durante semanas e a última coisa que ela me disse foi: *Onde é que está a Mia?*

O receptor escorregou por entre os dedos, chocou-se com a base de metal da caixa do telefone e ficou pendurado por um fio escuro.

Mia acendeu a luz do quarto. A janela estava aberta e a brisa balançava a cortina fina. Abraçou-se a si mesma, com os olhos fechados e a garganta embargada de lágrimas. O e-mail de Finn aguardava atrás das pálpebras. *"Se não tomar cuidado, Mia, pode acabar sozinha, suplicando para saber o que aconteceu com todos que estavam ligados a você. Como seu pai."*

Se pudesse alcançar o céu, pegaria Harley pela garganta e perguntaria: "Era assim que você se sentia?"

Enxugou as lágrimas e tirou o diário de dentro da mochila. Ela o abriu, e lá estava a foto: Katie e ela juntas, montadas de mãos dadas no cavalo-marinho de um carrossel no parque do cais. Cravou os olhos na foto, com a vívida lembrança daqueles dias em que a vida era fácil e adocicada.

Rasgou a imagem de Katie sem hesitar.

E depois colocou o diário na mesa e sentou-se. Alisou a página em branco com mãos trêmulas e começou a escrever, a tinta fluía pelo papel como um rio escuro.

29

Katie

(Bali, agosto)

Juntos, leram o restante das páginas do diário. Foi um pedido de Katie para Finn – ela não enfrentaria a leitura sozinha. Sentaram-se na beira da cama do hotel, separados por um centímetro, assentaram as solas dos pés limpas no piso de madeira polida e curvaram a cabeça em direção ao diário. A lâmpada do abajur projetou um brilho quente e alaranjado nas páginas, clareando os traços precisos e as curvas meticulosas da caligrafia de Mia. Entraram fundo nos relatos finais e Finn retesou as costas quando leu a reação de Mia ao e-mail: "*É verdade o que Finn escreveu – simplesmente nunca percebi que ele também via isso.*" Ficaram sabendo dos violentos pesadelos de Noah e da decisão de Mia de telefonar para Katie – mas sobre o telefonema derradeiro, nenhuma palavra escrita.

Katie prendeu a ponta do espesso papel creme entre o dedo polegar e o indicador e o virou.

– É isso? – perguntou Finn.

– Sim. – O último relato. Preenchia apenas um lado da página dupla. Ela já tinha visto aquela página uma vez em Londres: era um esboço da cabeça de uma mulher, com um emaranhado de outros desenhos por dentro. Pôs a página sob a luz para ver as diminutas imagens com mais clareza.

– Entende o que querem dizer?

Ela não tinha entendido o desenho quando o viu pela primeira vez alguns meses antes. Mas agora observava mais a fundo e as imagens começavam a fazer sentido. O desenho de um antebraço tatuado com uma onda. As duas figuras agarradas em um corredor. Uma forca com seis traços minúsculos em branco, iniciando com a letra H maiúscula. As estrelas despencando do céu como rochas flamejantes. A mão que segura um passaporte com força. Um rosto cujos lábios soltam um grito pingando sangue. Um telefone pendurado por um fio.

Katie passou os olhos atentamente ao longo de cada desenho, como se para preservar as imagens. A poucos centímetros da base do desenho, notou três palavras escritas por Mia em letras miúdas: *"Como eu sou."*

Ela engoliu em seco.

– É assim que Mia se via.

Arrastou o dedo polegar pela página até o centro do diário. Faltava a página ao lado, e ela tocou na borda áspera que restara.

– Por que essa página perdida? – perguntou Finn.

– Não sei. – Ela já tinha pensado nisso e se perguntado se ali havia outro desenho ou se Mia simplesmente cometera um erro e arrancara a página. Em outros momentos mais sombrios, chegou a considerar que Mia teria escrito uma nota de suicídio e depois removido, e que por isso mesmo o bilhete nunca tinha sido encontrado.

Katie então se deu conta de que algumas perguntas jamais seriam respondidas.

– É isso aí – ele disse. – Fim do diário.

Ela balançou a cabeça.

– Como se sente?

Ela estava com as palmas das mãos úmidas e o corpo enrijecido pela tensão do que tinha nas mãos. Já tinha lido tudo de cabo a rabo e agora se sentia vazia. Uma brisa entrou pelo quarto e levantou a margem da página. Ela olhou de novo para a trama sombria de imagens.

– Eu não estava com você para ajudá-la. Não quando isso realmente importava.

Folheou o diário e a foto rasgada de Mia montada no cavalo-marinho do parque soltou-se. Observou Mia: 8 anos, rostinho corado pelo sol da primavera, feições iluminadas, carinhosa, ávida de vida. Sua irmã do mar.

– Eu também estava nesta fotografia – disse. Finn pegou a foto e deixou-a na palma da mão.

– Não sei quando me rasgou. Talvez depois de nossa briga. Talvez meses antes.

– Katie – ele disse suavemente –, ela sabia que você a amava. Mas o amor por Mia não era sempre marcado por uma pitada de ódio?

– Eu tinha ciúmes da minha irmã. Ela era corajosa, destemida e amante da paz, e nunca ligava para o que pensavam dela. Eu sempre quis ser parecida com ela. – Katie olhou fixamente para ele. – E eu também tinha ciúmes da amizade entre vocês.

Ele arregalou os olhos.

– Tinha mesmo?

– Nós duas éramos muito chegadas quando meninas. Juntas, fazíamos de tudo. Talvez você não saiba, mas eu é que ensinei Mia a nadar.

– Sério?

– Depois da escola, pedalávamos até a praia quando o tempo estava bom. Nadávamos na baía enquanto mamãe ficava lendo. Mia nunca reclamava da água fria e nunca se assustava quando o mar estava agitado. Ela não tinha medo da água.

– Acredito.

– Já lhe falei que quase me afoguei em Porthcray?
– Falou.
– Foi Mia quem me salvou.
– Como foi?

– Ela queria nadar até uma boia que marcava uma criação de lagosta a uns 900 metros da praia. Ela só tinha 11 anos. Falei que era muito longe, mesmo assim ela nadou até a boia e fez a empreitada parecer muito fácil. Quando retornou e subiu nas rochas, decidi também nadar até lá.

– Por quê?

– Talvez para provar a mim mesma que também podia. É uma sensação estranha ser a irmã mais velha e de repente perceber que a irmã mais nova é quase tão alta quanto você e não precisa mais de uma cabeça de vantagem para uma corrida ao longo da praia. Eu não queria ficar para trás. – Katie alisou o cabelo atrás das orelhas e continuou: – Então, nadei até a boia. Cheguei lá numa boa, mas a maré virou quando eu estava de volta à praia. Você sabe como é a água de Porthcray... Quando corre mar adentro carrega as correntes junto. Fui estúpida e tentei nadar contra a corrente. Mas acabei sendo arrastada cada vez mais para fora. – Lembrou-se da corrente enrolando-se e apertando os músculos e das cãibras nas panturrilhas. Às vezes ainda sonhava com isso e acordava encharcada de suor.

– Mia viu tudo lá das rochas. Pegou uma velha prancha de *windsurf* que usávamos para brincar na beira da praia e a empurrou pela água rasa, e depois se deitou em cima e remou em minha direção. Se não fosse ela, sinceramente acho que teria me afogado. Lembro que deitei de barriga sobre a prancha e me agarrei nela. Mia comentou: "Era uma corrente. Não se pode nadar contra a corrente." Era uma das primeiras lições sobre o mar que eu mesma tinha ensinado a ela.

Katie suspirou.

– Nunca agradeci a Mia. Talvez tenha me sentido humilhada. Sei lá. Só sei que depois deixei de ir à praia e de passar o tempo com ela. Não sei como explicar, mas era como se alguma coisa tivesse mudado entre nós. Lembro que Mia entrou na escola secundária na semana seguinte. Nem sequer sentei ao lado dela no ônibus no primeiro dia de aula. – Ela olhou nos olhos de Finn. – Foi você quem preencheu esse lugar vazio. Lembra?

Ele aquiesceu com a cabeça.

– Vocês dois se ligaram no momento em que você pisou naquele ônibus. Isso era visível. Ela já não precisava mais de mim.
– Precisava, sim. Mia adorava você.
Katie sorriu.
– Eu era a chata, a segura... lembra?
– Isso é em que você quer acreditar, mas não é assim que vejo. Você diz que Mia era destemida e ousada. E quanto a você? Você saiu de casa e fez uma nova vida em Londres enquanto Mia continuava na Cornualha. E agora você está viajando pelo mundo. Vocês duas não eram tão diferentes como você pensa.

Ela ouviu a própria respiração.

– Fomos tão terríveis uma com a outra...
– Vocês eram irmãs.

O tempo verbal no passado – "eram" – deteve os pensamentos de Katie. Ela nunca mais seria irmã.

Nunca mais.

Nunca mais dançaria com Mia, descalças na sala. Nunca mais boiaria no mar, ouvindo canções de sereias junto com Mia. Nunca mais teria Mia nos braços. Nunca mais sentiria o doce perfume de jasmim de Mia. Katie se deu conta de que ao perdê-la também perdera parte de si mesma.

– Achei que teríamos mais tempo... Achei que as coisas entre nós amadureceriam ao longo dos anos. Nutria a ridícula fantasia de que um dia voltaria para a Cornualha e teríamos casas uma ao lado da outra. Cheguei a achar que criaríamos nossos filhos juntos. Mia dizia que não queria filhos, mas eu a via com três capetinhas de cabelos negros que corriam descalços pela casa e faziam a maior bagunça. – Ela fez uma pausa, engolindo um nódulo duro na garganta. – Nós perdemos muito tempo.

Katie chegava ao fim da jornada de Mia, sem nenhum lugar para onde ir. Cabia a ela decidir a verdade sobre o que tinha acontecido. A palavra "suicídio" ainda vibrava nos pensamentos como uma mariposa a ser espantada. As asas da mariposa se abriam e se roçavam empoeiradas no coração. Será que não era preciso pressionar o consulado britânico a fazer mais investigações se de fato acreditava que Mia não tinha pulado do penhasco? Não teria que se valer de todos os recursos e contatos disponíveis para descobrir a verdade dos acontecimentos na noite da morte de Mia? Talvez ainda não tivesse feito nada disso porque no fundo acreditava na possibilidade de suicídio.

– Finn, eu preciso que me responda uma coisa. Ainda não lhe fiz essa pergunta, mas agora preciso fazer. E preciso de uma resposta honesta. – Ela tomou fôlego. – Você acha que Mia se suicidou?

– Nenhum de nós pode saber isso com certeza...

– Mas temos opiniões baseadas em algum conhecimento. E preciso saber o que você pensa. Você viajou com ela e a conhecia como ninguém mais. Era o melhor amigo dela. Preciso saber se você acha que Mia se matou.

Finn se levantou e se dirigiu à varanda.

Katie deixou o diário de lado e o seguiu. A lua brilhava no meio do céu, banhando a terra com luz fria e prateada. O vento soprava forte e ela se enlaçou pelo peito.

Ele enfiou as mãos nos bolsos.

– Você realmente quer saber? – disse.

– Preciso saber.

– Não acreditei quando soube que Mia tinha morrido. Pelo que conhecia dela, achava impossível que tivesse pulado. – Ele balançou a cabeça em negativa. – Mas havia Harley. Ela ficou chocada quando soube do suicídio dele. Era como se a morte dele a tivesse jogado em um curso inalterável. E o meu e-mail agravou isso.

Ele chutou levemente a base da grade da varanda.

– Passei a entender muito mais sobre Mia depois que cheguei a Bali e conversamos. Acho que ela se sentiu deixada de lado por todos de quem mais gostava... Grace, Noah, você, eu.

E aquela foto no diário. — Ele suspirou, cuspindo o ar pelos lábios. — Acho que deixou de gostar até de si mesma. Prefiro acreditar que não pulou, porque do contrário eu teria falhado com ela.

Katie agarrou-se com força ao corrimão da grade da varanda, deixando os pequenos ossos das mãos à vista. Olhou para ele, cujas feições eram definidas pelo mesmo luar que deixavam os olhos à sombra.

— Sinto muito, Katie. Mas acho que Mia se suicidou.

O chão pareceu ondular e inclinar, como se ela estivesse de pé na proa de um barco. Por meses a fio procurara respostas. E agora a esperança e a tensão que a consumiam a cada dia da viagem se desvendavam vertiginosamente. Desprendeu os dedos do corrimão à medida que as pernas bambearam.

Sentiu-se conduzida pelas mãos de Finn até uma cadeira. Sentiu que uma almofada afundava debaixo e ouviu o arranhão de outra cadeira sendo puxada para o lado. Ele acreditava que Mia se suicidara.

E de repente ela própria também acreditou.

Soluços desesperados de dor escaparam pela garganta afora. Seguiu-se a aparição de Mia à beira do penhasco, à beira de uma decisão. Estava de pés descalços, os ombros puxados para trás e os olhos verdes cintilando de medo. Sem bilhete porque talvez ainda não tivesse decidido fazer o que fez. E enquanto estava à beira do penhasco, talvez tivesse ouvido os sussurros solitários do vento e se lembrado das palavras silvadas de Katie... E deu um passo à frente.

— Foi minha culpa! — gritou Katie compulsivamente.

— Katie — disse Finn em tom firme, pegando-a pelas duas mãos e apertando-as até forçá-la a olhar para cima. — Nenhum de nós jamais saberá plenamente as razões de Mia. Foi uma escolha dela. Não foi culpa sua. Entendeu? Não foi culpa de ninguém.

Ela engoliu as lágrimas e balançou a cabeça.
– Superaremos isso, juntos.
Ela concentrou-se nessa última palavra, como uma ilha em mar solitário. E depois o procurou com a boca e agarrou-se a ele. Sentiu o gosto salgado das lágrimas no encontro dos lábios que se beijaram, e acalmou-se. Precisava se agarrar firme nele para não se afogar.
Sentiu ar fresco nos lábios quando ele se pôs de testa a testa com ela.
– Sinto muito – ele disse. – Não posso fazer isso.
Ela afastou-se e cobriu o rosto com as mãos.
– Não é o momento certo. As coisas...
– Por favor. Não se explique. – Ela não suportaria discutir o assunto. Levantou-se abruptamente. – Vou tomar um banho e ir pra cama.
– Não faça isso. Não torne as coisas estranhas entre nós. Cristo, nós passamos por tantas coisas. Não posso beijá-la, Katie, simplesmente porque não sabemos o que estamos sentindo.
– Eu sei – ela disse calmamente.
– Tudo bem. Então, vamos apenas...
– Não, faço questão de dizer que sei o que estou sentindo. Eu sempre soube.
Nada a impedia de ser honesta. Nem que fosse para mascarar que se sentia patética depois da conversa que acabavam de ter.
– Eu te amo.
Finn arregalou os olhos, pego de surpresa pela declaração.
– Mas você rompeu...
– Com você. Pois é.
– Por quê?
– Mia.
Ele franziu a testa.
– Precisava de você mais do que eu.
– Mas pensei... você disse que tudo não tinha passado de mera diversão.

— Eu tinha que dizer alguma coisa. — Ela ajeitou o cabelo atrás das orelhas, e olhou no fundo dos olhos dele. — Eu estava apaixonada por você. E ainda estou.
— Não sei o que dizer.

Isso foi um soco no estômago. Já não tinha dito tudo que podia dizer?

— Gostaria de ficar sozinha.
— Não vamos...
— Por favor.

Ele considerou o pedido em silêncio por um segundo.

— Se é do que você precisa. Podemos continuar conversando de manhã.

— Está bem.

Os dois atravessaram a sala em direção à porta. Katie abriu a porta e Finn entrou no corredor.

— Nos veremos então no café da manhã?
— Sim – ela disse, desenhando um sorriso para tranquilizá-lo.

Mas não tinha a intenção de aparecer.

30

Mia

(Bali, março)

Mia enfiou a garrafa de vodca pela base na areia e aproximou-se do fogo. Línguas vermelho-alaranjadas de fogo lambiam a madeira, precipitando fios de uma fumaça doce e carbonizada ao céu. Ela ardeu de calor nas pernas e nas bochechas.

Alguém batucava um bongô e o batuque coçava na cabeça. Quase todos que estavam reunidos em volta da fogueira eram mochileiros do albergue que se embebedariam até o amanhecer.

Mia esfregou os olhos com o dorso da mão. Fazia 36 horas que não dormia. Na noite anterior saíra do albergue depois de escrever no diário e se surpreendeu quando viu que já era madrugada. Saiu andando, e mais à frente deparou com a visão reconfortante de outros rostos para um novo dia: três sujeitos com varas de pesca e uma mulher de rosto enrugado que tecia folhas de bambu na porta de casa sob a tênue luz do amanhecer. Já tinha andado durante algumas horas e as solas dos pés estavam sujas de terra e irritadas. Quando retornou ao albergue, o quarto de Noah estava vazio e o carro alugado não estava lá fora.

Àquela altura estaria curvado no assento do avião para não agravar o ferimento nas costas. Será que voava para casa ou para a Austrália? Ou para algum país que ainda não conhecia ou do qual nem se lembrava mais? A ausência dele abriu um vazio no peito dela.

Agora, era noite de novo e ela então se sentou de pernas cruzadas e de cabelos soltos nos ombros. Pegou a garrafa de vodca pelo gargalo, girou-a e restava pouco. Levou a garrafa aos lábios e a bebida desceu amarga pela garganta.

De repente, uma sombra por cima do ombro e logo Jez surgiu ao seu lado, com as mãos penduradas nos bolsos e os olhos escuros iluminados pelo fogo. Não disse nada, mas ela se levantou, espanou a areia atrás do short e o seguiu em direção à praia.

Já longe do fogo e engolida pela escuridão, abraçou o próprio peito e esperou que os olhos se adaptassem à luz do luar.

Jez tirou o passaporte do bolso.

– Acho que vai querer isso de volta agora que Noah se foi. – Tamborilou o passaporte com o polegar, distraído.

– Ainda não posso pagar o que lhe devo. Estou sem grana.

– Ela o observou à espera de um interruptor interno que seria ligado e o faria passar da impaciência à raiva. Mas pareceu que ele não a tinha ouvido. Jogou o peso de um pé sobre o outro pé e disse:

– Ele se foi. De todos os dias de merda tinha que escolher logo hoje!

Na mesma hora Mia se deu conta de que era a mesma data marcada na tatuagem de Noah. Era o dia da morte do irmão deles. Por isso ele partira.

– Ele não dá a menor bola.

– Não é isso. Ele simplesmente não consegue lidar – ela disse, escolhendo cautelosamente as palavras e torcendo para que a vodca não lhe queimasse a garganta com ferocidade. – Ele precisa de um tempo.

– Um tempo? Um tempo pra ficar na dele? Já teve isso a vida toda. Esse cara parece uma maldita equipe de um único homem!

A raiva de Jez a fez evocar um fragmento da briga ao telefone com a irmã. Katie comentara que telefonara diversas vezes no dia da morte da mãe, chamando-a para casa. Só então Mia se deu conta de que Katie não telefonara apenas para chamá-la, mas principalmente porque precisava da irmã.

Assim como Jez precisava de Noah.

Ela estendeu a mão por dentro do braço dele.

– Sinto muito, Jez. Sinto muito – disse tanto para ele como para si mesma e para Noah.

Ele abaixou os olhos e por um momento ela achou que seria repelida. Mas de repente ele se curvou, enlaçou-a pela cintura e beijou-a desajeitado nos lábios. Ela é que o repeliu.

– O que está fazendo? – perguntou.

– Que merda acha que estou fazendo? – ele disse em tom agora ligeiramente elevado.

Ela ruborizou de vergonha e se virou de costas.

Sentiu uma dor lancinante no punho ao ser agarrada e girada por ele. Soltou um grito pela violência do gesto. Ele se pôs cara a cara com ela. Estreitou os olhos e disse com palavras duras e afiadas:

– Não sou tão bom... quanto Noah? É isso?

– Isso não tem nada a ver com Noah.

– Lembra-se de quando nos conhecemos?

– O quê?

– Em Lancelin, na Austrália. Você estava com ele.

Mia se concentrou para se lembrar. Jez se referia ao dia em que ela e Finn deram de cara com uma festa na praia e ela saiu atrás de Noah.

– Vocês estavam passeando na praia. Que cena romântica... praia vazia, luar, ondas batendo nos pés, essa baboseira toda. – Ele fez uma pausa. – E aí você me viu.

Ela lembrou. Ela o achara estranho porque ele se pôs à beira da praia para observá-los.

Jez se inclinou contra ela.

– Você me olhou com essa porra de olhar arrogante, como se eu fosse um pedaço de merda que interrompia a sua noite. Ainda se lembra do que pensou na hora? – perguntou cara a cara, respirando na pele dela. – Você pensou, *será que são irmãos mesmo?*

Mia não disse nada.

— Não pensou?
— Sim, pensei — ela respondeu assim porque era verdade.
— Você me julga e não sabe merda nenhuma de mim! — Era uma raiva desproporcional que evidenciava o desequilíbrio dele.
— E também não sabe merda nenhuma de Noah!
— Preciso ir, Jez — ela disse em tom firme.

Ele olhou para o punho dela, como se esquecido de que o estava segurando. Soltou o punho e ela recuou massageando-o.

— Você acha que ele é melhor que eu, mas eu não sou um desertor fodido. Eu prezo minha família.

De repente, ela estava com os olhos rasos de lágrimas. A raiva, a amargura de Jez: era isso que Katie sentia por ela?

— Mia?

Ela olhou para cima. Era Noah que se aproximava, olhando-a fixamente.

— O que está havendo?

Ela balançou a cabeça atordoada pela visão.

— O que você fez? — ele perguntou para o irmão.
— O que eu fiz? — Jez soltou uma risada. — E o que *você* tem feito? Onde esteve o dia todo, Noah? Achamos que tinha dado no pé. Partido. Ao menos sabe que dia é hoje?
— O que você acha?

Eles se entreolharam.

— Por que ainda está aqui? — perguntou Jez.
— Decidi não ir.

Mia tentou ler a expressão de Noah sob o luar.

— É a primeira vez que isso acontece. Até porque você é bom em partir, não é?
— Não vamos fazer isso.
— Por quê? Porque não quer que ela conheça realmente quem você é? — Jez se voltou para Mia. — Ele é a razão desse meu pescoço fodido. Fui esmurrado porque nosso pai estava furioso com ele. Todos nós estávamos. Ele tinha nos abandonado. Partido. Tinha ido pra Bali.

Noah continuou imóvel, de braços enrijecidos e pendidos ao lado.

– Fiquei fora d'água por dezoito meses enquanto Noah viajava, surfava e assinava um contrato com uma besta de um patrocinador. E de repente lá estava a porra do herói. – Jez bufou e deu um peteleco na cara do irmão. – Johnny pôs um mapa na parede do quarto e pregava uma tachinha em cima dos lugares onde você competia. Babava com todos aqueles cartões-postais de merda que você mandava. Mas o que você não sabe, já que nunca voltava pra casa, é que papai rasgou aquela porra toda. Três vezes. Mas Johnny sempre desamassava tudo e juntava com fita adesiva. Ele queria ser como você. Mas quer saber de uma coisa? Fui eu que fiquei quando você partiu. Eu é que era o alvo de papai quando ele se embriagava. Fui eu que disse para Johnny não entrar na água naquele dia em que encontramos você na Gold Coast.

– Achei que ele podia lidar com aquilo. Ele mesmo disse que queria fazer – disse Noah, calmo.

– Ele queria te impressionar. Aquilo era grande demais pra ele. Ele não estava pronto. – Jez fechou os punhos. – Você disse que ficaria na cola dele lá fora, mas você estava mais preocupado em surfar suas próprias ondas.

– Eu não sabia que ele tinha fumado maconha! Foi isso que você ensinou pra ele enquanto eu estava fora? Se ele não estivesse chapado talvez tivesse mais domínio sobre si mesmo.

Jez voou para cima do irmão e deu uma porrada na cara dele. Noah cambaleou para trás e levou a mão ao queixo.

– Não teve nada a ver com maconha! – gritou Jez. – Não teve nada a ver comigo! Foi *você*, Noah! – Ele culpou o irmão novamente de cabeça baixa.

O ar estremeceu de lado quando Jez empurrou o peito de Noah e os dois se engalfinharam na areia com um baque surdo, rasgões de camisetas e o estalo dos socos.

As pessoas que estavam ao redor da fogueira se aproximaram aos tropeções e rapidamente fizeram um semicírculo em torno dos dois irmãos que se contorciam em meio a um emaranhado de pernas, punhos a areia. Arrastavam-se pela areia como guerreiros em uma terrível dança de pernas enganchadas. Jez agarrou Noah pela camiseta e o esmurrou de novo. Mas Noah se esquivou, o pegou pelo braço e o puxou. Apesar da lesão, Noah era mais forte e imobilizou o irmão com uma das mãos. Jez continuou resistindo e lutando debaixo do irmão como um animal enlouquecido de dentes trincados. Soltou uma das mãos e golpeou o ferimento nas costas do irmão. Noah soltou um grito gutural e arqueou para trás. Jez aproveitou a chance e se desvencilhou. Levantou-se, limpou a areia do corpo e aproximou-se do irmão, que ainda estava de joelhos. Curvou-se até o ouvido dele e sussurrou:

– Ele se afogou por causa de você!

Com um movimento súbito e explosivo, Noah investiu contra Jez e o puxou para baixo em meio a uma nuvem de areia. Socou forte a cara de Jez que estalou e o fez soltar um grito de dor, abafado pelos gritos da multidão quando o punho de Noah desfechou um segundo soco na cara do irmão.

Jez curvou-se de lado e uma golfada de sangue escorreu pela boca. Noah levantou o punho novamente.

– Chega! – gritou alguém.

Exalou um cheiro de suor, cigarros e sangue. O punho de Noah manteve-se armado e Mia percebeu que ele não estava disposto a parar. Lançou-se de surpresa para frente e o agarrou pelo braço erguido e o puxou.

A película branca dos olhos de Noah faiscou em contraponto com a fúria sombria da cara quando ele a empurrou para o lado.

Ela caiu na areia, sem fôlego.

Noah congelou. Girou o corpo lentamente e olhou para a multidão que assistia à cena. Abaixou os olhos e saiu andando pela praia.

Mia se arrastou até Jez.

— Você está bem? — perguntou enquanto pegava o passaporte que caíra na areia durante a briga.

Ela não esperou pela resposta. Já se formava um aglomerando em volta para ver se ele estava bem. Ela se levantou, sacudiu a areia do corpo e sumiu no escuro.

31

Katie

(Bali, agosto)

O táxi sacolejava ao longo da trilha esburacada e projetava pequenas pedras para o ar. O motorista reduzia a marcha e o motor roncava. Katie se segurava na maçaneta da porta a cada solavanco que vibrava no corpo.

Uma pedra atingiu o chassi com um baque forte.

— Aqui é o mais longe que posso chegar — vociferou o motorista.

Ela pagou a corrida e saiu do carro. A noite quente exalava um leve odor de terra no ar.

— Espero a senhora aqui?

— Não. Obrigada.

O motorista deu de ombros, manobrou em diagonal na pista e partiu com as lanternas piscando em sinal de alerta.

Ela puxou o mapa do bolso e jogou a luz da lanterna em cima para se orientar. Não era uma subida longa, mas a escuridão dificultava. O penhasco pairou acima e o coração bateu descompassado no peito. Mas o medo não a faria desistir. Pelo menos garantiu para si mesma quando saiu caminhando naquela noite clara de lua escandalosa no céu.

Seguiu a trilha que se estreitava na picada tecida ao sopé do penhasco até o alto. O solo era seco e irregular e as pedras soltas a faziam tropeçar. As sandálias de couro que beliscavam os lados dos pés podiam ter mais aderência nas solas.

A folhagem se adensou aos poucos até obscurecer grande parte do luar. Será que a bateria da lanterna era resistente? À medida que subia o ar esfriava. Em algum ponto ao oeste soou o quebrar das ondas e uma brisa soprou a maresia. Mais à frente surgiu um mirante por sobre o mar. Ela apoiou-se no corrimão de madeira e fez uma pausa para recuperar o fôlego. A lua se precipitava na água escura, deixando um rastro gritante de prata.

Você sempre amou o mar. Uma vez disse que o mar ocupa setenta por cento da superfície do planeta. E também disse que adorava as constantes mutações do mar, que ora era um espelho sereno, ora um espelho de ondas revoltas. Talvez isso tenha me assustado naquele dia em Porthcray: percebi que nada o podia conter. O mar é imprevisível, sempre em movimento, sempre em mutação – assim como você.

Katie pensou que talvez estivesse exatamente no ponto onde as testemunhas estavam na noite da morte de Mia. Logo a imaginação fez as conchas do colar de Mia chacoalharem enquanto ela subia resfolegante o caminho que terminava no penhasco. *Por que você subiu correndo? Estava com medo de parar e mudar de ideia?* Olhou para o alto e avistou o topo do penhasco. *Isso as testemunhas devem ter visto. Você na borda e prestes a tomar uma decisão que mudaria tudo.*

O corpo de Katie pesou de exaustão, mas ela se forçou a continuar porque ainda não tinha chegado lá. A seção superior da trilha do penhasco se avivou com o zumbido dos insetos. Os arbustos obstruíram o caminho e ela se desvencilhou dos pequenos ramos com os braços. O matagal emaranhado soprava umidade e o ar cheirava a terra.

Alguma coisa afiada cortou-a na canela e a fez soltar um grito. Projetou o feixe de luz da lanterna na perna e o sangue escorria. Partículas de sujeira salpicavam o corte vermelho que escorria alguns centímetros abaixo do joelho. Chocara-se com a aresta de uma rocha. Empertigou-se e girou a luz da lanterna ao redor. Nenhum outro obstáculo, apenas escuridão. Lançou o feixe de luz ao oeste do caminho novamente e avistou mato, rochas e o nada – o declive mortal. A subida a levara a uns poucos metros de distância da borda penhasco. Alguns passos mais e teria caído.

Katie respirou lenta e profundamente e concentrou-se em pôr um pé na frente do outro. Escorregou duas vezes e nas duas vezes se recompôs, encravando as unhas na terra até se sentir segura. Quando os nervos titubeavam, lembrava que Mia tinha feito o mesmo caminho, descalça e sem lanterna.

De repente, respirou com dificuldade e o terreno inclinou ainda mais. Agarrou-se a um galho e o usou como alavanca para um impulso até o alto. Em seguida o vento enfureceu e o solo nivelou. Atingira o topo.

Já tinha imaginado tantas vezes aquele lugar que era como se o penhasco estivesse esperando por ela. Blocos de granito pontuavam um pequeno platô gramado com vista para o mar e as rochas. Lá em cima as estrelas piscavam e alfinetavam o céu de ouro.

Katie sentiu-se estranhamente acompanhada. Girou o corpo, enchendo o vestido de ar e desenhando um círculo luminoso com a lanterna.

– Mia?

Mas somente o vento que ondulava a face do penhasco respondeu. Sentiu-se tola. O corte na perna latejou e um cansaço profundo se irradiou pelo corpo. Era como se tivesse escalado aquele penhasco sozinha durante seis meses, e agora o passado de Mia e o presente que ela própria assumia convergiam e se enredavam um no outro.

Ela costurara a verdade que se ocultava atrás de Mia com fios de informação que ela própria optara por utilizar.

O diário nunca contaria a história de cabo a rabo. Já que havia lacunas, coisas que talvez Mia não quisesse compartilhar e emoções que também não queria admitir. Katie corrigira os buracos com fios de imaginação. Só então se deu conta de que não inventara apenas a história de Mia, mas também sua própria história.

Ambas tinham feito o mesmo trajeto e rastreado o litoral de três continentes em busca de respostas uma da outra – e de si mesmas. Os fios separados que teciam as duas vidas estariam para sempre entrelaçados, ainda que desgastados ou desbotados. Isso acontece com as irmãs. E por isso os pés de Katie a levaram para mais perto da borda do precipício.

Avançou até chegar a 30 centímetros da beira do precipício. A brisa agitou seu cabelo e as ondas rugiram no peito.

Aqui estou eu, Mia, tal como você. Com cinco meses de atraso. Como se sentiu quando estava aqui? Solitária e sentindo-se esculpida no vazio? Porque é assim que me sinto sem você. Sempre acreditei que se algum dia você estivesse em perigo, eu saberia Acreditava que um dos fios do nosso DNA soltaria um grito que repercutiria no meu corpo. Mas não repercutiu. Eu estava no escritório na noite que você estava aqui. Entrevistei candidatos, respondi e-mails e atualizei a administração. E enquanto trabalhava, você pulava.

Katie deixou a lanterna escorregar pelos dedos e o feixe de luz girou pela noite adentro. A lanterna despencou abaixo durante longos segundos. E depois apagou.

Chegara ao fim da jornada de Mia.

E o que dizer dela mesma?

Ela cravou os pés na borda do penhasco e fechou os olhos.

– Katie?

O nome cruzou a escuridão. Alguma coisa apertou por dentro e o vento soprou frio no rosto.

– Katie?

Não era uma voz conhecida; era do sexo masculino e soou de um modo profundo e fluente nos lábios. Ela girou o corpo e recuou.

A uns quatro metros e meio de distância, a envergadura sólida de uma silhueta à frente de um bloco de pedra de granito sob o luar. Ela lamentou a perda da lanterna que tornaria a expressão do estranho legível.
— Você é Katie, não é?
Ela reconheceu o sotaque. Australiano.
— Noah?
— Eu mesmo.
Ela balançou a cabeça de surpresa.
Ele afastou-se da rocha e deu alguns passos à frente, as pedras rangendo debaixo dos pés. Ficaram lado a lado e ela pôde ver que ele tinha olhos sombreados e faces encovadas.
— Achei que você acabaria vindo aqui — ele disse, olhando-a.
— Por quê?
— Era sua irmã.
Acima o céu brilhava de estrelas, únicas testemunhas daquele diálogo. Ela o observou, tentando enquadrá-lo na descrição de Mia. No diário, era descrito como maravilhoso — um adjetivo incomum para um homem. Mas agora Katie entendia. Era um rosto bonito e solitário. A lua clareou os traços dele de calor e ela tratou de se lembrar: *você não conhece esse homem*.
— Você me seguiu? — perguntou.
— Não.
— O que está fazendo aqui?
— Às vezes venho aqui para pensar.
Isso a fez lembrar os relatos sobre as longas horas que ele passava no precipício, observando as ondas rolando.
— Li algumas coisas sobre você. No diário de viagem de Mia.
— Sim, eu sei.
— Foi por você que ela veio para Bali — disse Katie com frieza, sem conseguir dissimular a amargura.
Ele abaixou a cabeça levemente.
— Sim.
— Ela o amava. Mas você a magoou.

Noah mudou de posição e ela se perguntou se estavam muito perto do precipício. O vento se enrolou pelo penhasco e colou o forro do vestido nas coxas dela.

– Mia deve ter estado aqui – disse Katie, olhando para o vazio que se estendia à frente. Lembrou-se da experiência com o paraquedas e da terrível sensação de rolar curvada para frente sem nada a sustentá-la senão o ar. – Mia deve ter ficado muito assustada.

Lembrou-se da última conversa entre elas. Às vezes as palavras pesavam sobre ela como as pedras do caminho que levaram a irmã até aquele lugar.

– Odeio pensar que minha irmã estava sozinha.

– Ela não estava sozinha – ele disse baixinho.

Cada centímetro da pele de Katie gelou.

– Eu estava aqui.

O coração martelou no fundo do peito dela.

– O quê?

Noah cravou os olhos no horizonte negro.

– Preciso lhe contar algumas coisas sobre a morte de Mia. – Ele deu um passo em direção a Katie, que se viu tomada por uma onda ardente de adrenalina pelo corpo todo. – É muito importante que você saiba que lamento muito.

– Lamenta o quê? – perguntou Katie, o chão desabava debaixo dos pés.

32

Mia

(Bali, março)

Mia caminhou trôpega ao longo da beira da praia, a vodca ainda circulava no organismo. Lamentou-se por não ter carregado a garrafa para beber até apagar. A tristeza profunda que brotara durante semanas arrebentou no peito.

Ela arrastou os pés na areia molhada, pensando na noite em que tinha sido tirada da água em Maui por Noah. Fez de tudo para resgatá-la porque não tinha feito o mesmo para salvar o irmão. Ele sentia uma culpa tão sombria e cavernosa quanto a dela.

Jez e Noah tinham trocado socos.

Ela e Katie, palavras.

Na cabeça de Mia ainda ecoava a voz de alguém que estava no grupo que assistia à luta e que comentou: "Mas vocês não são irmãos?" Como se isso fizesse diferença no ódio entre irmãos.

Já estava esgotada por tudo que tinha acontecido. Saiu da praia e fez o caminho de volta ao albergue. Chegou ao quarto e a porta estava entreaberta. Alguém tinha entrado lá. Escancarou a porta com cautela e entrou silenciosamente no quarto.

O mosquiteiro dependurado fazia uma sombra fantasmagórica sobre a cama e o abajur de vime ao lado estava aceso. Será que o tinha deixado aceso? Zanzou pelo quarto atentamente e examinando-o minuciosamente: a mochila ainda estava lá, mas havia alguma coisa diferente.

De repente, um estalo na cabeça: o diário de viagem. Jazia na mesinha de bambu onde o deixara aberto. E agora estava com a caneta em cima e a tampa retirada. Aproximou-se e só então notou alguns rabiscos – não dela – na página anteriormente em branco. Palavras sem capricho, mas precisas. Apenas rabiscos toscos e oblíquos.

Curvou-se para mais perto e observou a mancha escura na parte inferior da página.

Sangue.

Precisou de alguns segundos para digerir as palavras que logo dispararam e a desequilibraram. Agarrou-se à mesa para se manter de pé. O pânico explodiu no peito e uma flor ardente brotou pela garganta acima.

– Por favor, Deus – murmurou. – Por favor, não.

Mia rasgou a página do diário abruptamente. Apoiou-a contra o peito e, de pés descalços, saiu correndo do quarto pela noite adentro.

Enfiou a página rasgada no bolso traseiro do short para liberar as mãos enquanto subia ao longo do caminho em direção ao penhasco. As solas dos pés já estavam machucadas pelas pedras e as raízes pontiagudas do caminho, mas continuou correndo porque cada segundo era importante.

– Ei! Você está bem?

Ela girou assustada.

Era um casal que a observava do mirante a alguns metros de distância do caminho.

Já estava sem fôlego e o rosto queimava. E então viu a si mesma como uma mulher solitária que corria descalça pela noite.

O homem aproximou-se e perguntou.

– Precisa de ajuda?

– Não – respondeu Mia, abaixando a cabeça e desaparecendo apressada em meio à folhagem densa que cobria o percurso superior do penhasco. Abriu caminho por entre galhos retorcidos que arranhavam seus braços e pernas.

Somente alguns minutos depois é que descortinou o luar esparramado por entre uma lacuna nas árvores. Foi quando se deu conta de que estava quase chegando. Escalou a inclinação final encharcada de suor e chegou ao topo.

Noah estava em pé, próximo à borda do penhasco, como uma sentinela do mar, os ombros largos abertos e as costas eretas. Ela encontrara o bilhete escrito às pressas em uma das páginas do diário aberto. Algumas palavras esparsas de desespero, e abaixo uma nódoa de sangue borrava a página como um presságio. De Noah? De Jez?

– Noah – disse Mia em tom calmo, anunciando-se.

Ele girou levemente a cabeça.

– Não faça isso. – Ela pensou no próprio pai, o jovem de olhar intenso na foto da banda. E se alguém o tivesse encontrado a tempo... um vizinho, um senhorio cobrando o aluguel, com uma palavra gentil na hora certa que pudesse mudar tudo?

Quantos milhares de pessoas consideram um momento igual a esse? Uma borda de penhasco? Uma corda no teto? O telhado de um prédio alto? Uma arma carregada? Gente desesperada querendo deter o desespero, um fluxo que amarga a boca e os ouvidos de desesperança. Mia considerava. Fez um quadro de um ponto requintado no vazio onde eram detidas a pressa da culpa e a velocidade da dor. Morto. Ela deu um passo à frente...

– Não!

Congelou. Agora, estava a três metros de Noah, tão perto que avistou uma flor de sangue florescendo no ferimento da camiseta escura.

– Sai daqui – ele ordenou, sem se virar.

Ela entendia aquela culpa, sempre entendera aquela culpa. Era o que os ligava. Afastara-se das pessoas que amava – da cabeceira da mãe, da vida em comum com Katie e com Finn – porque afastar-se era mais fácil que permanecer. As pessoas com quem se importava poderiam enxergar o medo nos olhos dela. Mas não se afastaria de Noah.

— Não vou sair daqui.
— Não quero você aqui.
— Por que foi à praia hoje à noite? — ela perguntou.
— O quê?
— Você disse que estava saindo de Bali, mas não fez isso. Por quê?

Ele fechou os punhos.

— Não... Não consegui ir embora.
— Por causa do Jez?
— Sim — ele admitiu. — E por causa de você.
— Foi o que eu quis dizer quando disse que te amava.

Ele tombou a cabeça.

— Isso não faz diferença...

Ela ia dizer que fazia, mas ele continuou falando.

— Ele se afogou por minha causa. Eu não devia ter deixado que ele entrasse no mar... Ele não estava pronto. Johnny.
— As ondas estavam muito altas. Nem sequer vi quando ele tombou.
— Você tentou salvá-lo.
— Não tentei, não. Não me esforcei. — Os ombros tremeram, como se estivesse chorando. — Ele estava de bruços quando o alcancei. Já morto. Nadei de volta com o corpo.
— Não foi culpa sua.

Ele não a ouviu.

— Jez estava certo. Bati nele por isso. Queria matá-lo — disse, com a voz embargada. — Sou como meu pai...
— Você é uma boa pessoa, Noah — ela disse. Acreditava nisso e precisava que ele também acreditasse. — Você não é seu pai. — *Assim como não sou meu pai.* Só agora entendia isso. Não era definida pelo legado sombrio de Harley, mas pelas próprias ações.

— Não posso viver assim...

O tom desesperado assustou Mia, que respirou com dificuldade e sentiu a vodca circulando no organismo e entorpecendo as bordas dos pensamentos. Era importante que estivesse lúcida... E que dissesse as palavras certas.

— A morte de Johnny foi um acidente trágico... um acidente terrível. Mas acha mesmo que ele ia querer isso para você?

Noah não respondeu.

— Se ele pudesse vê-lo, o que lhe diria agora?

Ele agarrou-se pela nuca e deixou a tatuagem à vista. Uma tatuagem antes linda, e agora mera tinta preta que penetrava na corrente sanguínea e o envenenava.

— Se ele tinha alguma coisa de você, certamente lhe diria para ficar longe da borda — ela disse.

— E o que isso importa agora? Ele está morto!

A bile subiu pela garganta de Mia. Ela respirou fundo. Precisava se concentrar, precisava afastá-lo da borda.

— E quanto ao Jez? — perguntou, imprimindo um tom calmo na voz. — Ficará sozinho se você fizer isso.

— Ficará melhor assim.

— Ele o ama.

— Não ama, não.

— Eu vi isso, Noah. Ele entrou na rebentação atrás de você. Estava morrendo de medo de perdê-lo — ela continuou. — A última lembrança dele será da briga entre vocês, e de ter culpado você pela morte de Johnny. E tudo o que você está sentindo agora, ele também vai sentir. Não estará acabando apenas com a sua vida... Estará também acabando com a vida do seu irmão.

Ela observou horrorizada enquanto ele andava em direção à borda do penhasco. Uma pedra soltou-se, rolou para frente e despencou pela escuridão abaixo. Estrondou contra as rochas lá embaixo, mas lá embaixo era o nada.

— Sinto muito — disse Noah simplesmente.

Ela entrou em pânico e aguçou os sentidos para um ponto: a ponta de uma pedra contra o arco do próprio pé. Sentiu o gosto de sal trazido do mar pelo vento e ouviu os próprios passos enquanto se movia para frente.

– Mia, não!

Mas ela já estava ao lado dele. Esperou até sentir-se firme e determinada. Depois, obrigou-se a olhar para baixo. O luar iluminou os anéis nos dedos dos pés e, a um centímetro à frente, não mais a borda do precipício e sim o vazio. A escuridão apagava as profundezas, mas lá embaixo as ondas quebravam nas sombras fantasmagóricas das pedras de granito.

Sem mais barganhas, exceto uma.

– Noah, se você está mesmo disposto a fazer isso, também farei. – Ela ergueu e girou a cabeça lentamente. Ele estava com lábios divididos e sangue seco no rosto.

– Não seja estúpida!

Ela entrou em completo silêncio enquanto combatia a onda de medo que subia pelo seu corpo.

– Afaste-se da borda!

– Só vou me afastar se você também se afastar.

– Você está blefando.

– Sabe muito bem que não estou. – Ela tirou o bilhete de suicídio do bolso com todo o cuidado. Ergueu a folha de papel. – Você nunca escreveu isso, Noah. Você nunca veio aqui. Pegue. Depois, saímos daqui. Esta noite nunca aconteceu.

Mia esperou. Uma brisa fresca enrolou-se em torno da mão e agitou a folha.

– Pegue logo, Noah.

O tempo parou. O mundo se reduziu àquele homem e àquela mulher na borda do penhasco. Ela se concentrou na própria respiração acelerada e alta, inspirando e expirando o ar, apenas para se dar conta de que estava por conta própria. O suor escorreu pelo lábio superior. Naquele momento o que mais desejava é que ele pegasse a folha e acabasse logo com aquilo.

De repente, o ar se deslocou e o braço sólido e forte de Noah se ergueu. Ele esticou os dedos em direção à folha de papel. Ela se sentiu suavemente libertada quando finalmente ele pegou o papel.

Foi um alívio instantâneo. A pressão contra os joelhos enrijecidos se desfez, e Mia os dobrou em um ângulo que a inclinou levemente para frente. O tempo encolheu. Ela carinhosamente agarrou o ar à frente em busca de equilíbrio. Mas de repente tudo era escuridão, vazio e um braço que oscilava por conta própria. Um impulso a fez se dobrar para frente a partir da cintura, e o outro braço também oscilou. As pulseiras tilintaram. Um redemoinho a fez girar na brisa.

O peso rolou para as almofadas dos pés e os calcanhares descascaram o penhasco. Ela estava na ponta dos pés. Soaram pedrinhas esmagadas quando Noah se arremeteu para acudi-la. Mia sentiu o toque dos dedos que tentavam alcançá-la.

Mas sabia que era tarde demais.

Ouviu o próprio nome sendo chamado. Mas já estava longe demais. Sentiu uma lufada de vento gelada no rosto seguida pelo lampejo das estrelas e o chamado hipnótico das ondas enquanto o corpo despencava tão leve quanto uma lágrima.

33

Katie

(Bali, agosto)

O sangue pulsou nos ouvidos de Katie. Acreditara em uma mentira.
— Ela caiu?
— Sim, caiu — respondeu Noah.
— Mas as testemunhas...
— Só relataram o que *pensaram* que aconteceu. Do mirante só se consegue avistar parte do topo do penhasco. Eu vestia roupas escuras, se é que não estava fora de vista.
Katie balançou a cabeça, como se não acreditando.
— E quanto à polícia?
— Já houve suicídios aqui. Suponho que a polícia só tenha se concentrado nisso.
— E você nunca corrigiu esse erro? Você nos deixou a todos pensar...
— Naquela noite dezenas de pessoas me viram batendo no meu irmão, e depois empurrando Mia para o chão. A polícia nunca acreditaria em mim se tivesse contado o que realmente aconteceu.
— Achei que Mia tinha se matado! — disse Katie em tom áspero de descrença. — E tudo que tenho feito repetidamente é me perguntar o que poderia ter feito de diferente. De que forma poderia ser uma irmã melhor.
Noah abaixou a cabeça.

– Sinto muito. Por tudo. Realmente, sinto muito. Desculpe. Ainda nos lábios a palavra "desculpe" brilhou no céu como uma centelha.
– Foi você. Foi você que mandou aquela flor para o funeral de Mia. – Ela se lembrou da orquídea branca com miolo vermelho-sangue que tinha aos dedos trêmulos depois que esbofeteou o rosto de Finn.
– Sim.
– Foi mandada junto com um cartão. Com uma única palavra escrita: *desculpe*.
Ele abriu as palmas das mãos.
– Eu simplesmente não sabia mais o que dizer.
– Meu Deus – ela disse baixinho, enquanto a nova informação ricocheteava nos pensamentos.
Sentiu-se atordoada e apertou o peito, o coração disparava. Estava a uns trinta centímetros de distância da borda do penhasco, com Noah ao lado. O vestido flutuou na brisa e as coxas dela se arrepiaram.
– Mia telefonou para mim – disse subitamente –, um dia antes de morrer. Foi minha última chance de falar com minha irmã. E falei coisas tão terríveis.
Fechou os olhos. *Se eu pudesse ter essa conversa de novo, Mia, faria tudo diferente. Eu diria que sempre admirei você. Sua determinação e sua força. Seu dom de ser você mesma. Seu jeito de não dar a mínima para regras e expectativas.*
Eu diria que quase todos os momentos felizes que tive foram com você. Comer peixe e batatas fritas no cais. Ouvir rádio. Deitar ao sol. Fazer malabarismos e cambalhotas na baía.
Também gostaria de pedir desculpas. Amei você como a ninguém mais, mas às vezes também era capaz de odiar você. E sinto muito por isso. Era inveja. Eu queria ser ousada e aventureira como você, mas me sentia sufocada pelos medos.
Se pudesse ter essa conversa de novo... Gostaria tanto de emprestar o dinheiro que você pediu. Gostaria de olhar além do meu

umbigo e perceber que você estava em apuros e precisava de ajuda.
E então diria a você que a amo. Que adoro ser sua irmã.
Mas não fiz nada disso. E agora é tarde demais...
Katie caiu em prantos, encharcando o rosto de lágrimas.
– Katie... – disse Noah.
– Já não posso mais fazer as pazes com ela. Ela me odiou.
– Não. Nunca a odiou – ele retrucou. – Mia falava muito de você. Praticamente o tempo todo. Falou da Cornualha. Falou de como foi crescer com você. Falou de como vocês passavam os verões na praia. Em Porthcray, não é?

Ela enxugou os olhos, balançando a cabeça.

– Ela estava no mar quando a conheci. Ela estava fazendo uma coisa que vocês duas faziam... Flutuar com o rosto debaixo d'água, totalmente imóvel. "Ouvindo o mar", ela disse.

Katie sorriu. *Você se lembrou de nós duas fazendo isso?*

– Você precisa ver uma coisa. – Ele enfiou a mão no bolso e tirou de dentro um pedaço de papel creme dobrado. – Se andou lendo o diário de Mia, sabe que falta uma página no final.

– Sim, sim – ela disse surpreendida pelo fato.

– Fui ao quarto de Mia para deixar um bilhete... talvez um bilhete de suicídio. Precisava de um papel para escrever. E lá estava uma página em branco no diário aberto em cima da mesa. Foi nessa página que escrevi. – Ele desdobrou o papel e entregou para ela.

Katie olhou para o papel. Já estava gasto e bem vincado. A mensagem rabiscada de Noah apareceu à luz da lua.

– Na hora não me dei conta, mas escrevi por trás de um dos relatos de Mia. Olhe só o reverso da folha.

Katie lembrou-se do último relato que tinha visto: o perfil de Mia junto a imagens perturbadoras e uma frase fugaz: *"Como eu sou."* Olhou por trás do bilhete escrito por Noah, na folha de borda irregular que mais tarde se encaixaria exatamente no diário. A brisa balançou a folha e ela a segurou firme.

– Aqui – disse ele, tirando uma pequena lanterna do bolso.

Foram precisos alguns segundos para adaptar os olhos à luz. Ela piscou apressada quando a página entrou no foco. Mia tinha escrito na base da folha: *"Como eu quero ser."* Acima, a ilustração de outro perfil, não com imagens e sim com um contorno claro e leve. Mas a foto ao lado era uma surpresa.

– É você, não é?

O feixe luminoso da lanterna ricocheteou pela foto. Ela ergueu a página mais perto do rosto para ver. Era a foto de uma menininha, com um vestido vermelho brilhante e uma pena branca enfiada no bolso. Segurava com uma das mãos as rédeas de um cavalo-marinho cor de safira, e estendia a outra mão. Era ela, Katie. O segmento da foto que já tinha como perdido.

Mia se desenhara ao lado de Katie.

Juntas.

Irmãs.

"Como eu quero ser."

Katie ficou atordoada. Apertou os dedos nas têmporas. Lá embaixo o mar enfureceu. Punhos de espuma socaram os afloramentos irregulares da rocha. Às vezes o entendimento aflora com uma palavra, um sorriso, um olhar. E para ela era com uma foto que remontava aos anos passados, cujas portas batiam, os braços abriam e as palavras afiavam e faziam sinceros pedidos de desculpas. Anos de longos silêncios e risadas compartilhadas. Ela entendeu que apesar de tudo era amada por Mia. E mais do que nunca desejou que estivessem juntas outra vez.

Logo concluiu que Mia correra ao longo da trilha do penhasco no escuro para ajudar Noah. Passara pelas testemunhas, mas sem tempo para se deter e para se explicar. Imaginou-a em pé na borda do penhasco. Os pensamentos giraram pela ação do álcool e a noite a desorientou e a empurrou para frente. Imaginou um tropeção de Mia, o corpo curvando para frente, os braços levantando-se por instinto e tornando-se asas.

Jamais saberia o que Mia pensou nos derradeiros e terríveis segundos da queda. Jamais saberia se o tempo entrou em câmara lenta, fazendo-a sentir a maresia na brisa que soprava e ouvir o chamado dos pássaros empoleirados nos cantos escuros do penhasco. Jamais saberia se os últimos momentos preencheram-se de memórias da vida que projetaram vislumbres como um baralho de cartas. Mas agora sabia que Mia não tinha ido para o penhasco para acabar com a própria vida e sim para ajudar alguém que ela amava.

Noah enlaçou-a pelo punho com força e puxou-a da borda. De repente, se deteve.

Soaram passos pelo topo do penhasco e uma silhueta emergiu das sombras.

– Finn? – disse Katie.

Ele respirava com dificuldade. Em seguida o luar mostrou uma expressão fechada. Talvez ele tivesse notado as lágrimas no rosto dela. Mas notou que Noah a segurava pelo punho porque de repente correu em direção a eles.

– Tire as mãos de cima dela!

Noah soltou Katie.

– Você está bem? – perguntou Finn. – Ele te machucou?

– Não. Não. Estou bem.

Finn se voltou para Noah, com todos os músculos repuxados, e deu um passo em frente.

Noah não se moveu. Estava de costas para a borda do penhasco. Finn só precisava dar mais alguns passos... Noah se desequilibraria com um único empurrão.

– Que diabos está fazendo aqui? – Finn soltou um grito.

– Mia caiu – disse Katie. – Mia caiu.

– Eu estava com ela – disse Noah. Explicou que Mia tinha ido ao topo do penhasco para ajudá-lo. E que a morte dela tinha sido um acidente.

Finn ouviu atentamente, com feições indecifráveis.

– Então, você nos deixou acreditar numa mentira – disse por fim.

– Sinto muito.

— Mia veio pra cá por sua causa. Nós íamos juntos para a Nova Zelândia. Nós tínhamos planos.
— Nunca pedi a ela para vir.
Sem nenhum sinal de aviso, Finn pegou Noah abruptamente pela nuca e o levou para trás.
Katie rapidamente levou as mãos à boca. Eles estavam a uns trinta centímetros da borda. Um passo mais e cairiam.
Finn empurrou a cara de Noah e gritou.
— E por acaso isso o absolve?
— Não estou procurando absolvição – disse Noah sem a menor reação.
— Finn! – gritou Katie. – Solte-o!
Mas ele pareceu não ouvi-la.
— Como pôde abandoná-la? Você caiu fora de Bali sem dizer nada para ela. E ela já tinha passado por maus pedaços.
— Eu sei. E não queria machucá-la também. Sabia que não poderia fazê-la feliz porque não era nem mesmo capaz de me fazer feliz. Por isso a abandonei. – Noah encarou Finn e acrescentou: – Isso não quer dizer que não me importava com Mia. Eu a amava.

Fez-se um branco de palavras por um breve instante entre os dois, apenas o vento sibilava e ondulava o topo do penhasco.

O sangue pulsou na garganta de Katie.

Finn tombou as mãos para os lados e recuou. Já tinha dito uma vez que se Noah amasse Mia teria sido mais fácil deixá-la partir.

Katie soltou a respiração sufocada.

Noah passou a mão lentamente na garganta. Olhou para Katie no alto. Entreolharam-se.

— Eu queria tanto que tudo tivesse sido diferente. Sinto muito mesmo.

Ela considerou o que ele tinha dito naquela noite: a verdade. Algo bem mais valioso que qualquer outra coisa. Por isso mesmo, disse:

– Foi um acidente, Noah.
Ele apertou os lábios, balançando a cabeça. Girou o corpo em direção ao caminho. Lançou um último olhar para o mar antes de desaparecer por entre as árvores. Enquanto o observava, Katie desejou que um dia o distante horizonte trouxesse algum conforto para ele. Seria o que Mia teria desejado.
Logo Finn aproximou-se e pegou-a pela mão.
– Você está bem?
Ela balançou a cabeça.
– Como sabia que eu estaria aqui?
– Cheguei ao seu quarto para conversar sobre o que você tinha dito... sobre nós. Mas você tinha saído. E Ketut me disse que tinha reservado um táxi para Umanuk. Saí em disparada para cá.
Ele já não estava mais com o semblante tenso. Ela não fazia ideia do que ele queria dizer quando retornou ao quarto. O que importava é que ele tinha ido até o topo do penhasco por ela.
– Muito obrigada.
Ele apertou a mão dela. Ela sentiu-se quente e segura com a mão na mão dele... E se permitiu ter esperança.
– Já está pronta?
Ela lançou um último olhar para o penhasco – um lugar que ao longo dos meses lhe provocara pensamentos sombrios. E que agora só era um monte de terra, só era um monte de terra. Respirou fundo e disse com os pulmões cheios:
– Sim, estou pronta.
Antes morria de medo de que esse momento chegasse, de que chegasse ao final da jornada de Mia e tivesse que viver por conta própria. Mas ela saiu andando de mãos dadas com ele. O eco do vento e o estrondo das ondas se dissiparam atrás e ela então se deu conta de que não estava deixando Mia para trás. Estava levando a irmã junto com ela.

Pensarei em você toda vez que sentir o sal no ar. E a verei correndo ao longo da praia com os cabelos esvoaçantes atrás.

Lembrarei das risadas que soltávamos ao pular na cama do beliche que dividíamos toda vez que ouvir risos. Pintarei quadros de quando dançávamos descalças na sala toda vez que ouvir um soul. Pouco me importa o que vai acontecer daqui para frente... se voltarei para Londres ou para a Cornualha, ou se farei um voo para outro país. Já não sou mais aquela que planejava os horários e os itinerários. Mas farei um plano. Por você, Mia. Por nós duas. Amanhã, pisarei na praia e deixarei a toalha na areia quente. Sairei em disparada até as águas claras balinesas. Mergulharei e sairei batendo as pernas e nadando.

Este livro foi impresso na Intergraf Ind. Gráfica Eireli
Rua André Rosa Coppini, 90 - São Bernardo do Campo - SP
para a Editora Rocco Ltda.